Sos sojowy
dla
początkujących

KIRSTIN CHEN

Sos sojowy dla początkujących

tłumaczenie
Krzysztof Skonieczny

między
słowami

Tytuł oryginału
Soy Sauce For Beginners

Copyright © 2013 by Kirstin Chen. Published by arrangement
with Folio Literary Management, LLC and GRAAL Literary Agency

Copyright © for the translation by Krzysztof Skonieczny

Fotografia na pierwszej stronie okładki
Copyright © Michael Dechev/Shutterstock.com

Opracowanie tekstu i przygotowanie do druku
Pracownia 12A

ISBN 978-83-240-2549-7

Między Słowami
30-105 Kraków, ul. Kościuszki 37
E-mail: promocja@miedzy.slowami.pl
Wydanie I, Kraków 2014

Społeczny Instytut Wydawniczy Znak Sp. z o.o.
30-105 Kraków, ul. Kościuszki 37
Dział sprzedaży: tel. 12 61 99 569
Druk: Drukarnia Colonel, Kraków

ROZDZIAŁ 1

❖

O to kilka z moich ulubionych zapachów: piekący się bajgiel, świeżo krojone figi, bergamotka w dobrej herbacie Earl Grey, słoik całych ziaren soi powoli dojrzewających w promieniach tropikalnego słońca.

Można byłoby się spodziewać, że te ostatnie będą miały słony, mięsny, mdły zapach – jak coś, co poczułoby się, gdyby odkręciło się czerwony korek z butelki stojącej na stole osiedlowej chińskiej restauracji i wsadziło do niej nos tak głęboko, jak tylko się da. Ale prawdziwe, fermentujące ziarna soi pachną zupełnie inaczej niż sos w plastikowej butelce. Ostre i pikantne, jak rosnący chleb albo mokra ziemia, te ziarna pachną historią, życiem i drobnymi, cierpliwymi ruchami niedostrzegalnymi gołym okiem.

Wszystkiego, co wiem o sosie sojowym, dowiedziałam się od mojego ojca, wuja i zmarłego dziadka. Nasza rodzina potrafi bez końca rozmawiać o najmniejszych niuansach ziaren soi. Jednak tamtego ranka w rodzinnej fabryce sosu nie byłam w nastroju do rozmów. Myślałam tylko o trzydziestopięciostopniowym upale. Ciepło unosiło się wokół, przenikając cienkie, płaskie podeszwy moich butów, wypełniało mi nos, usta i oczy. Pot perlił mi się pod pachami, w zagłębieniach łokci i kolan. Nawet w cieniu, pod dachem fabryki w czerwone paski, powietrze było tak gęste, że można byłoby je pić. Stojąc obok ojca i wuja, przestępowałam z nogi na nogę, mając nadzieję, że klienci pospieszą się i wreszcie przyjadą.

W ciągu poprzednich trzech miesięcy skończyłam trzydzieści lat, rozstałam się z mężem i poczułam się gotowa na to, by zrobić sobie przerwę od San Francisco, gdzie spędziłam piętnaście lat. Teraz był sierpień. Od tygodnia byłam z powrotem w Singapurze i mieszkałam w domu moich rodziców. Uległam naleganiom ojca i zgodziłam się pracować tymczasowo w fabryce – wykonywałam nudne administracyjne zajęcia, które miały niewiele wspólnego z sosem sojowym. Choć zajmowałam przydzielone mi stanowisko od dokładnie czterech dni, mój brak doświadczenia nie powstrzymał mojego ojca od namówienia mnie, żebym uczestniczyła w tym spotkaniu.

Ułożyłam daszek z dłoni i mrużąc oczy, spojrzałam na logo widniejące na środku bramy kompleksu – wypisane grubymi pociągnięciami pędzla znaki 林, stanowiące chiński zapis mojego nazwiska. Od czasu założenia firmy Lin's Soy Sauce przez mojego dziadka pięćdziesiąt lat temu fabryka rozrosła się w ogrodzony kompleks z trzema przysadzistymi betonowymi budynkami stojącymi wokół centralnego placyku. Architektura kompleksu była prosta i funkcjonalna, niemal ascetyczna, jakby obawiano się, że jakiekolwiek ozdoby mogłyby odwrócić uwagę od produkcji sosu sojowego. Wraz z ojcem i wujem staliśmy na schodach biurowca i za każdym razem kiedy otwierały się drzwi, owiewało nas zimne powietrze z klimatyzowanych pomieszczeń, dające nam tymczasową ulgę od gorąca.

Jeśli ojciec zauważył, że nie mogę znieść upału, postanowił to zignorować. Otworzył klapkę staromodnego telefonu, by sprawdzić, czy nie ma nieodebranych połączeń. Zdjął okulary i zaczął je polerować brzegiem koszuli. Pozbawione zwyczajowej ochrony oczy taty wydawały się napuchnięte i bezbronne. Kiedy zauważył, że mu się przyglądam, uśmiechnął się. Maleńkie linie zaczęły się rozchodzić od jego skroni, jakby zostały wyryte w skórze grzebieniem o drobniutkich zębach. Był to prosty, mimowolny uśmiech – tego rodzaju uśmiech, jaki wywołuje w nas niemowlak w śmiesznej czapce – i odruchowo odwzajemniłam go.

Stojący po mojej drugiej stronie wuj wyciągnął wilgotną już chustkę z kieszeni i wytarł sobie nią kark. Tata był szczupły i żylasty, zaś wuj Robert wysoki i szeroki jak na singapurskie standardy, a jego obfity brzuch wylewał się zza paska. Uśmiechnął się do mnie:

– Gorąco, co? – spytał wesoło.

Sięgnął nad moim ramieniem i ścisnął biceps mojego ojca.

– Gretchen jest teraz A-h-merykanką – powiedział, akcentując ostatecznie słowo i chichocząc. – Nie potrafi już znieść gorąca.

Lokalny klimat stanowi źródło perwersyjnej dumy dla Singapurczyków – przez cały rok temperatury dochodzą do trzydziestu pięciu stopni Celsjusza i nigdy nie spadają poniżej dwudziestu pięciu. Nasza maleńka wysepka znajduje się niedaleko najbardziej wysuniętej na południe części Półwyspu Malajskiego w Azji Południowo-Wschodniej, tylko o stopień szerokości geograficznej od równika. Podczas grzecznej rozmowy powiemy, że mamy dwie pory roku – gorąco-wilgotną i gorąco-suchą. Podczas mniej grzecznej rozmowy ujawnimy, że są jednak trzy – gorąca, bardzo gorąca i wkurwiście gorąca. Mieszkając w okolicach Zatoki San Francisco, nauczyłam się nie odzywać, kiedy moi amerykańscy znajomi narzekali na wilgoć. Stojąc na frontowych stopniach w jedwabnej bluzce lepiącej się do pleców, myślałam o rześkich jesiennych dniach w San Francisco, o ciepłych promieniach słońca padających na moją zimną skórę.

Właśnie miałam rozpocząć kolejną litanię skarg, kiedy przez bramę wjechała długa czarna limuzyna i przystanęła na miejscu parkingowym. Wysiadło z niej dwóch mężczyzn. Starszy był niski, jego głowa z zaczesanymi do tyłu siwymi włosami wydawała się zbyt duża w stosunku do reszty drobnego ciała. Młodszy był szczupły, ale miał szerokie ramiona i był wyższy od towarzysza, choć różnica wzrostu mogła być spowodowana fryzurą, którą za pomocą żelu ułożył w subtelnego irokeza. Zauważyłam tę fryzurę również na głowach innych młodych Singapurczyków, a wcześniej także modnych członków sceny gejowskiej z San Francisco – moim zdaniem wyglądała zbyt nienaturalnie, by być stylową. Poza włosami najbardziej wyróżniającym się elementem wyglądu młodszego mężczyzny były lśniące ciemne okulary o oprawce cienkiej dookoła soczewek i szerokiej przy skroniach, które tak pasowały do jego twarzy, że wydawały się jej częścią, równie nierozerwalnie z nią związaną co nos lub uszy.

Od powrotu do domu zrezygnowałam ze wszystkich zabiegów pielęgnacyjnych poza najbardziej podstawowymi. W tamtej chwili próbowałam nie myśleć o postrzępionych długich do ramion włosach ani workach pod oczami, ani o tym, że pod warstwami błyszczyku moje usta są popękane.

Tata i wuj Robert już wcześniej poinformowali mnie, kim są goście. Kendro Santoso prowadził sieć wysokiej klasy ogólnoazjatyckich restauracji na terenie całej Azji Południowo-Wschodniej – od Dżakarty, gdzie znajdowała się główna siedziba sieci, przez Bangkok, Kuala Lumpur, Manilę i, w tej chwili, Singapur. Najnowsza restauracja Spice Alley miała zostać otwarta w hotelu Shangri-La do końca roku. Pan Santoso chciał zwiedzić fabrykę przed podjęciem decyzji, czy chce podpisać kontrakt na wyłączność z Lin's Soy Sauce. Ojciec i wuj uznali, że udział w spotkaniu będzie dla mnie interesujący, z czym, naturalnie, się nie zgodziłam.

Jako dziecko uwielbiałam przychodzić do fabryki z ojcem w sobotnie poranki. Spędziłam wiele kolacji, słuchając, jak dorośli debatują na temat wyższości dojrzewania w cedrowych beczkach nad dojrzewaniem w dębowych. Jako trzynastolatka spędzałam wakacje, pracując przy butelkowaniu, podobnie jak wcześniej mój kuzyn Cal. Jednak ta wyczerpująca praca tylko wzmocniła moje postanowienie, by nigdy nie stawać się częścią rodzinnego biznesu. Wtedy po raz ostatni pracowałam w Lin's. Od tego czasu niczego już się nie nauczyłam. Niewiele wiedziałam o tym, co właściwie robią mój ojciec i wuj. Ale tata zlekceważył moje obawy. Zapewnił mnie, że żadne z moich zadań nie jest pilne – pozostali administratorzy poradzą sobie doskonale beze mnie.

Pan Santoso podszedł do wuja Roberta z wyciągniętą dłonią. Przeprosił za spóźnienie, mimo że przyjechał dokładnie na czas, a następnie przedstawił mnie swojemu najmłodszemu synowi. Miał na imię James.

– A oto Gretchen, moja córka – powiedział mój ojciec. – Właśnie wróciła do domu z Ameryki.

Przycisnęłam ramiona do boków, próbując ukryć plamy potu.

– Jest bardzo inteligentna – dodał wuj Robert, jakby opisywał szczeniaka albo małe dziecko.

Pochylił się blisko rozmówcy, jakby miał mu wyjawić tajemnicę.

– Skończyła Stanford.

Nie wspomniał, że jestem na urlopie dziekańskim i studiuję w konserwatorium w San Francisco. Nie byłam zaskoczona.

– James skończył studia MBA na Uniwersytecie Nowojorskim – powiedział pan Santoso. – Na drugim wybrzeżu.

Roześmiał się donośnie, jakby była to pointa dowcipu. Jeśli zastanawiał się nad tym, co się dzieje z Calem, nieobecnym synem wuja Roberta, był zbyt grzeczny, by spytać.

Ojciec i wuj również się roześmiali z ulgą. James z pobłażaniem spoglądał na swojego ojca. Miał w sobie swobodę właściwą facetom, którzy prześlizgują się przez życie – takim, co spotykają się z dobrze urodzonymi, szczupłymi chińskimi dziewczętami czekającymi tylko na oświadczyny. Patrząc na niego, zaczęłam się zastanawiać, czy wyglądam na tak zmęczoną i wynędzniałą jak dziewczyna, którą jej amerykański mąż zostawia dla dwudziestojednoletniej asystentki na uczelni – szczegół ten ukryłam zarówno przed kolegami ze szkoły, jak przyjaciółmi, i zwłaszcza rodziną.

– Zacznijmy – powiedział wuj Robert, trzymając otwarte drzwi i zapraszając do klimatyzowanego lobby.

Kiedy szliśmy wzdłuż korytarza, mijając wiszące na ścianach czarno-białe zdjęcia, zatrzymałam się przy moim ulubionym, przedstawiającym mojego dziadka z bujną siwą fryzurą i krzywym uśmiechem, który odziedziczył mój ojciec, a po nim ja. Na zdjęciu Ahkong schylał się, by wyciągnąć garść sfermentowanej papki sojowej z dużego glinianego naczynia. Pewnego razu dał mi jej spróbować prosto z ręki – wciąż ciekła mi ślinka na wspomnienie ostro-kwaśnego smaku tej pierwszej porcji.

Idący przede mną wuj opowiadał historię firmy Lin's Soy Sauce naszym gościom – opowiadano ją w mojej rodzinie przynajmniej raz w roku, a ostatnio częściej, ponieważ dzieci moich kuzynów były już wystarczająco duże, żeby ją zrozumieć. Choć znałam jej szczegóły na pamięć, zawsze uważnie słuchałam, spoglądając na twarze dzieci, wyobrażając sobie, że usłyszały ją po raz pierwszy z ust Ahkonga.

Mój dziadek, dla pracowników Lin Ming Tek, dla wnuków Ahkong, rozpoczynał karierę w Yellow River – sojowym potentacie z Hongkongu produkującym na masową skalę sos – którego wszyscy członkowie rodziny Lin nauczyli się już wdzieciństwie nienawidzić. Po tym jak Ahkong szybko wspinał się po szczeblach kariery i został szefem singapurskiego oddziału firmy, prezes Yellow River wykupił dla niego przelot do Hongkongu i zaprosił na uroczystą kolację w najlepszej restauracji w mieście – lepszej niż jakakolwiek inna na sennej wyspie Singapur. Tam, w tej ekskluzywnej restauracji, Ahkong po raz pierwszy posmakował prawdziwego sosu sojowego, który odziany w kamizelkę kelner nalał do porcelanowego naczynia tak niewielkiego, że mieściło się w dłoni. Mieniący się i jasny, z delikatnym, wytrawnym posmakiem, był jak rześki strumień w porównaniu z miksturą z Yellow River, przywodzącą na myśl stojącą wodę w mętnym stawie.

Pomimo niedawnego awansu, który niósł ze sobą gwarancję komfortu na całe życie, Ahkong postanowił otworzyć własną fabrykę, produkującą fermentowany sos sojowy, tworzony ze składników najwyższej jakości.

Osiągnięcie tego celu oznaczało opanowanie całkowicie nowej metody produkcji, która szybko stawała się przestarzała. Wszystkie przedsiębiorstwa wytwarzające sos sojowy masowo korzystały z tych samych dróg na skróty, stosując związki chemiczne przyspieszające fermentację i zwiększając ilość soli, by ukryć obecność niższej klasy składników. Tylko kilka fabryk wciąż kultywowało prastarą technikę naturalnego dojrzewania ziaren soi w wiekowych beczkach. Owocem tego procesu był delikatny, złożony złoty wywar, który od wieków wzmacniał smak azjatyckiej kuchni – Ahkong postanowił wprowadzić ten skarb do Singapuru. W ramach edukacji praktykował w fabryce sosu sojowego Chiba, czołowego producenta tradycyjnego sosu sojowego, mieszczącej się na wyspie Shodoshima na Wewnętrznym Morzu Japońskim. Tam nauczył się tradycyjnych japońskich technik, które miał później zastosować przy produkcji własnej odmiany chińskiego sosu sojowego.

Skrócona wersja opowiadanej przez mojego wuja historii pomijała kilka lat, by od razu przejść do długiej listy sukcesów i pochwał, które spotkały mojego dziadka. Sprawiał, że wszystko brzmiało łatwo jak bycie odkrytym przez hollywoodzkiego reżysera na parkingu przed supermarketem. Ja jednak znałam prawdę.

Moja babcia przed śmiercią przedstawiła mi swoją wersję tej historii. Jej opowieść podkreślała przerażenie, które poczuła w chwili, gdy dowiedziała się, że jej mąż odszedł z lukratywnej posady i planował opuścić Singapur i swoją rodzinę, by podążać za jakimś mglistym romantycznym marzeniem.

– Pamiętaj, że to były lata pięćdziesiąte – mówiła babcia po chińsku, wiedząc, że te liczby nic dla nas, wnuków, nie znaczą. Niezrażona tym, ciągnęła dalej: – Kraj był pogrążony w chaosie, zamieszkach na tle rasowym, walce komunistów z nacjonalistami i probrytyjskimi Chińczykami... Właściwie nie mieliśmy jeszcze swojego kraju.

W tej chwili opamiętała się i potrząsnęła głową.

– Singapur nie był taki jak dziś. Wiem, że wam, moje małe głuptasy, ciężko w to uwierzyć, ale cała wyspa pogrążona była w chaosie. Wszędzie było brudno: bezdomni zajmowali puste domy, a po ulicach biegały kury i świnie.

Miała rację – nie potrafiłam sobie wyobrazić, jak po moim nieskazitelnie czystym, doskonale zadbanym mieście grasują hałaśliwe zwierzęta gospodarskie. Cal, który miał wówczas pewnie dziesięć czy jedenaście lat, uniósł na chwilę głowę znad komiksu, a potem wrócił do czytania. Jego młodsze siostry Lily i Rose udawały, że słuchają, jednocześnie kontynuując swoją własną prywatną rozmowę, wymieniając między sobą spojrzenia. Tylko ja, zbyt przyzwyczajona do samotnych zabaw, by przyłączyć się do dziewcząt, i zbyt młoda, by Cal się mną zainteresował, byłam szczerze zaintrygowana.

Według Amah, Ahkong pracował każdego dnia swojego życia, by zapewnić rodzinie dobry, stabilny dom, a teraz wszystko to odrzucał – na dodatek po to, żeby udać się do Japonii.

– Mniej niż dekadę po wojnie! Co sobie ludzie pomyślą!

Błagała go, by nie wyjeżdżał – nawet groziła, że go zostawi – ale mój dziadek był uparty. Najpierw zażądał od Amah, by go puściła, później negocjował z nią, a na koniec błagał. Kiedy zastanawiała się nad decyzją, nie jadł ani nie spał, tylko siedział z rozpaczliwym uporem przy biurku, ucząc się japońskiego.

– Co mogłam zrobić? – pytała Amah, której wzburzenie złagodził czas. – I tak już odszedł z pracy. Jego rozczulanie się nad sobą doprowadzało nas do szaleństwa. Powiedziałam mu, że jeśli nie wróci w ciągu dokładnie sześciu miesięcy, nigdy już nie przytuli swoich synów.

Widząc, jak opada mi szczęka, a oczy rozszerzają się, Amah pogłaskała mnie po głowie i zapewniła, że była to groźba bez pokrycia.

– Oczywiście nie potrafiłabym tego zrobić naszym chłopcom.

Babcia nie była jedyną osobą, która podawała w wątpliwość zdrowie psychiczne mojego dziadka. Jego byli koledzy z pracy mówili mu, że na luksusowym sosie sojowym nie da się zarobić. Klienci przecież nie wyczują różnicy, a już na pewno nie będą mieli ochoty płacić więcej.

A jednak im więcej uczył się mój dziadek, tym bardziej stawał się zdeterminowany.

W tej chwili wuj Robert przerwał, by upewnić się, że nasi goście wciąż słuchają nas uważnie.

– Gdy tylko ludzie spostrzegli, jak zaledwie jedna łyżeczka sosu potrafi wydobyć zapach cebulki, imbiru i czosnku albo jak najcieńsza warstwa może wzmocnić woń delikatnej pieczeni – w tym miejscu połączył opuszki palców i uniósł je do ust – jak mogli nie chcieć go kupić?

Nasi goście poważnie pokiwali głowami. Oczy mojego ojca błysnęły na mnie zza okularów, a ja miałam nadzieję, że przestanie próbować zaangażować mnie w dyskusję. Naprawdę doceniałam jego starania, ale musiałam sobie poradzić z różnicą czasu, pogodą i bólem, który przenikał mnie, gdy tylko myślałam o wszystkim, co pozostawiłam za sobą. Przylepienie sobie uśmiechu do ust i kiwanie głową świadczące o zainteresowaniu – te czynności wymagały energii, której nie miałam.

Poza tym tata powinien się odprężyć. Właściwie był już na emeryturze – pogarszające się zdrowie mojej matki zmusiło go, by pozwolił swojemu młodszemu bratu przejąć obowiązki prezesa Lin's. Jednak w ostatnim tygodniu, kiedy Cala wciąż nie było, ojciec przychodził do pracy każdego dnia w czasie między odwożeniem i przywożeniem mamy z zabiegów dializy. Zanim choroba nerek zmusiła ją do przejścia na emeryturę, była profesor literatury na Uniwersytecie Narodowym w Singapurze. Sos sojowy jej nie interesował.

Wuj Robert mówił Santosom, że to tylko kwestia czasu, zanim sos sojowy wyprze keczup i musztardę i stanie się najpopularniejszym dodatkiem w Ameryce.

– To z pewnością możliwe – powiedział pan Santoso. – Amerykanie rzeczywiście uwielbiają azjatycką kuchnię. Kiedy studiowałem w Michigan, nie można było zamówić ryby, która nie byłaby smażona w głębokim tłuszczu. Teraz w każdym supermarkecie można kupić sushi. Prawda, synu? Czy to nie wyjątkowe?

– Z pewnością wyjątkowe – odparł syn.

Mówił z amerykańskim akcentem – to typowe dla bogatego chłopaka, który kształcił się w prywatnych międzynarodowych szkołach.

Powinnam uczciwie przyznać, że często brano mnie za rodowitą Kalifornijkę, ale mówiłam też płynnie w singlish i traktowałam swoje akcenty jak kapelusze, a może raczej peruki, które można założyć w zależności od okazji, a nawet nastroju. A jednak, mimo że nie podobał mi się ten chłopak, jego zlewające się sylaby, spłaszczone samogłoski i pomijane spółgłoski sprawiały, że moje ciało przebiegał lekki dreszcz, jak na widok niewidzianego od lat znajomego, którego nie wiemy, czy zawołać, czy niepostrzeżenie się od niego oddalić.

Poszliśmy za wujem Robertem na wylany cementem placyk, na którym znajdowały się rzędy firmowych słojów Lin's, z których każdy pomieściłby skulone dziecko. Kiedy dotarliśmy do zacienionego miejsca pod wiotkim mydleńcem, wuj wyjaśnił, że wszystkie siedemdziesiąt sięgających do bioder naczyń wykonano specjalnie dla Ahkonga w chińskiej prowincji Fujian. W słojach znajdowała się mikstura całych ziaren soi – gotowanych na parze, nie w wodzie, by zachowały ziemisty smak – a także soli morskiej, wody i prażonej pszenicy ozimej. Co cztery dni jeden z pracowników mieszał zawartość każdego ze słojów długą drewnianą łyżką. Poza tą ingerencją pozostawiano je samym sobie zamknięte, by naturalnie fermentowały przez pięć czy sześć miesięcy przy świetle słonecznym.

Po drugiej stronie placyku, w cieniu szopy zasłaniającej nowe kadzie z włókna szklanego, chudy i lekko zgarbiony starszy mężczyzna sprawdzał temperaturę słojów termometrem z tarczą. Był ubrany w uniform pracowników fabryki – jasnożółtą koszulkę polo, z tyłu której widniało nasze logo, symbol 林 znajdujący się w kole. Jeszcze zanim ujrzałam jego twarz, rozpoznałam w nim pana Liu, głównego analityka Lin's. Ukradkiem kiwnął mi głową, nie chcąc zwracać na siebie uwagi, a ja uniosłam dłoń i pomachałam mu.

Jednak wuj Robert postanowił skorzystać z okazji, by przedstawić naszych gości najstarszemu pracownikowi Lin's, którego Ahkong przyjął jeszcze w 1958 roku.

– Mamy szczęście, że jest z nami tak długo. Nie przetrwalibyśmy bez niego.

Gestem przywołał pana Liu i poklepał go po plecach.

– Ng dao eh sai bo?

Osłaniając oczy przed słońcem, pan Liu odpowiedział po chińsku, że proces fermentacji przebiega doskonale. Uniósł palec wskazujący, rozciągnął usta w nieśmiałym uśmiechu i przeszedł na angielski ze względu na gości.

– Gorące dni, hor, źle dla ludzi, dobrze dla ziaren.

Stojący obok mnie James wydawał się wyjątkowo niewzruszony upałem. Jego pozbawiona porów skóra była sucha, a kołnierzyk koszuli sztywny jak papier kredowy. Mrużąc oczy, spojrzał w niebo i zrobił głęboki wdech.

– Pachnie jak w browarze – powiedział w powietrze.

Uniósł kącik ust, a ja spojrzałam w przeciwnym kierunku.

Kiedy wracaliśmy do biurowca, James zrównał się ze mną.

– Jaką wykonujesz tu pracę?

– Och – odparłam, czując, że się rumienię. – Nic ważnego. Właściwie jestem tu tylko dla zabicia czasu.

Zastanawiałam się, czy wytłumaczyć mu, że wzięłam na semestr urlop dziekański przed zrobieniem dyplomu, by pomóc ojcu zajmować się matką. Nie zdecydowałam się na to jednak i przyspieszyłam kroku, by dołączyć do pozostałych, rozmawiających o firmie, którą wspólny znajomy musiał sprzedać.

– Zawsze lepiej, jeśli firma może pozostać w rękach rodziny, choć niewątpliwie wiążą się z tym pewne wyzwania – stwierdził pan Santoso. Wskazał na swojego syna. – Jak dotąd miałem dużo szczęścia.

Wuj Robert i tata niewyraźnymi pomrukami dali do zrozumienia, że się zgadzają. Widziałam, że żaden z nich nie chce bardziej szczegółowo omawiać wspomnianych wyzwań.

James powiedział cichym głosem:

– Przepraszam za tatę. Zdarza się, że jest nieco prozaiczny.

Próbowałam sobie przypomnieć, co oznacza słowo „prozaiczny", i myślałam nad zabawną odpowiedzią. Kiedy nasi ojcowie usunęli się na tyle daleko, że nie mogli już nas usłyszeć, powiedziałam:

– Mój ojciec jest królem źle użytych idiomów. Wynalazł takie klejnoty jak „o lisie mowa" albo... o właśnie, kiedy byłam w college'u nazywał mnie „wilkiem salonowym".

Pomimo że to była prawda, czułam się winna, że dowcipkowałam z taty, który stał tuż obok.

Kiedy James się śmiał, cała jego twarz się zmieniała – na czole pojawiały się bruzdy, a na nosie i wokół oczu zmarszczki. Przez moje podbrzusze przebiegł przyjemny ból czy skurcz, który szybko ustąpił, pozostawiając mnie w stanie speszonego ożywienia. Nagle zadałam sobie pytanie, dlaczego poszukiwałam potwierdzenia od innych, niezależnie od tego, kim byli.

Elektroniczna wersja arii Królowej Nocy przeszyła powietrze – zadzwonił mój nowy telefon. Wszyscy odwrócili się w moim kierunku. Ojciec zmarszczył brwi.

– Przepraszam – powiedziałam, grzebiąc w torebce, którą kupiłam właśnie ze względu na to, że ma wiele kieszeni i przegród. – Nikt nie lubi Mozarta?

Tylko James niezręcznie zachichotał. Uciszyłam królową, naciskając czerwony przycisk, ale zdążyłam zauważyć imię, które pojawiło się na ekranie: Paul.

Szybko policzyłam, że dziesiąta rano tutaj oznacza, że w San Francisco jest piąta po południu. Ostatnio rozmawialiśmy tydzień wcześniej, i to była krótka rozmowa. Nie mogłam wpaść na żaden powód, dla którego miałby właśnie teraz do mnie dzwonić. Ale być może w ogóle nie miał powodu – może po prostu chciał usłyszeć mój głos.

– Xiao Xi – ojciec zawołał mnie ze szczytu schodów, używając mojego chińskiego przezwiska. W jego tonie dało się słyszeć napięcie.

Pozostali znaleźli się już w sali konferencyjnej, więc szybko do nich dołączyłam.

W pomieszczeniu jedna z asystentek dyrekcji wlewała liściastą herbatę Iron Goddess of Mercy do pięciu błękitnych filiżanek. Mój wuj usiadł na szczycie długiego stołu pod dwoma chińskimi zwojami przedstawiającymi pejzaże – wielkie, postrzępione łańcuchy górskie ponad spowitą mgłą rzeką. Wskazał, bym zajęła miejsce niedaleko ojca i naprzeciwko Jamesa.

– Teraz spróbujemy sosu – powiedział.

Na środku stołu stały dwie wąskie butelki, na których widniały złote pierścienie z umieszczonym wewnątrz nich symbolem 林. Z boku ustawiono pękatą plastikową butelkę Yellow River, sosu produkowanego przez byłego pracodawcę Ahkonga – od jej elegantszych towarzyszek oddzielała ją biała porcelanowa tacka mieszcząca trzy oddzielne miseczki na sos. Obok niej znajdował się talerz krakersów ryżowych o kształcie i wielkości komunijnego opłatka.

Ojciec przeprowadził ze mną pierwszą degustację, kiedy miałam sześć lat, a potem robił to co roku, aż weszłam w wiek, kiedy dzieci zaczynają nienawidzić wszystkiego, co ich rodzice chcieliby, by lubiły. Obecnie, osiemnaście lat później, ogarnęła mnie ta sama niecierpliwość, którą czułam jako dwunastolatka. Chciałam natychmiast opuścić to miejsce, wrócić do biurka i zadzwonić do Paula.

Jednak tata zaplanował dla naszych gości pełną degustację. Wiedząc, jaka jest stawka tego spotkania dla rodzinnej firmy, postanowiłam zostać i patrzeć uważnie.

Zdjął korek z butelki Yellow River i wlał sos do pierwszej miseczki.

– Zaczynamy od lury – powiedział, mrugając okiem, a potem spoważniał. Uniósł tackę i płynnym ruchem zamieszał sos z namaszczeniem.

– Widzicie, jaki ciemny? – zapytał i zmrużył pociemniałe oczy z niesmakiem.

Santosowie przyglądali się tacce, jakby była testem Rorschacha. Ja jednak wiedziałam, czego szukać. Sos był gęsty i pozostawiał na porcelanie czarnobrązową plamę jak wodnisty odcisk palca.

Ba umieścił tackę z powrotem na stole i poradził Santosom, by się nad nią pochylili.

– Trochę bliżej, lah. Dobrze wciągnijcie zapach.

Szybko trzy razy powąchał, by zaprezentować, jak należy to zrobić. Kiedy byłam młodsza, mówił, że należy to wykonać jak pies.

James schylił głowę, eksponując swojego irokeza w sposób, który wydał mi się niemal wulgarny, jak bezzębny uśmiech na uroczej twarzy. Zastanawiałam się, ile żelu musiał każdego ranka nakładać na włosy, by stały w ten sposób. Niemal czułam pod dłońmi jego oleistą lepkość.

– Ty też, Xiao Xi – powiedział Ba, popychając tackę w moim kierunku.

Pochyliłam głowę i ostry, drażniący zapach Yellow River sprawił, że się skrzywiłam.

Następnie Ba wziął krakersa, zamoczył jego brzeg w sosie i gestem wskazał, że powinniśmy zrobić to co on. Sos smakował dokładnie tak samo, jak pachniał.

– Cierpki, płaski, jednowymiarowy. Z niemal metalicznym posmakiem – powiedział mój wuj, potrząsając głową. – Okropny, lah, sos. Jeżli użyjecie go do jakiejś potrawy, jakość jej pozostałych składników nie ma znaczenia.

Tata dodał:

– To nie prawdziwy sos sojowy. Kolor i smak pochodzą od chemikalii.

W mojej głowie zabrzmiał głos matki, która doskonaliła amerykański akcent podczas lat spędzonych na studiach w Ithaca w stanie Nowy Jork: „Chemikaliów, Xiong – poprawiała go. – A nie chemikalii". Tata często mylił się, mówiąc w liczbie mnogiej, która nie istnieje w języku chińskim.

Następnie przeszliśmy do degustacji dwóch butelek sosu sojowego Lin's. Wuj nauczył Sanosów, jak pociągnąć drobny łyk każdego sosu i przesuwać po języku, by odczuć wszystkie smaki. Po poprzednim ten sos smakował jak objawienie. W takich chwilach rozumiałam, dlaczego mój dziadek ryzykował tak dużo, by znaleźć doskonały wywar.

– Prawdziwy sos sojowy jest równie złożony co dobre wino: owocowy, ziemisty albo kwiatowy, lah.

Wuj Robert podkreślił intensywną kwaskowatość jasnego sosu sojowego i bogatą, delikatną słodycz ciemnego. Wyjaśnił, że jasny sos wykorzystuje się do przyprawiania potraw i maczania ich, ciemny zaś do gotowania, ponieważ jego smak rozwija się pod wpływem ciepła.

James i jego ojciec zmarszczyli brwi i zaczęli głośno mlaskać. Gdyby Paul tu był, trąciłby mnie pod stołem. Nie cierpiał jakiejkolwiek sztuczności. Kiwakami nazywał ludzi, których uważał za pretensjonalnych. Kiedy spytałam, jak na to wpadł, wyprostował się na krześle, wydłużył twarz jak bloodhound i mruknął: „ki-ki-ki", kiwając głową w rytm wypowiadanych sylab.

Jednak tata i wuj Robert obserwowali pokaz Santosów z uznaniem. Tyle lat i tyle degustacji później nikt nie mógł ich podejrzewać o to, że nie przejmowali się swoją pracą.

Kiedy udzielono odpowiedzi na wszystkie pytania Santosów, a mój ojciec z satysfakcją uznał, że zrozumieli różnicę między Yellow River a naszymi sosami, wyszedł z pomieszczenia i wrócił z tacką, na której stały wysokie szklanki i trzy zimne spotniałe puszki sprite'a.

– A teraz specjalny smakołyk – powiedział.

Santosowie wyglądali na tak zadowolonych, że od razu przeszłam na ich stronę i w milczeniu udzieliłam ostrej reprymendy Paulowi. Dlaczego inni ludzie sprawiają, że czuje się tak zagrożony? Irytacja musiała mi się malować na twarzy, ponieważ ojciec spojrzał na mnie pytająco. Potrząsnęłam głową.

Wlał do szklanek sprite'a i kroplę ciemnego sosu sojowego. Karmelowe pasemko wiło się w szklance niczym złowróżbna chmura.

James i jego ojciec wymienili niepewne spojrzenia. Unieśli szklanki do światła.

– Spróbujcie, lah – powiedział tata.

– Zasmakuje wam – zachęcił wuj Robert.

– Naprawdę, jest pyszny – wtórowałam im.

W trójkę patrzyliśmy, jak Santosowie unieśli szklanki do ust i ostrożnie pociągnęli kilka łyków – ich oczy rozszerzyły się w zachwycie.

Ojciec popchnął trzecią szklankę w moim kierunku i pociągnęłam długi łyk. Mikstura stworzona przez Ahkonga była słodka, cierpka i wytrawna – jej uspokajający, pełny smak przypominał karmelizowany cukier albo spalone masło, ostro kontrastując z tańczącymi na moim języku bąbelkami.

Kiedy pan Santoso osuszył szklankę, mój wuj zbliżył się z cennikiem i wskazał na specjalną zniżkę, którą Lin's oferował po raz pierwszy w historii. Wydawało mi się, że mój ojciec skrzywił się, usłyszawszy o zniżce, ale kiedy spojrzałam na niego ponownie, jego brwi nie były już uniesione. Jak zwykle zachował się w pełni profesjonalnie.

James wyciągnął urządzenie mobilne i zaczął uderzać w ekran. Po chwili przechylił go w kierunku swojego ojca.

– Wszystko to robi wrażenie – powiedział pan Santoso.

Tata i wuj Robert pochylili się w przód na krzesłach.

– Ale w związku z tym, co stało się w tym miesiącu – ciągnął dalej pan Santoso – mamy pewne niewielkie obawy.

Zanim mógł powiedzieć cokolwiek więcej, wuj odparł:

– Proszę pozwolić, że zapewnię panów, iż zajmę się ich obsługą osobiście. Nie będzie żadnych niedopatrzeń. Mają panowie moje słowo.

Pan Santoso znów spojrzał uważnie w ekran syna.

James podniósł wzrok i popatrzył na mnie, a ja uświadomiłam sobie, że wstrzymuję oddech. Unikając jego wzroku, skupiłam się na znajdujących się na ścianie za wujem Robertem obrazach. Tam, w samym dolnym rogu jednego z pergaminów, pośród wyniosłych gór i wijącej się rzeki, częściowo ukryty za wielkim głazem, znajdował się człowieczek wielkości paznokcia w maleńkiej łódeczce rybackiej.

Pan Santoso wreszcie odłożył urządzenie. Wyciągnął dłoń w kierunku mojego wuja i uśmiechnął się szeroko.

– Bardzo się cieszę, że będę mógł podawać państwa sos sojowy w naszych restauracjach.

Wydawało się, że ściany sali konferencyjnej rozstąpiły się, gdy wszyscy odetchnęliśmy. Wstaliśmy, a po serii uścisków dłoni mój wuj polecił asystentce, by przyniosła skrzynkę wielokrotnie nagradzanego sosu ostrygowego Lin's, który nasi goście mieli otrzymać w prezencie. Później odprowadziliśmy ich do samochodu, gdzie nastąpiła kolejna seria uścisków dłoni.

– Jak długo jeszcze będą panowie w mieście? – spytał mój ojciec, z entuzjazmem chwytając pana Santoso za ramię.

– Tylko do weekendu, chociaż często przylatujemy tu z Dżakarty. Mamy domek w River Valley, gdzie James spędza większość czasu.

– Kiedy tylko będą panowie chcieli porozmawiać o interesach, proszę dzwonić – powiedział mój wuj. – Nie ma błahych pytań.

– To bardzo miłe – zauważył James, patrząc na mnie przez ramię mojego wuja.

Schyliłam głowę i poczułam puls w skroniach. Winiłam tatę i wuja Roberta za to, że wykorzystali mnie, bym odwróciła uwagę tych ludzi od nieobecności Cala, za to, że tak bardzo starali się, bym się przejęła.

Wreszcie Santosowie odjechali, a tata i wuj Robert pogratulowali sobie nawzajem i na przemian poklepali mnie po plecach. Dopiero wtedy zrozumiałam, jak bardzo byli zestresowani.

– Wiesz, Gretch – rzekł wuj Robert – kiedy byłaś mała, uwielbiałaś przychodzić do fabryki. Znałaś imiona wszystkich pracowników.

Wspominał o tym już wcześniej – spędzałam w hali tyle czasu, że pan Liu dał mi własną żółtą koszulkę polo, żebym wyglądała jak wszyscy inni.

Jak na zawołanie mój ojciec powiedział:

– Ta koszulka sięgała ci do kolan. Nosiłaś ją każdego tygodnia przez cały rok.

Często rozmawiali w ten sposób, jakby angażowali się w jakiegoś rodzaju tajną wymianę hasła i odzewu.

Teraz nadeszła kolej wuja Roberta.

– Pamiętasz, jak uwielbiała te ciastka ryżowe?

Mówił o krakersach podawanych przy degustacjach.

– W domu nie chciałaś nic jeść – powiedział tata. – Ale tutaj zjadłabyś całą paczkę, gdybym cię nie powstrzymał.

Kiedy wracaliśmy do budynku, usiłował objąć mnie ramieniem, a ja odruchowo uchyliłam się.

Już od bardzo dawna nie uważałam fabryki za prywatny plac zabaw, ale nie zadałam sobie trudu, by im o tym powiedzieć. Moją głowę wypełniały innego rodzaju myśli. W mojej głowie, tak jak na ekranie telefonu, wyświetliło się imię: Paul-Paul-Paul – bezkresny łańcuch nadziei i historii, wypadający z ekranu i wyślizgujący się poza zasięg wzroku.

❖

ROZDZIAŁ 2

W 1958 roku, kiedy mój dziadek otwierał swoją nową fabrykę sosu sojowego, ustanowił, że wszyscy robotnicy i pracownicy biurowi każdego dnia o 12.30 będą robili sobie przerwę na rodzinny obiad przygotowany przez specjalnie do tego zatrudnionych kucharzy. Kiedy zaczęłam pracować tymczasowo w Lin's, Ahkong nie żył już od pięciu lat, ale wraz ze specjalnie przygotowanymi słojami i tajnymi przepisami praktyka wspólnych lunchów dla załogi przetrwała. Tradycja była tak silna, że wciąż podawano jego ulubione południowochińskie dania – duszoną wołowinę z jajkami na twardo, kurczaka w potrawce z grzybami shitake, purée ze słodkich ziemniaków. Za wieloma z tych dań tęskniłam podczas pobytu w San Francisco, a jednak próbowałam unikać lunchu, jak tylko mogłam.

Podczas pierwszego dnia pracy wślizgnęłam się do kuchni wcześniej, by nabrać sobie jedzenia na talerz i zabrać go na górę, ale kiedy wychodziłam, zauważył mnie wuj i nakazał zająć miejsce koło siebie oraz wyjaśnić, czego właściwie się uczę na studiach magisterskich z edukacji muzycznej. Potem udałam, że mam problemy żołądkowe, i pozostałam przy biurku, gdzie jadłam płatki cynamonowe – kupione w sklepie spożywczym zaopatrującym przyjezdnych za dwukrotność ceny – prosto z pudełka.

Teraz, gdy wracałam do biura z parkingu, ludzie przechodzili dookoła mnie po drodze z jadalni. Zauważyłam Fionę i Shuting, asystentki administracyjne, z którymi pracowałam przez ostatni tydzień, i żeby powiedzieć cokolwiek, zapytałam, dokąd idą.

– Na makan – odparła Shuting.

Udała, że nabiera łyżką jedzenie z ręki ułożonej w kształt miski.

Choć z pewnością odmówiłabym, czekałam, aż mnie zaproszą, a kiedy żadna z nich tego nie zrobiła, udałam bardzo zajętą i pospieszyłam do gabinetu.

Sądziłam, że moja niezdolność do zdobycia przyjaciół w pracy zaczęła się właśnie w tym przestronnym pokoju ze świeżo malowanymi bladopistacjowymi ścianami, zaraz obok narożnego biura mojego ojca. Nie dość, że na każdej butelce sosu wyjeżdżającej z fabryki znajdowało się moje nazwisko, co stawiało mnie w wystarczająco niezręcznej sytuacji, to zostałam również jedynym tymczasowym pracownikiem w historii, który otrzymał własne biuro. Błagałam wuja o normalny boks, ale on machnął dłonią w kierunku okna, z którego widać było gęstą sieć boksów w pomieszczeniu biurowym.

– Gdzie mam cię umieścić? Już i tak wszyscy ledwo się mieszczą, a w przyszłym tygodniu przyjeżdża ta twoja znajoma.

Mówił o Frankie Shepherd, mojej współlokatorce z czasów college'u, która miała rozpocząć roczny kontrakt jako konsultantka w Lin's – pomogłam jej zdobyć tę posadę, zanim jeszcze którakolwiek z nas spodziewała się, że ja również będę w Singapurze, a co dopiero po drugiej stronie korytarza. Przynajmniej Frankie też będzie miała własne biuro. Mimo to w ramach protestu odmówiłam powieszenia obrazów na ścianach czy przyniesienia własnych fotografii i roślin doniczkowych.

Ilekroć wuj lub ojciec komentowali skąpy wystrój mojego biura, przypominałam im, że pracuję jedynie tymczasowo przez kilka miesięcy. Od stycznia będę z powrotem w konserwatorium, by skończyć ostatni semestr.

Moje myśli przerwało pukanie do drzwi – Shuting otworzyła drzwi, nie czekając na odpowiedź. Była szczupłą dziewczyną o przenikliwym głosie i ustach, które nigdy się nie zamykały.

– Przy okazji – powiedziała, jakbyśmy były w środku rozmowy. – Ktoś dzwonił, jak cię nie było. Jakiś Paul.

Czekała na moją reakcję, a ja zmusiłam się do zachowania spokoju. Paul miał również nazwę dla dziewcząt takich jak ona – sępy dramatu. Ten biurowiec był ich pełen.

– Tak? – powiedziałam, wzruszając ramionami. – Zostawił wiadomość?

Shuting westchnęła zawiedziona.

– Powiedział tylko, żebyś oddzwoniła. Przepraszam, że nie powiedziałam ci wcześniej.

W odpowiedzi nieznacznie kiwnęłam głową.

– Coś jeszcze?

Potrząsnęła głową.

Kiedy zamknęłam za nią drzwi, podniosłam słuchawkę telefonu i zważyłam ją w dłoni. Paul z pewnością najpierw zadzwonił do domu i rozmawiał z moją matką. Kto inny mógłby mu powiedzieć, gdzie mnie znaleźć? Poczułam przeszywające napięcie, jakby ktoś zapiął mi na skórze zamek od kości ogonowej po szczyt kręgosłupa. Paul zawsze dobrze się dogadywał z moją matką. Z pewnością próbowała z niego wydobyć jakieś informacje i choć wiedziałam, że uszanuje umowę między nami, by zachować szczegóły naszej separacji dla siebie, sama myśl o tym, że rozmawiają – pytają o swoje samopoczucie i okazują sobie troskę – sprawiła, że ręce zaczęły mi drżeć.

Odłożyłam słuchawkę na widełki i sięgnęłam do dolnej szuflady po pudełko płatków – tych samych, które jadłam na śniadanie przy biurku, by uniknąć siedzenia z rodzicami przy stole w jadalni. Wepchnęłam sobie garść do ust i przeżułam, wpychałam i żułam, smakując uderzające do głowy porcje słodyczy, których chrupanie było wzmocnione konserwantami, i całą tę amerykańską przesadę. Wróciłam do komputera, kliknęłam na nowy e-mail od Kat Tan, mojej najstarszej singapurskiej przyjaciółki. Było to zaproszenie na przyjęcie z okazji jej trzydziestych urodzin – zamknęłam okienko, żeby nie musieć podejmować decyzji.

W korytarzu przed moim biurem jedna z dziewcząt z działu marketingu zatrzymała się przy oknie i zaczęła na pokaz sortować dokumenty, równocześnie jednym okiem spoglądając na mój dziwny posiłek. Podeszłam do okna i pociągnęłam za sznurek, by opuścić żaluzie.

Kilka minut później usłyszałam ostry odgłos pukania do drzwi. Otworzyłam je zbyt gwałtownie i stanęłam twarzą w twarz z ojcem.

– Ach – powiedziałam – To ty.

– Wszystko w porządku? – spytał. Jego wzrok obiegł pokój i zatrzymał się na pudełku płatków.

– Tak – odparłam, wracając na krzesło. – Poza tym że wszyscy w firmie chyba myślą, iż jestem jakiegoś rodzaju egzotycznym zwierzęciem. Czuję się w tym biurze jak w klatce w zoo.

Usta taty rozszerzyły się w uśmiechu, ale oczy pozostały niewzruszone.

– Niedługo im się znudzi.

Znów spojrzał na płatki, ale mądrze uniknął pytania o nie.

– Jadę do domu po mamę.

Poprawił okulary na nosie.

– Zawiozę ją na wizytę u lekarza.

Czekał, jakby wyzywając mnie, bym coś powiedziała.

Przeniosłam wzrok na ekran komputera i położyłam dłoń na myszce.

– Dobrze.

Stał ze skrzyżowanymi ramionami, a potem odwrócił się i otworzył drzwi. Zanim mogłam się uspokoić, znów wychylił zza nich głowę.

– Wracasz do domu na kolację czy nie? – spytał, jakbym trzy dni z rzędu nie dała tej samej odpowiedzi.

– Nie dziś.

Kiedy tylko odgłos kroków mojego ojca ucichł, usłyszałam szepty i chichoty dobiegające spod moich drzwi. Zapewne po drugiej stronie znajduje się dziewczyna z marketingu, do której bez wątpienia dołączyło kilka innych – ich oczy rozszerzały się z ciekawości, a nawet złośliwej satysfakcji. Miałam ochotę rzucić telefonem przez cały pokój, tak by uderzył w drzwi z ogłuszającym trzaskiem. Później zatęskniłam za anonimowością życia w San Francisco, gdzie nie byłam niczyją córką, wnuczką, kuzynką ani bratanicą.

Splotłam ręce na biurku, położyłam na nich głowę i marzyłam o tym, by być gdziekolwiek indziej niż w tym pustym biurze otoczonym ściszonymi głosami i czujnymi oczami. Nie miałam wątpliwości, jak dokuczliwe byłyby plotki, gdyby kobiety wiedziały o romansie Paula – nie mogłam sobie wyobrazić powoli narastającej wściekłości ojca, gdyby on o nim wiedział.

Kiedy wreszcie zmusiłam się do wyjścia z biura, ujrzałam Shuting i Fionę przyklejone do ekranu, na którym oglądały internetową wersję wywiadu mojego kuzyna Cala z prezenterką lokalnych wiadomości. Widziałam ten klip pierwszego dnia po powrocie. Byłam już wcześniej wtajemniczona w szczegóły skandalu i z przerażeniem obserwowałam, jak mój kuzyn spogląda prosto w oczy prezenterki, mówiąc jej powoli i wyraźnie, że powtórzy jeszcze tylko raz: ani on, ani Lin's nie zrobili nic złego. Niedługo po tym wywiadzie mój ojciec nakazał Calowi wyjechać z miasta.

Zauważywszy mnie, Fiona szybko zamknęła stronę internetową.

Shuting jako pierwsza odzyskała rezon i spytała z udawaną troską:

– Dlaczego zawsze opuszczasz lunch? Dodzwoniłaś się do Paula?

Nie chciałam nawet, by wypowiadała jego imię. Kiedy nie odpowiedziałam, Fiona przyjrzała się mojej twarzy i zapytała, czy dobrze się czuję. Była poważną, elegancko ubraną kobietą, którą miałam za osobę w średnim wieku, mimo że prawdopodobnie miała tylko kilka lat więcej niż ja. Poczułam ulgę, kiedy Jason z działu sprzedaży wychynął zza boksu, ratując mnie od przymusu udzielania odpowiedzi.

– Podobno xiao lao ban wrócił do miasta – powiedział, podejmując ulubiony temat dyskusji w firmie: Cala, którego za plecami nazywano „małym szefem".

Mina Jasona zrzedła, kiedy mnie zobaczył.

– Ach – wyjąkał. – Jesteś tu.

Podczas gdy ja byłam za granicą, odrzucając oferty pracy i kolekcjonując stopnie naukowe, mój kuzyn wiernie pozostał w miejscu, zdeterminowany, by nauczyć się wszystkiego, co tylko może, o rodzinnym biznesie. Odkąd był nastolatkiem, Cal spędzał wakacje szkolne, pracując w fabryce. Przez cały okres studiów odbywał staż w dziale sprzedaży. Nawet podczas obowiązkowego dwa i pół roku służby wojskowej regularnie pojawiał się w biurze w pełnym umundurowaniu. Kiedy po ukończeniu studiów został mianowany wiceprezesem, nikt nie był zaskoczony.

Kilka miesięcy wcześniej mój kuzyn rozpoczął ostatnią próbę wprowadzenia firmy w nowe tysiąclecie za pomocą linii gotowych sosów o smakach takich, jak:

teriyaki, słodko-kwaśnym, czarnej fasoli i kaczki po pekińsku. Choć wuj Robert i tata mieli wątpliwości co do jego strategii, Cal zauważył, że Lin's już eksperymentuje z tańszym sosem sojowym dojrzewającym w kadziach z włókna szklanego. Argumentował, że ta nowa seria dodatków wzmocni starania firmy, by dotrzeć do młodszej klienteli. Testy konsumenckie wypadły bardzo pozytywnie i pojawiło się tyle zamówień, że fabryka nie nadążała z produkcją.

Tydzień po wejściu produktów na rynek pojawiły się informacje o pierwszym zatruciu pokarmowym w Rice Broker, małej sieci fast foodów zupełnie nieprzypominającej ekskluzywnych restauracji, które zazwyczaj kupowały sos sojowy Lin's.

Cal z pewnością spanikował, widząc, że ma przed sobą potencjalnie poważny problem, zwłaszcza że to on podjął decyzję o przyspieszeniu produkcji przez pominięcie niektórych procedur higienicznych. Pojawiły się jednak zaledwie trzy czy cztery kolejne skargi i trudno było wykryć źródło zanieczyszczenia. W międzyczasie sprzedaż nowych sosów dwukrotnie przekroczyła szacunki. Wycofanie ich ze sprzedaży w tym momencie nie tylko wiązałoby się z wysokimi kosztami, ale i zaszkodziłoby reputacji firmy – być może niepotrzebnie. Cal z pewnością powtarzał sobie to wszystko, kiedy postanowił utajnić zgłoszenia o zatruciu pokarmowym. Korzystając z największego budżetu marketingowego w historii firmy, nadal agresywnie promował nowe produkty.

Z początku wydawało się, że ryzyko się opłaciło. Nie było wieści o kolejnych przypadkach zatrucia. Później jednak reporter „Straits Times" zachorował po zjedzeniu krojonego dorsza usmażonego w gotowym sosie z czarnej fasoli firmy Lin's. Reporter odbył rozmowę ze znajomą, która podała sos rodzinie, po czym jej niemowlę wymiotowało jak z armaty przez dwanaście godzin. Reporter zaczął śledztwo, a nawet wysłał próbkę sosu z czarnej fasoli do Ministerstwa Zdrowia. Jego artykuł pokazał, jak omijano procedury higieniczne podczas produkcji, i podawał w wątpliwość nie tylko umiejętności zarządzania Cala, ale i jego poczucie przyzwoitości. Jak firma, która twierdzi, że wyznaje wartości rodzinne, może kontynuować sprzedaż produktu, przez który ludzie chorują? Reporter zakończył artykuł chińskim przysłowiem: „Bogactwo nie przechodzi na trzecie pokolenie". Kiedy artykuł pojawił się w kioskach, nie miało już znaczenia to, że testy w ministerstwie nie przyniosły jednoznacznych rezultatów.

To matka dzwoniła do mnie do San Francisco, by informować na bieżąco o rozwoju sytuacji – ojciec był zbyt wściekły i wyczerpany, by o tym mówić.

W końcu tata i wuj Robert wycofali wszystkie sosy ze sklepów, co wiązało się z wielkimi kosztami dla firmy.

Skasowali nową linię, wysłali Cala na urlop i próbowali uratować reputację firmy. Teraz wygnanie mojego kuzyna trwało już dwa tygodnie, a tata i wuj Robert mieli podjąć decyzję o jego przyszłości w Lin's – ich dyskusja przebiegała w ścisłej tajemnicy.

Cisza tylko zachęcała pracowników biurowych do kolejnych spekulacji.

– Jeśli wrócił do miasta, zacznie znów pracować od przyszłego tygodnia – powiedziała Shuting.

– Chyba że go wyleją podczas weekendu – rzekł Jason, obleśnie unosząc i opuszczając brwi. Rzucił okiem w moją stronę i pochylił głowę – Przepraszam.

Machnięciem dłoni dałam mu znak, że przeprosiny były niepotrzebne. Cal zasłużył na to, by go zdyskredytować.

– Nie wyleją go – powiedziała pewnie Fiona.

Wszyscy troje grzecznie powstrzymali się od oczywistych żartów na temat nepotyzmu. Czekali, aż się odezwę.

Słabym głosem rzekłam:

– Słyszałam, że cały urlop spędził, nurkując na Malediwach.

Nie byli pod wrażeniem.

Jason spytał, czy mój ojciec wyjawił mi cokolwiek więcej na temat Cala, a kiedy zapewniłam wszystkich, że nie mam innych informacji, Shuting skwitowała moją odpowiedź potrząśnięciem głowy:

– Ta, lah, jasne – powiedziała. – Zasady poufności i takie tam, prawda? –

Po czym zwróciła się do pozostałych i powiedziała po chińsku:

– Oczywiście, że nie może nam powiedzieć.

Doskonale wiedziała, że rozumiem.

Usłyszeliśmy, że otwierają się drzwi biura mojego wuja, więc Jason i Shuting wstali, by wyjść, ale najpierw cała trójka zgodziła się, by pójść po pracy na piwo na targowisko. Nie zaprosili mnie.

Fiona podała mi pudełko z kopertami, do których miałam włożyć masową przesyłkę, i powiedziała cicho:

– Nie pozwól, by ci dwoje zaleźli ci za skórę. Oni i tak qit gong bueh gong, ale nie mają o niczym pojęcia.

Uśmiechnęłam się, żeby pokazać jej, że wszystko w porządku.

W biurze wydrukowałam pięćdziesiąt kopii listu dla naszych najlepszych klientów, w którym dziękowaliśmy im za lojalność podczas tego trudnego okresu, i zabrałam się do pracy. Zazwyczaj cieszyły mnie tego rodzaju bezmyślne, powtarzalne zajęcia – wpisywanie danych do arkuszy kalkulacyjnych w Excelu, porządkowanie dokumentów, robienie kserokopii. Jednak tego popołudnia nie mogłam się skupić. Składałam i rozkładałam każdy z listów przekonana, że źle zaadresowałam kopertę, do której go włożyłam.

Za oknem mojego biura, za niskimi dachami fabryki, znajdujące się w centrum miasta drapacze chmur lśniły w popołudniowym słońcu jak piryt. Wypolerowane, czyste, sterylne.

W San Francisco zakochałam się w rozpadających się wiktoriańskich osiedlach – niektóre z nich przeżyły po kilka trzęsień ziemi. Blok na Russian Hill, w którym mieszkaliśmy z Paulem, pochodził z 1922 roku.

– Znaczy to po prostu, że będziemy bezpieczni, kiedy nadejdzie kolejne trzęsienie ziemi – powiedział Paul, kiedy ciasna winda-klatka w naszym budynku unosiła nas w powietrze.

Tego wieczora trzy lata po ślubie odkryliśmy, że pociągnięcie za tylne drzwi zatrzymuje windę. Winda zawisła między drugim a trzecim piętrem, a ja zdjęłam sweter i pozwoliłam mu opaść na brudną podłogę, a potem przyciągnęłam Paula do siebie i przycisnęłam usta do jego szyi. Rozpięłam mu koszulę i właśnie sięgałam do paska, kiedy głos, którego nie mogliśmy pomylić z żadnym innym, zagrzmiał z góry:

– Mam nadzieję, że nie robicie tego, co myślę!

Była to nasza sąsiadka pani O'Donley.

Nie mogąc powstrzymać chichotu, włożyliśmy ubrania i próbowaliśmy się uspokoić do chwili, gdy drzwi windy otworzyły się na piątym piętrze. Starsza pani czekała z rękami opartymi na biodrach.

– Dobry wieczór, pani O'Donley – rzekł Paul, pochylając się, by spojrzeć jej prosto w oczy. – Bardzo przepraszam, że musiała pani czekać.

Odsłonił dwa rzędy białych i lśniących jak kostki domina zębów.

– Och – powiedziała, robiąc krok w tył.

Jej policzki zaróżowiły się i przestała zaciskać zęby. Bez wątpienia wszystko zostałoby nam wybaczone, gdybym znów nie wybuchła śmiechem.

Pani O'Donley doszła do siebie.

– Niektórzy z nas się spieszą – powiedziała, surowo spoglądając znad okularów.

Wbiegliśmy do naszego mieszkania i Paul padł na łóżko, wciągając mnie na siebie, i razem śmialiśmy się, aż rozbolały nas brzuchy.

Później tego samego wieczora, kiedy się kochaliśmy, przyciągałam męża do siebie tak mocno, jak tylko mogłam, tak że ranił moje biodra i zgniatał żebra. Myślał, że po prostu jestem bardzo podniecona, ale nie o to chodziło: obudziła się we mnie niekontrolowana tęsknota, świadomość istnienia przestrzeni, których on nie potrafi wypełnić.

Zegar na moim komputerze wskazywał trzecią po południu. Pierwsza w nocy w Kalifornii. Wyobrażałam sobie, jak Paul przemierza tam i z powrotem swoje nowe mieszkanie z telefonem przyciśniętym do ucha, pytając o zdrowie mojej matki i opowiadając jej o swojej pracy badawczej. Niemal słyszałam, jak matka wciąga powietrze i obniża głos, by zaznaczyć zmianę tematu, i mówi:

– Powiedz szczerze, Paul. Czy między wami naprawdę wszystko skończone?

Czy powiedział coś niejasnego i nic nieznaczącego jak: „Te sprawy są skomplikowane"? Czy przeżuwał wnętrze swoich policzków, zanim przyznał się, że naprawdę nie wie?

Kiedy telefon zadzwonił, właśnie wkładałam listy do ostatnich kopert. Wstrzymałam oddech, ale okazało się, że to tylko tata. Później przypomniałam sobie, że miał zadzwonić od lekarza.

Miało to być rutynowe badanie i ojciec próbował zapewnić mnie, że wszystko jest w porządku, mimo że lekarz przeprowadził testy i okazało się, że mama ma podwyższony poziom potasu. Kiedy go dokładniej wypytałam, Ba przyznał, że tego rodzaju stan może być niebezpieczny, jeśli pozostanie nieleczony, więc lekarz postanowił, że mama na wszelki wypadek zostanie na noc w szpitalu.

– Wiesz, jaki jest doktor Yeoh – powiedział. – Bardzo ostrożny, lah.

– Co się stało? – spytałam zdenerwowana jego próbami udobruchania mnie i zdeterminowana, by potwierdzić swoje podejrzenia. – Co to spowodowało?

W końcu przyznał, że mama mogła wypić gin z tonikiem albo dwa podczas lunchu ze znajomą tego popołudnia – niejasno relacjonował szczegóły, a ja ugryzłam się w język, by nie wybuchnąć falą oskarżeń.

Położyłam gotowe koperty na biurku Fiony i wyjaśniłam, że muszę wyjść wcześniej. Idąc korytarzem w kierunku klatki schodowej, usłyszałam, że Shuting podbiega do boksu Fiony. Nie odwróciłam się, by przyłapać ją na gorącym uczynku.

Nie było tajemnicą, że przewlekła choroba mojej matki przerodziła się w niewydolność nerek, ale moi współpracownicy nie wiedzieli – a ja dopiero sama zaczynałam sobie uświadamiać – w jakim stopniu to, że matka pije, pogarszało stan jej zdrowia. Zmuszona do przejścia na emeryturę w wieku pięćdziesięciu ośmiu lat matka spędzała większość dni podłączona do dializatora – prawdopodobnie będzie musiała być ciągle poddawana dializom przez resztę życia. W pewnym sensie nie mogłam jej winić za to, że czuje potrzebę wypełnienia tych samotnych, pustych godzin. Od czasu gdy byłam dzieckiem, mama zawsze lubiła wypić sobie drinka po pracy albo kieliszek lub dwa dobrego wina, ale dzięki sprytnym zabiegom ojca zawsze wydawała się co najwyżej czarująco podchmielona. Jednak w ostatnich latach zdarzało się coraz więcej sytuacji, których nie potrafił wytłumaczyć, jak wówczas kiedy zadzwoniła do mnie w środku nocy i mówiła zbyt głośno i dziwnie przenikliwym głosem:

– Kochasz mnie, kaczuszko? – bełkotała do telefonu. – Naprawdę, prawdziwie mnie kochasz?

Kiedy jechałam samochodem do szpitala Gleneagles, zaczęło ogarniać mnie poczucie winy. Ojciec nigdy nie prosił o pomoc – to nie było w jego stylu – ale mama potrzebowała czegoś, czego nie mógł jej zapewnić. Postanowiłam pokazać im, że mogą na mnie liczyć, że będę odgrywała bardziej aktywną rolę w opiece nad nią.

Trzy miesiące wcześniej zadzwoniłam, by przekazać moim rodzicom najbardziej skąpą z możliwych wersji decyzji o separacji z Paulem – nasze małżeństwo się nie układało, wyprowadzał się. Przygotowałam się na ostrzał pytań, ale usłyszałam tylko ciszę – myślałam, że może mój telefon się rozłączył. Następnie Ba powiedział:

– My też musimy ci o czymś powiedzieć. Mama znów potrzebuje dializy.

Poczekał trzy dni, zanim ostrożnie zasugerował, że być może czas, żebym wróciła do domu. W tamtej chwili myślałam tylko o sobie, i poczułam ulgę.

Pogrążony w problemach zdrowotnych mamy i zdradzie Cala ojciec nadal jeszcze nie zaczął wypytywać mnie o separację, mimo to żyłam w stanie ciągłego napięcia.

Wyszłam z windy na dziewiątym piętrze szpitala. Pomimo najlepszych intencji, kiedy zobaczyłam ojca przemierzającego korytarz przed szpitalną salą, mogłam myśleć tylko o tym, że nigdy nie potrafił postawić się matce.

Zanim zdążyłam się powstrzymać, wypaliłam:

– Nie możesz wciąż pozwalać, by to się powtarzało.

Z początku tylko wbił we mnie wzrok, a potem przysunął się do mnie.

– Jesteś tu od tygodnia – powiedział, próbując nie podnosić głosu, choć był czerwony na twarzy. – Nie masz o niczym pojęcia.

Spróbowałam jeszcze raz.

– Może powinnam z nią porozmawiać.

– Kto cię powstrzymuje? – spytał.

Kiedy nie odpowiedziałam, poprawił koszulę przy pasku.

– Idę na dół napić się czegoś. Przynieść ci coś?

Przez chwilę myślałam, że chodzi mu o bar, ale później uświadomiłam sobie, że ma na myśli szpitalną stołówkę. Ostatnimi czasy tata rzadko sięgał po alkohol. Choć nie miałam tego dnia w ustach niczego poza płatkami, myśl o jedzeniu sprawiła, że żołądek podszedł mi do gardła.

– Nie, dziękuję – powiedziałam.

Nie próbował sprawić, bym zmieniła zdanie. Po prostu odwrócił się i poszedł do windy.

– Tato! – zawołałam, chcąc mu powiedzieć, że może jednak przyłączę się do niego i zjem obiad.

Nie oglądając się i nie zatrzymując, uniósł dłoń i delikatnie mi pomachał.

Stojąc przed drzwiami do sali mojej matki, zbliżyłam twarz do drzwi. Zauważyłam ją – w pozycji półleżącej, opartą na dwóch poduszkach. Wyglądała na chudszą i słabszą niż poprzedniego dnia. Jej lewe ramię podłączone było do kroplówki, a z brzegu łóżka zwisały plastikowe rurki – nie chciałam myśleć o miejscach, do których były podłączone.

Matka zawsze była szczupła, a w ciągu ostatniego roku jeszcze straciła na wadze. Miała żółte i woskowe policzki, jakby odlano je z syntetycznego materiału mającego udawać prawdziwą skórę. Po całych miesiącach tracenia włosów poleciła swojej długoletniej fryzjerce, by „pozbyła się ich wszystkich", i to, co zostało z jej niegdyś długich, lśniących loków, obecnie bezwładnie zwisało jej przy szyi. Pomimo wszystkich swoich problemów nie godziła się na to, by zachowywać się jak ktoś, kto spędza całe dnie na przemieszczaniu się z sypialni do szpitala i z powrotem. Każdego ranka wkładała jedwabną bluzkę w żywe wzory, spodnie zaprasowane w kant i masę bransolet ze szczerego złota – ten zestaw stanowił jej nauczycielski mundur. Nawet dziś, choć była ubrana w standardową koszulę szpitalną, miała na ustach świeżą warstwę jabłkowej czerwieni. Niekiedy podziwiałam jej bezkompromiso-wość; innymi razy robiło mi się jej żal.

Choć na jej piersi leżał rozłożony egzemplarz „The Economist", patrzyła w podwieszony ekran telewizyj-ny, na którym żywa, doskonale ufryzowana blondyn-ka – ulubiona prezenterka popołudniowych talk-show w Ameryce – nakazywała widzom, by przestali mó-wić „nie" i zaczęli mówić „tak, do cholery!". Zgroma-dzona w studiu publiczność złożona z gospodyń domo-wych w średnim wieku piała z zachwytu. Ten typ kobiet, o mocnej budowie i szeroko otwartych ze zdumienia oczach, kojarzyłam ze Środkowym Zachodem, ale pro-gram nagrywano przecież w San Francisco. Dom prowa-dzącej na Pac Heights był popularnym punktem progra-mu wycieczek po architekturze miasta.

Usłyszawszy moje pukanie, matka szybko wyłączy-ła telewizor.

– Moja długo niewidziana córka – powiedziała. – Musiałam trafić do szpitala, żeby cię wreszcie zobaczyć.

Odwlekając odpowiedź, podsunęłam sobie krzesło.

– Dokąd chodzisz po pracy? – spytała. – Gdzie spę-dzasz cały wolny czas?

Były to rozsądne pytania. Dwie ostatnie noce spę-dziłam sama w Holland Village w Chaplin's, brudnym barze z podartymi skórzanymi stołkami i pustą łatą parkietu tanecznego, w niczym nieprzypominającego rozdygotanego, pulsującego miejsca, które pamiętam z wakacji, kiedy dym był tak gęsty, że zapalało się papierosa w samoobronie.

– Jak się czujesz? – zapytałam.

Skrzywiła się.

– Ten doktor Yeoh... Wciąż mówi mi, że mam więcej jeść, ale w tym samym zdaniu dodaje, że mam unikać soli, chilli, cukru i czosnku – wymieniała kolejne składniki na palcach. – To co ja mam jeść? No i twój ojciec... On wszystko traktuje tak poważnie. Siedział i robił notatki, jakby miał zapomnieć. Powiedziałam mu, żeby zanotował „nie jeść nic, co ma smak".

Wyglądała na zadowoloną, kiedy się uśmiechnęłam.

– Naprawdę, z całą tą dializą, jakie znaczenie ma to, co jem? I czy doktor Yeoh nie rozumie, że mieszkam z singapurskim królem sosu sojowego?

Na liście zabronionych składników nie było alkoholu – podejrzewałam, że mama opuściła go z własnej woli. Zważywszy na to, że spędziłam poprzednie noce na zamawianiu jednej wódki z sokiem za drugą, by opóźnić chwilę, kiedy przekroczę próg domu rodziców, nie mogłam jej oceniać.

– Mamo, musimy o tym porozmawiać – powiedziałam, kładąc jej dłoń na przedramieniu, szukając sposobu, by pokazać jej, że rozumiem.

– Och, nie zaczynaj, kaczuszko. Czuję się dobrze. Powiedziałam im, że nie muszę zostawać na noc, ale oczywiście nikt mnie nie słucha.

Przerwałam jej.

– Ile wypiłaś?

Odwróciła wzrok.

Powiedziałam jej, że kiedy wróci do domu, usiądziemy i opracujemy plan. Być może nadszedł czas, by wróciła do rękopisu, który niemal porzuciła, biografii niemieckojęzycznego pisarza afrykańskiego Dualli Misipo.

– Nie możesz całymi dniami nic nie robić.

Zasznurowała cukierkowoczerwone usta.

– Naprawdę? Przecież wszyscy mi mówią, że jestem taka chora, a chorzy powinni właśnie tak się zachowywać.

Nie pozwoliłam jej wciągnąć się w tę rozmowę.

– Mogę ci dawać lekcje gry na fortepianie.

Zaniemówiła. Zawsze chciała nauczyć się grać, ale nigdy nie miała czasu.

– Oj, Gretch – zaczęła.

– Jestem bardzo surowa. Zazwyczaj uczyłam ośmiolatki z ADHD.

W ramach studiów magisterskich pracowałam jako wolontariuszka w państwowej szkole w Richmond.

Roześmiała się słabo.

– Dobrze – powiedziałam. – Zaczniemy od razu.

Pomyślałam o moim ojcu, który siedział w szpitalnej stołówce i popijał sztucznie barwiony sok jabłkowy z puszki. Pożałowałam, że potraktowałam go tak ostro.

Mama wzięła mnie za rękę.

– Jest jeszcze coś, o czym chciałabym porozmawiać.

Jej skóra wydała mi się cienka jak pergamin. Walczyłam z pragnieniem, by ją puścić.

– Czy Paul dodzwonił się do ciebie do pracy? – spytała.

Nie mogłam się powstrzymać i odsunęłam się od niej.

– Dlaczego z nim rozmawiałaś? Co ci powiedział?

Potem się opamiętałam.

– Dlaczego w ogóle o tym teraz rozmawiamy?

– Co dokładnie zaszło między wami? Dlaczego nikt nie chce odpowiedzieć mi wprost?

– Myślę, że mamy w tej chwili wystarczająco dużo tematów do dyskusji – odparłam. – Na przykład to, dlaczego ciągnęłaś gin z tonikiem w środku popołudnia.

Jej brwi zbliżyły się do siebie na środku czoła, a potem równie szybko się od siebie oddaliły. Wypowiedziałam wreszcie te słowa i nie miałam pojęcia, co nadejdzie za chwilę.

Ciszę przerwał głośny pisk – to maszyna z kroplówką. Do pokoju bez pukania weszła pielęgniarka i uciszyła dźwięk.

– Wszystko w porządku? – spytała.

Zbadała igłę w żyle mamy i obróciła jej przedramię w powietrzu. Wydawało się, że nie zauważyła, że ani mama, ani ja nie odpowiedziałyśmy na jej pytanie.

– Wrócę za godzinę, żeby sprawdzić pani puls.

Chciałam znaleźć powód, by zawołać pielęgniarkę z powrotem. Bałam się spojrzeć mamie w twarz.

Przemówiła jako pierwsza.

– Masz trzydzieści lat – powiedziała. – Czas, byś zaczęła zachowywać się, jak przystało na twój wiek. Twoje problemy nie znikną tylko dlatego, że sobie tego życzysz.

Wstałam tak gwałtownie, że moje krzesło przewróciło się i wylądowało na oparciu z metalicznym trzaskiem.

– Jasne, gadaj zdrów. W końcu jesteś wspaniałym przykładem tego, jak stawać z problemami twarzą w twarz.

– Nie mów tak do mnie.

– Niby jak!? – krzyknęłam.

– Prędzej czy później będziesz musiała mi powiedzieć, co się dzieje. Dlaczego nie zaczniesz już teraz, zanim stracisz go na dobre?

– Dobrze – odparłam. – Chcesz, żebym ci coś powiedziała? To ci powiem. I kiedy już załatwimy tę sprawę, może będziemy się mogły skupić na tym, dlaczego jesteś w szpitalu, ponieważ wydaje mi się, że to twoje picie jest tu prawdziwym problemem. Zamieniasz się w pijaczkę.

Słowo, które wypowiedziałam, dziwnie mi zabrzmiało. Nie wiedziałam, czy wreszcie mówię to, co należało powiedzieć, czy próbowałam uniknąć rozmowy o Paulu.

Ale nawet ogarnięta emocjami, czułam, że powiedzenie mamie o romansie sprawi, że na światło dzienne wyjdą inne problemy, którym nie byłam gotowa stawić czoła. Kiedy zacznę mówić, nie będzie już odwrotu.

– On nie może ci wybaczać w nieskończoność – odparła.

Zajęło mi chwilę uświadomienie sobie, że matka uważa, iż to wszystko moja wina. Stałam z otwartymi ustami i próbowałam wymyślić, od czego zacząć.

Mama westchnęła.

– Chodź – powiedziała. – Usiądź.

Zanim zdążyła cokolwiek dodać, wybiegłam na korytarz, gdzie minęłam mojego zmęczonego i zdezorientowanego ojca.

– Dokąd biegniesz? – spytał.

Potrząsnęłam głową i powiedziałam mu, że będę w domu później, i zaczęłam gwałtownie naciskać przycisk zamykający drzwi windy.

Na parkingu wyciągnęłam z torebki telefon i przejrzałam listę nieodebranych połączeń – kursor wrócił na początek, podświetlając imię Paula. Zaczęłam kręcić gałką radia w poszukiwaniu odpowiedniego programu i w końcu trafiłam na początek symfonii *Z Nowego Świata* Dworzaka. Samochód wypełnił się gwałtownymi dźwiękami instrumentów dętych.

Miałam pięć lat, kiedy po raz pierwszy usłyszałam wolną, dostojną drugą część symfonii na gramofonie matki. Później podeszłam do fortepianu i zagrałam ze słuchu solową partię rogu, bezbłędnie. Kiedy moja matka ze wzrokiem rozpalonym podnieceniem opisała tę chwilę mojemu nauczycielowi gry na fortepianie, zgodził się, że muszę mieć słuch absolutny. Mama uwielbiała opowiadać tę starą historię – nie mogłam sobie przypomnieć, kiedy ostatnio była ze mnie równie dumna.

Przełączyłam z powrotem na stację z muzyką softrockową i wyjechałam z parkingu. Czekając na zmianę świateł, zastanawiałam się, czy nie wrócić do Chaplin's. Barman był łysiejącym Anglikiem, który kazał mi płacić tylko za co drugiego drinka, ale wyobrażenie jego łzawiących oczu i zagiętych w dół kącików ust sprawiło, że poczułam się jeszcze bardziej przygnębiona. Zamiast skręcić na zachód do Chaplin's, wjechałam na autostradę Pan Island, by uniknąć korków w godzinach szczytu, i zanim się zorientowałam, jechałam z powrotem w kierunku fabryki.

Dwie przecznice przed Lin's skręciłam na parking targowiska Jalan Besult. Powiedziałam sobie, że moich kolegów z pracy prawdopodobnie już tam nie będzie, ale jeśli ich zastanę, wypiję z nimi po prostu szybkiego drinka. Na pewno nikomu nie będzie to przeszkadzało. Na pewno poza biurem będą bardziej przyjaźni.

Targowisko było wielką halą na wolnym powietrzu, w której mieściło się z pięćdziesiąt budek z jedzeniem prowadzonych przez ich właściciele – każdy z nich specjalizował się w jednym daniu, od grillowanej ogończy z pikantną pastą krewetkową po Hokkien mee, miksturę żółtego i ryżowego makaronu smażoną z jajkami i duszoną w bogatym wytrawnym bulionie krewetkowym. O tej godzinie w centrum roiło się od par, które wracały do domu z pracy, i rodzin mieszkających w niedalekim budynku socjalnym. Powietrze pachniało smażonym na woku czosnkiem i środkami czyszczącymi, których użyto w takich ilościach na podłogach, że nie zdołały do końca wyschnąć w wilgotnym powietrzu.

Kiedy przechodziłam między stolikami, czułam, że klienci uważnie przyglądają się mojej torebce z miękkiej skóry, mojej wyszywanej w skomplikowane wzory czarno-białej bluzce i ołówkowej spódnicy.

Budka z piwem znajdowała się po drugiej stronie centrum – Fiona, Shuting i Jason siedzieli ściśnięci przy stoliku obok czterech nastoletnich chłopaków w białych koszulach z krótkim rękawem i szortach khaki: to uniform uczniów jednej z dobrych szkół średnich. Shuting zauważyła mnie pierwsza. Oczy jej się rozszerzyły. Schyliła głowę i szepnęła coś do pozostałej dwójki. Na ich twarzach pojawiło się najpierw zaskoczenie, a potem panika – uświadomiłam sobie, że zrobiłam wielki błąd.

– Cześć! – krzyknęłam, machając im z entuzjazmem. Co innego mogłam zrobić?

Wymamrotali coś w odpowiedzi.

Nastolatki spojrzały na chwilę w moim kierunku, a potem wróciły do swoich parujących misek z makaronem.

– Chcesz się dosiąść? – spytała słabym głosem Fiona. Próbowała przesunąć się na ławce i udało się jej zrobić dla mnie wąziutkie miejsce.

Oczy Shuting zwężyły się.

– Co u twojej mamy? Wszystko eh sai boh?

– W porządku – skłamałam tym samym głośnym i wyraźnym głosem.

Powiedziałam im, że nie mogę długo zostać, bo tylko odbieram kolację na wynos, którą chcę zabrać do domu. Wszyscy jednak wiedzieliśmy, że to nieprawda, ponieważ nigdy nie przyjechałabym po jedzenie aż tu.

– Do zobaczenia w poniedziałek! – krzyknęłam, a potem szybko uciekłam za róg, mijając handlarza niosącego stertę jasnozielonych talerzy, który spojrzał na mnie gniewnie i wrzasnął, żebym patrzyła pod nogi.

Usłyszałam za sobą chichoty – wiedziałam, że należały częściowo do Fiony, Shuting i Jasona. Już sobie wyobrażałam pełne pogardy spojrzenia i ledwo ukrywane uśmieszki, które spotkają mnie w pracy.

Wróciwszy do samochodu, przeklinałam własną głupotę. Żałowałam, że wybiegłam ze szpitala. Myślałam nawet o tym, żeby tam wrócić i przeprosić. Miałam już jednak dość dezaprobaty mamy. Nie rozumiała, dlaczego nie potrafiłam wybrać sobie zawodu i trzymać się go, dlaczego po ukończeniu studiów magisterskich z anglistyki potrzebowałam kolejnego tytułu – tym razem z edukacji muzycznej – i dlaczego poddałam się w małżeństwie, i dlaczego pozwoliłam ojcu przekonać się do tego, żebym zaczęła pracę w Lin's.

Matka uważała, że najlepszym okresem w jej życiu były studia doktoranckie na Uniwersytecie Cornella. Od samego początku próbowała przygotować mnie na życie poza Singapurem. Moje imię pochodzi od jej ulubionej pieśni Schuberta – nazwała mnie tak, choć wiedziała, że wielu osobom będzie ono sprawiało trudność. Przekonała mojego ojca, by wysłał mnie – swoją jedynaczkę – na drugi koniec świata do szkoły z internatem w Kalifornii. Później, kiedy byłam w college'u, a moi rodzice po raz pierwszy spotkali Paula, poradziła tacie, by nie od razu odrzucał mojego chłopaka ang mo.

Po tym wszystkim, co zrobiła, by mnie uwolnić, znalazłam się z powrotem w punkcie wyjścia.

W samochodzie było gorąco i duszno – moje uda przyklejały się do skórzanego fotela. Otworzyłam okno i siedziałam w środku z rękami na kierownicy, dopóki na parkingu nie włączyły się światła. Wtedy sięgnęłam po telefon i zadzwoniłam do Paula.

Dopiero po trzech czy czterech sygnałach uświadomiłam sobie, że w San Francisco jest środek nocy. Miałam odłożyć słuchawkę, kiedy odebrał.

– O, cześć – powiedział głosem bardziej szorstkim niż zwykle.

Wyjąkałam przeprosiny, zastanawiając się, czy tamta dziewczyna była tuż obok niego w łóżku.

– Spokojnie – powiedział, śmiejąc się niskim gardłowym śmiechem, któremu nigdy nie mogłam się oprzeć. – Jestem w pracy. Nie obudziłaś mnie.

Wciąż więc zdarzało mu się nie spać całą noc jak studentowi. Nawet już podczas stażu podoktorskiego w Berkeley zawsze powtarzał, że w pracy do świtu jest coś magicznego.

Próbowałam się uspokoić.

– Dlaczego dzwoniłeś do mnie tyle razy?

Paul odrzekł:

– Cóż, słuchaj, miałem ci wysłać zawiły e-mail, ale stwierdziłem, że będzie szybciej, jeśli zadzwonię. Później nie mogłem sobie przypomnieć, który z numerów, jakie sobie zapisałem, był na twoją komórkę, a który do domu rodziców, a potem twoja mama powiedziała, żebym zadzwonił do ciebie do pracy.

Kiedy był zmęczony, zawsze się rozgadywał.

– Dobrze – odparłam, przeciągając pierwszą sylabę.

Powiedział, że para, która podnajmuje od nas mieszkanie, urządziła w salonie sklepik z trawką. Sąsiedzi – prawdopodobnie pani O'Donley – poskarżyli się, więc właściciel mieszkania dał naszym lokatorom czas do końca miesiąca na wyprowadzenie się.

– Jeśli nie masz nic przeciwko temu, proponuję, żebyśmy zapłacili po połowie zaległego czynszu i zapomnieli o sprawie.

Poczułam ucisk w gardle. Nie wiedziałam, czy się roześmieję, czy popłaczę. O tym właśnie chciał porozmawiać? Coś takiego skłoniło go, by obdzwonić cały Singapur w poszukiwaniu mnie? Zaczęłam kaszleć i sięgnęłam po w połowie pustą butelkę wody leżącą na siedzeniu pasażera.

W międzyczasie Paul wyjaśniał, jak dużo czasu i zachodu sobie oszczędzimy, nie martwiąc się o nowych najemców – pewnie trafiłaby się nam kolejna głośna, szczęśliwa para biegająca po pękającej, ogrzanej przez słońce podłodze i zachwycająca się oknami wykuszowymi z widokiem na most Golden Gate.

Nagle uświadomiłam sobie, że to jego problem. To on był przyczyną tego bałaganu, zatem sam powinien znaleźć sposób, żeby sobie z nim poradzić.

Kiedy oznajmił mi, że moja połowa wynosi dwa tysiące siedemset dolarów, powiedziałam:

– Tak naprawdę to jesteś winien mojemu ojcu pieniądze. Potraktuj moją część jako ratę pożyczki.

Pięć lat wcześniej matka nalegała, żeby ojciec w ramach prezentu ślubnego spłacił resztę pożyczek, które Paul zaciągnął na naukę.

– Ach – powiedział.

Wiedziałam, że koloruje wnętrza liter na rachunku telefonicznym, podaniu o kartę kredytową albo jakimś innym kawałku papieru coraz ciemniejszym odcieniem w trakcie myślenia o odpowiedzi. Był typem faceta, który nie chciał brać taksówki, nawet jeśli lało jak z cebra, i wolał spać w golfie, niż zapłacić więcej za ogrzewanie. Pomysł brania pieniędzy od mojego ojca nigdy mu się nie podobał.

– Oddam mu pieniądze – powiedział. – Potrzebuję tylko jeszcze trochę czasu. Wiesz, ile zarabiam na stażu podoktorskim.

Odparłam:

– Może powinieneś był o tym pomyśleć, zanim się wyprowadziłeś.

Czułam wielką ulgę, wreszcie wypowiadając te słowa.

Powiedział spokojnym głosem:

– Może być ci trudno to zrozumieć, ale większość z nas nie ma ponad pięciu tysięcy dolarów na koncie.

Jego słowa przeszyły mnie na wylot.

– Może twoja dziewczyna ci pomoże. A nie, poczekaj, przecież ona jest studentką.

– Nie mieszaj jej do tego.

W jego głosie pobrzmiewała groźba. Nie sądziłam, że jest zdolny do takiego tonu.

Czego się mogłam po nim spodziewać? Że powie, iż nie są już razem szczęśliwi? Że odeszła? Uderzyłam pięścią w kierownicę i przypadkiem trafiłam w klakson. Rozległ się krótki, ostry dźwięk. Po naszej rozmowie Paul wsiądzie do samochodu, pojedzie do domu i wejdzie do łóżka rozgrzanego przez tę śpiącą dziew-czynę. A co ja mam zrobić po zakończeniu rozmowy?

Usłyszałam jego długi, powolny wydech.

– Nie zachowujmy się w ten sposób.

Przyłożyłam dłoń do czoła i próbowałam znów wzbu-dzić w sobie rozgrzany do białości gniew, który czułam jeszcze kilka sekund temu, ale pozostał po nim tylko popiół.

– Gdzie mam wysłać czek? – spytałam.

Podał mi swój adres, Lowell Street 62, i próbowałam nie wyobrażać sobie jego nowego mieszkania na Ber-keley Hills. Nie zastanawiałam się, gdzie postawił nasz stolik zrobiony z drzwi, które znaleźliśmy na śmietni-ku, ani zniszczoną kanapę, o której mówiłam mu, że nie warto jej brać – czarny odcień jej welurowego obi-cia spłowiał i stał się bladozielony. Nie zastanawiałam się, jakie łóżko kupił po tym, jak zgodziliśmy się – to jedyna sprawa, w której się zgodziliśmy – by wyrzucił to, na którym spaliśmy. Nie zastanawiałam się, czy śpią pod jedną dużą kołdrą, czy od razu uparł się, by każde z nich miało własną.

– To wszystko? – spytałam, zapisawszy potrzebne informacje.

– Gretch – powiedział głosem, który sprawił, że od-dech uwiązł mi w gardle.

Czekałam, aż powie coś jeszcze, lecz on tylko po-dziękował mi i odłożył słuchawkę.

ROZDZIAŁ 3

❖

Podczas naszego ostatniego wspólnego roku Paul niekiedy wspominał o swojej asystentce badawczej, studentce informatyki. Miała na imię Sue, ale nazywał ją „dzieckiem". Mówił na przykład: „Dziecko pisało dziś dla mnie kod i nie mogło przestać gadać o tym idiotycznym reality show" albo „Dziecko i jego przyjaciele oszaleli na punkcie tego girlbandu. Kitty Cat? Hello Kitty? To najgorsza rzecz, jaką w życiu słyszałem". Od nowości z list przebojów po najpopularniejsze klipy z YouTube'a, stał się ekspertem od wszystkiego, czym interesują się studenci college'u, ale myślałam, że po prostu próbuje jak najdłużej czuć się młodym. W końcu i ja czułam lęk spowodowany skończeniem trzydziestki.

Pięć miesięcy przed urodzinami, których się tak bałam, robiłam sobie przerwę w pisaniu pracy zaliczeniowej z nauczania teorii muzyki – ostatniej w tym semestrze. Nie wiem, co skłoniło mnie do tego, bym wpisała nazwisko Paula w wyszukiwarkę internetową – trafiłam na serwis pozwalający studentom oceniać swoich nauczycieli. Na jego stronie znajdowało się tylko nazwisko, nazwa kursu, który prowadził w Berkeley, i pojedyncza opinia: „Całkiem fajny gość, ale flirtuje ze studentkami. Zwłaszcza z jedną, całkiem ładną". Usłyszałam dobiegający z kuchni dzwonek mikrofalówki; wyrzuciłam całą miskę owsianki do śmieci – było mi zbyt niedobrze, żeby jeść.

Później tego samego wieczora grzebałam w makaronie na moim talerzu, słuchając, jak Paul opowiada o dyskusji ze swoim współpracownikiem na temat tego, jaki jest najlepszy bar w San Francisco.

– 500 Club – powiedział, przewracając oczami i wydając gardłowy jęk obrzydzenia.

Próbowałam mówić lekkim tonem:

– Czy Sue też tam była?

– Hmm? – spytał, jakby mnie nie usłyszał.

Mój widelec opadł na talerz.

Następnym razem wspomniałam jej imię dopiero miesiąc później, kiedy odwiedzaliśmy jego rodzinę w południowej Kalifornii na sylwestra. Sześć minut przed północą weszłam do pokoju dla gości i zauważyłam, że szepcze coś do telefonu. Podczas gdy wszyscy inni odliczali w salonie ostatnie sekundy przed Nowym

Rokiem wraz z tłumem zebranym na nowojorskim Times Square, ja i Paul wrzeszczeliśmy na siebie na górze.

Z początku twierdził, że sprawdzał pocztę głosową. Ale kiedy podniosłam telefon do jego twarzy i kazałam przeczytać imię osoby, z którą przed chwilą rozmawiał, wyrwał mi aparat. Powiedział mi, że może dzwonić do kogo tylko chce, że nie potrzebuje mojej zgody i że nie umie ze mną rozmawiać, kiedy wpadam w histerię. Kiedy krzyknęłam, że ona jest cholernym dzieckiem, zupełnie zbladł. Cofał się, aż wpadł na umywalkę. Telefon wyśliznął mu się z dłoni i wylądował w toalecie z głośnym pluskiem.

– Niech to szlag! – krzyknął tak głośno, że spodziewałam się, iż teściowie lada chwila zapukają do drzwi.

Tej nocy spał na kanapie. Nie odezwaliśmy się do siebie ani słowem przez całą siedmiogodzinną drogę powrotną. Jednak po powrocie do San Francisco zaczął mnie błagać, bym mu wybaczyła, i przysięgał, że nigdy nie spał z Sue. Powiedział, że mnie kocha. Obiecał, że zrobi wszystko, by odzyskać moje zaufanie.

Niepewna, co robić, zwróciłam się do Frankie, mojej współlokatorki z czasów college'u. Tego deszczowego popołudnia usiadłyśmy razem na mokrej ławce z widokiem na zatokę, ściskając papierowe kubki z kawą.

– Mówi, że żałuje, a ja chcę mu uwierzyć.

Frankie zmarszczyła brwi i ścisnęła moje ramię. Zawahała się przed otwarciem ust.

– Nie wiem, Gretch. Nie jestem pewna, czy ja w takiej sytuacji kiedykolwiek mogłabym mu zaufać.

Niezliczoną liczbę razy dawała mi tego rodzaju rady, a jednak tym razem – ponieważ tak bardzo chciałam uwierzyć, że ja i Paul wciąż gramy w jednej drużynie, ponieważ już podjęłam decyzję – chwyciłam się tego, że Frankie nigdy nie miała chłopaka. Zanim zdążyłam się powstrzymać, powiedziałam:

– Naprawdę? A kiedy ostatnio byłaś na randce?

Frankie zesztywniała i spojrzała w przeciwną stronę. Wcześniej zdążyłam zauważyć malującą się na jej twarzy konsternację.

– Przepraszam – zaczęłam, ale nie wiedziałam, co powiedzieć dalej.

– Daj spokój – odparła i rzuciła pusty kubek w kierunku kosza na śmieci. Trafiła doskonale. – Jestem pewna, że bez problemu sama sobie ze wszystkim poradzisz.

Obiecałam sobie nikomu więcej nie mówić o romansie.

Przynajmniej do końca stycznia Paul starał się, jak mógł, by zasłużyć na moje przebaczenie. Zatrudnił nową asystentkę. Dzwonił w środku dnia, żeby zapytać, co u mnie. Zaskoczył mnie weekendowym wypadem do Carmel. Wierzyłam w jego szczerość. Dziewczyna była na jednym z pierwszych lat studiów. Jak daleko mogły zajść sprawy? Informatykę studiowało wyjątkowo mało dziewczyn – widywałam niektóre z nich na kampusie: chude, ubrane w grube swetry, ze spłowiałymi włosami jak strąki i okularami w okrągłych oprawkach, które nosiły bez śladu ironii.

W lutym nasze kalendarze zapełniły wpisy związane z pracą i uczelnią i wróciliśmy do normalnych, osobnych rozkładów dnia. Zbliżały się terminy oddania prac Paula, więc spędzał więcej czasu w biurze, w bibliotece i w kawiarniach. Najlepiej pracowało mu się w nocy, więc spał smacznie, kiedy wstawałam rano, by pójść na siłownię, a potem do szkoły. W kwietniu tak rzadko się widywaliśmy, że ledwo rozmawialiśmy. Kiedy akurat oboje znajdowaliśmy się w tym samym pokoju i nie spaliśmy, sprzeczaliśmy się albo, gorzej, ostro kłóciliśmy o głupie drobiazgi – o to, jak rzuca brudne ubrania zwinięte pod łóżko, albo o to, że ja zostawiałam włosy w odpływie prysznica.

W maju, kiedy wreszcie powiedział mi, że nie może już tak dalej, nie byłam całkowicie zaskoczona, ale nie sprawiło to, że choć trochę mniej bolało.

– Chodzi o Sue, prawda? – powiedziałam.

Jego torby już były ustawione pod drzwiami. Utkwił wzrok w podłodze i wyszeptał, że mu przykro.

Opadłam na sofę, mając nadzieję, że usiądzie koło mnie, może złapie mnie za rękę.

Zarzucił plecak.

– Nie będę ci już przeszkadzał.

Trzy dni po jego odejściu moi najbliżsi przyjaciele z konwersatorium przekonali mnie, bym poszła do uniwersyteckiej psychoterapeutki.

Powiedziałam jej, że Paul nie cierpiał tego, iż skaczę z projektu w projekt, poddając się i idąc dalej, kiedy przestawał mnie bawić.

– Powiedział, że napisanie drugiej pracy magisterskiej to mentalna masturbacja.

Terapeutka kiwała głową i notowała.

– A jak pani to widzi? – spytała. – Czy uczenie muzyki to pani pasja?

Roześmiałam się. Czy mówiła poważnie? Czy ktokolwiek mający więcej niż osiemnaście lat wierzy, że można znaleźć swoją pasję? Powiedziałam:

– W miarę mi się podoba.

– Mhm – odparła. Wykrzywiła usta, usiłując zdławić ziewnięcie.

A ty, pomyślałam, czy twoją pasją jest słuchanie tego, jak ludzie narzekają na swoje beznadziejne życie?

Powiedziałam jej, że mój ojciec to jedyna znana mi osoba, która rzeczywiście kocha swoją pracę.

– Wciąż skrycie marzy o tym, żebym wróciła do domu i zaczęła pracować w rodzinnej firmie.

– A pani matka?

Wzruszyłam ramionami.

– Chce, żebym żyła długo i szczęśliwie w Ameryce, kraju wolności.

– Czy sprzeczne pragnienia pani rodziców kiedykolwiek były źródłem konfliktu? – spytała terapeutka.

– Dla mnie? – spytałam. – Dla nich?

– Dlaczego pani ojciec się hamuje? Dlaczego po prostu nie powie pani, czego by sobie od pani życzył?

Jej ton nieco mnie zdenerwował.

– Musiałaby pani jego o to zapytać – powiedziałam.

Uniosła brwi i uśmiechnęła się do mnie z zaciśniętymi ustami – nienawidziłam jej za to, że tak siedziała z tryumfującym wyrazem twarzy.

– Proszę mnie posłuchać, tak naprawdę chciałam po prostu porozmawiać o Paulu.

Czas naszego spotkania dobiegł końca. Terapeutka poprosiła, żebym przyszła ponownie w następnym tygodniu, a wtedy będziemy mogły się naprawdę wgryźć w niektóre ze spraw poruszanych podczas sesji. Mlasnęła, jakby moje problemy były wielkim, soczystym stekiem.

Na zewnątrz słońce szybko chowało się za horyzontem, a chłodny wiatr sprawił, że włosy smagały moją twarz. Włożyłam dłonie pod pachy i poszłam wzdłuż Van Ness do opery, gdzie usiadłam na lodowatych schodach i oparłam czoło o kolana. Chwilę później chwyciłam za telefon i raz za razem próbowałam się dodzwonić do Paula.

– Co, Gretch? – powiedział zmęczonym, ale nie nie-uprzejmym głosem. – Co jest?

– Dlaczego? – krzyknęłam do słuchawki. – Dlacze-go ona?

Wbiegłam po schodach i schowałam się za filarem, by osłonić się od wiatru.

– Gdzie jesteś? – spytał. – Ledwo cię słyszę.

– Dlaczego ona? – wrzeszczałam.

Po długiej pauzie odezwał się:

– Nie mogę znów przez to przechodzić. Przepra-szam. Po prostu nie mogę.

Kiedy nie odpowiedziałam, oznajmił:

– Muszę iść. Odkładam słuchawkę, dobrze? Rozłą-czam się.

Tej nocy leżałam w łóżku i nie mogłam zasnąć. By-liśmy małżeństwem od pięciu lat, a parą od dwuna-stu. Byliśmy razem, zanim Sue weszła w okres dojrze-wania. Jak mógł nie mieć nic więcej do powiedzenia?

Rankiem obudziłam się, osłaniając oczy ramieniem przed promieniami słońca przebijającymi się przez ża-luzje, które zapomniałam zaciągnąć. Powlokłam się do salonu. Most Golden Gate rozciągał się przez całą dłu-gość lśniącej zatoki, jakby ktoś postawił go tylko dla mnie, ale odwróciłam wzrok. Mój mąż mi się wymy-kał, jakby przelatywał mi przez palce, a ja mogłam tyl-ko zacisnąć pięści i nie poddawać się.

Poczułam przypływ energii, umyłam zęby i wsiadłam do pociągu do Berkeley. Choć było prawie południe, studenci z wciąż zamglonym wzrokiem wałęsali się po dziedzińcu w bluzach i kraciastych spodniach od piżamy. Słońce ogrzewało mój kark, dookoła kwitły pozłotki kalifornijskie – olśniewająca wiosna sprawiała, że miałam ochotę złapać ich za ramiona i potrząsać nimi, aż się obudzą.

Kiedy wchodziłam po wzgórzu, zmierzając w kierunku bloku, w którym mieszkał Paul, zaczęło mi walić serce. Nie wiedziałam już, dlaczego tu przyszłam. Co się stanie, kiedy go zobaczę? Przytulimy się? Będę płakać? Czy zaoferuje mi latte w Joe's? Nie miałam czasu zastanawiać się nad odpowiedziami na te pytania, ponieważ zauważyłam, że przed lśniącym szarym budynkiem, obok dwóch bujnych palm w donicach, stał tyłem do mnie Paul – wysoki, kudłaty Paul w koszuli w kratę i podartych jeansach, z jednym niespodziewanym dodatkiem – ramionami potarganej dziewczyny w minispódniczce owiniętymi dookoła jego szyi jak szalik. Ramionami należącymi do Azjatki.

Sue zauważyła mnie pierwsza. Jej oczy zwęziły się i szepnęła coś do ucha Paula. Spojrzał na mnie, a potem odwrócił się z powrotem do niej i powiedział coś, czego nie dosłyszałam. Kiedy zrobiła krok do przodu, złapał ją za ramię, ale uwolniła się i nadal szła w moim kierunku z uniesioną wysoko brodą.

– Cześć – powiedziała, obdarowując mnie szerokim uśmiechem i wystawiając głowę do przodu. – Musisz być Gretchen.

Przypominała mi patyczaka. Była wesoła i pełna życia jak postać z japońskiego anime.

Paul przykrył oczy dłonią.

– Sue – błagał. – Proszę, daj mi się tym zająć.

Zignorowała go.

– Wszyscy jesteśmy dorośli. Możemy zachowywać się wobec siebie w sposób cywilizowany.

Poczułam, że krew pulsuje mi w uszach. Nie mogłam wydobyć z siebie słowa, ale spojrzałam na nią najzimniej i najostrzej, jak potrafiłam. Wepchnęłam dłonie do kieszeni i przeszłam obok niej, szczerze wierząc, że jeśli tylko dojdę do męża, sprawię, by zrozumiał, co traci.

Paul skupił się na Sue.

– Proszę – powiedział. – Porozmawiamy później. W domu.

To słowo zabolało mnie, jakbym dostała kamieniem w brzuch.

– Obiecujesz? – spytała słodko Sue.

Kolega z pracy Paula przeszedł obok nas, idąc do drzwi frontowych. Zaczął unosić dłoń, ale rozpoznał najpierw Sue, a potem mnie. Opuścił wzrok i szybkim krokiem poszedł w kierunku budynku.

Paul zamknął oczy i odchylił głowę. Nie widziałam go w tak złym stanie od wieczora, kiedy powiedziałam mu, że wciąż nie czuję się gotowa, by mieć dzieci.

Sue wsiadła do jasnoczerwonej jetty zaparkowanej przy krawężniku, a Paul poczekał, aż odjedzie, zanim znów zwrócił uwagę na mnie.

– Jest Azjatką?

Ze wszystkich pytań, jakie mogłam mu zadać, to właśnie przyszło mi do głowy jako pierwsze. Ponieważ nawet kiedy zobaczyłam Sue na własne oczy, nie mogłam uwierzyć, że o tym nie wiedziałam. Paul zbliżył się do mnie na krok, a ja położyłam obie dłonie na jego piersi i popchnęłam go.

– Sue jest Azjatką? – powtórzyłam.

– Ćśśś – próbował mnie uciszyć, rozglądając się ukradkiem.

Adrenalina buzowała w moich żyłach.

– Jak mogłeś mi nie powiedzieć?

Zacisnęłam dłonie w pięści i zaczęłam go bić. Byłam wściekła, bo okłamywał mnie raz za razem, lecz najbardziej wkurzyło mnie to, że mi tego nie powiedział. Nagle to, że Sue była Azjatką, stało się ważniejsze niż cokolwiek innego.

– Proszę, przestań. – Paul chwycił mnie za nadgarstki. – Na miłość boską, jestem w pracy.

Wydałam z siebie wysoki, piskliwy dźwięk, coś pośredniego między śmiechem a wyciem.

– Teraz martwisz się o profesjonalizm?! Ponieważ pieprząc się ze swoją asystentką, zachowałeś się wyjątkowo profesjonalnie?! Twoją asystentką i studentką?!

75

Nie poznawałam własnego głosu. Kiedy stałam się jedną z tych kobiet z telewizyjnych reality show, które wciąż popijały drinki i wrzeszczały na siebie?

Paul uniósł obie dłonie w geście kapitulacji, lecz nie byłam gotowa się cofnąć.

Kontynuowałam:

– Ta Susan musi być wyjątkowa. Teraz powiesz mi, że jest wyjątkowo dojrzała, tak? Nad wiek mądra?

– Sumiko – powiedział delikatnie.

– Co?

– Jej pełne imię brzmi Sumiko.

Roześmiałam się tym samym oszalałym śmiechem.

– Czy jej znajomi myślą, że jesteś starym dziwakiem, którego kręcą Azjatki?

Wypowiadając te słowa, uświadomiłam sobie, że nigdy wcześniej nie myślałam o Paulu w ten sposób. Byłam pierwszą dziewczyną z Azji, z którą się spotykał – mówiłam o tym z dumą moim azjatyckim przyjaciółkom. Wszystkie znałyśmy, a nawet spotykałyśmy się z gośćmi, którzy mówili po japońsku lub chińsku, robili licencjat ze studiów wschodnioazjatyckich, trenowali karate, jujitsu albo kendo i przede wszystkim w przeszłości zaliczyli serię azjatyckich kochanek. Facet, którego fetyszem były Azjatki, oznaczał niebezpieczeństwo albo musiał zostać odrzucony, w zależności od tego, kogo się spytało – podobnie jak ktoś, kto mówi z pełnymi ustami albo delikatnie, a jednak stale śmierdzi potem.

– Gretchen – powiedział Paul. – Dlaczego tu przyszłaś?

Przestałam się śmiać. Czułam się, jakbym za dużo wypiła i musiała przebić się przez nieskończone warstwy umysłu, by znaleźć odpowiedź.

– Dlaczego tu przyszłam? – odrzekłam w końcu, wyrzucając dłonie w powietrze. – Widocznie jestem cierpiętnicą.

– Przepraszam – bąknął. – Nie wiem, co innego powiedzieć.

– Czy wiedziała, że jestem Azjatką? – spytałam.

Paul westchnął.

– Przestań, Gretch.

Patrzyłam, jak tam stoi ze zmęczonym wyrazem twarzy, i myślałam o tym, ile bym dała, by móc się czuć tak jak on – zmęczona, poirytowana i gotowa iść dalej, a nie bezsilna, zdesperowana i ogarnięta niepohamowanym gniewem. Zrobiłam krok do przodu i przez sekundę wyobrażałam sobie, że otaczam go ramionami, przyciągam go blisko i wciągam jego słony męski zapach.

Zamiast tego z całej siły go odepchnęłam.

Upadł na jedną z palm i krzyknął, uderzając potylicą w brzeg donicy, która przewróciła się na betonowy chodnik.

Patrzyłam na niego z przerażeniem i zastanawiałam się, co zrobiłam.

– Jezu – powiedział, próbując złapać oddech.

Oparty o donicę, spojrzał na mnie z gniewną miną.

– Nie stój tak. Pomóż mi!

Odwróciłam się i odeszłam. Nie potrzebował mojej pomocy.

ROZDZIAŁ 4

❖

Znałam Frankie Shepherd przez lata jako niczym niewyróżniającego się mola książkowego, ukrywającego miękkie fałdki tłuszczu pod bezkształtnymi bluzami i szerokimi jeansami. Najlepsza cecha wyglądu Frankie: uśmiech otoczony dołeczkami w policzkach, zbyt często była ukryta za zasłoną włosów ciemny blond, które opadały do przodu za każdym razem, gdy pochylała głowę – ten gest mógł znaczyć zarówno dyskomfort, jak i przyjemność. Ta niezdarna i szczera dziewczyna miała, równie donośny jak dźwięk klaksonu, stentorowy smiech, który zawsze mnie rozbawiał.

Pierwszego dnia pierwszego roku studiów, w naszym ciasnym pokoju w akademiku, dotknęła swoją ciepłą, lepką od potu dłonią mojej i powiedziała coś z głową tak opuszczoną, że mówiła w dół kołnierza swojej piżamy. Ledwo mogłam ją usłyszeć przez hałas przesuwanych w sąsiednich pokojach łóżek i wnoszonych po schodach mebli.

– Co mówisz? – spytałam kilkakrotnie podczas naszej rozmowy, próbując ukryć swoje zniecierpliwienie. – Możesz powtórzyć?

Już myślałam o tym, jak przedstawić się dziewczynom z sąsiedztwa.

Szybko uświadomiłam sobie, że źle oceniłam Frankie. Kiedy lepiej się poznałyśmy, dowiedziałam się, że ma szalone poczucie humoru i talent do naśladowania innych. Jej parodie naszych profesorów były legendarne, podobnie jak jej srebrzysty sopran. Tej jesieni spędziłyśmy wiele piątkowych popołudni w budynku muzycznym, przesłuchując jej imponującą kolekcję musicali. Byłam bardzo szczęśliwa, mogąc odstawić ćwiczenie Chopina i akompaniować jej na pianinie.

Zimą zaczęłam się spotykać z Paulem. Przyzwyczailiśmy się do tego, że śpimy w jego wyjątkowo długim, pojedynczym łóżku. Choć Frankie oskarżała mnie o to, że traktuję nasz pokój jak przechowalnię rzeczy, w następnym roku również byłyśmy współlokatorkami. Jako że była przy mnie od samego początku związku z Paulem, pozostała moją główną doradczynią i udzielała mi rad w sprawie takich kwestii jak to, czy powinniśmy pozostać z Paulem razem podczas spędzanych osobno wakacji, albo jak poprawić jego relacje z moim ojcem, niezależnie od jej własnego braku doświadczenia i tego, że nigdy nie przekonała się do Paula.

Po skończeniu college'u obie zamieszkałyśmy w okolicy Zatoki San Francisco. Później dostała się do Hass School of Business w Berkeley i właśnie w tym okresie spędziła lato na stażu w jednej z amerykańskich firm konsultingowych w Singapurze.

W pierwszym tygodniu pracy zadzwoniła do mnie z drugiego końca świata, by wyrazić swój zachwyt tym, jak miejscowi mówią – ich angielszczyzna jest melodyjna i śpiewna, co wprawia ją w większe zdziwienie, niż gdyby mówili w zupełnie innym języku. Singlish, nieoficjalny język Singapuru, łączy dziwny akcent z wyjątkową składnią i niefrasobliwymi zapożyczeniami słów z chińskiego, malajskiego i tamilskiego slangu. Frankie powiedziała, że wydawało jej się, iż w całym regionie ludzie porozumiewają się operowo, zamiast normalnie rozmawiać. Dzięki talentowi do naśladowania szybko sama zaczęła mówić w singlish.

Weekendy spędzała na nurkowaniu w Tioman, chodzeniu po górach w północnym Wietnamie i opalaniu się na białych piaszczystych plażach na Bali i Phuket. Ale zakochała się w Singapurze i jego paradoksach – jego hałaśliwym języku, pikantnej i kolorowej kuchni, połączonych ze sztywnymi wartościami konfucjanizmu; jego pulsującymi klubami nocnymi i niekończącymi się kampaniami samopoprawy sponsorowanymi przez rząd. Frankie uwielbiała świecące, kosmopolityczne pozory wyspy, ale i jej głęboko konserwatywne wnętrze. Pod koniec lata, kiedy firma konsultingowa zaproponowała jej stałą pracę w Singapurze, od razu ją zaakceptowała, ale oferta została cofnięta kilka miesięcy później z powodu cięcia kosztów. Próbując ratować sytuację, skontaktowałam ją z moim wujem, który zatrudnił Frankie, opierając się na mojej gorącej rekomendacji i jednej rozmowie telefonicznej.

Teraz, ze względu na serię niefortunnych zdarzeń, które mnie spotkały, obie znalazłyśmy się w Singapurze. Z powodu utrzymującej się niechęci współpracowników do mnie cieszyłam się, że będę miała sprzymierzeńca we Frankie.

W dniu kiedy wylądowała w Singapurze, Frankie zadzwoniła do mnie, by zapytać, jak uczcimy jej pierwszą sobotnią noc w mieście. Choć spędziła niemal dwadzieścia cztery godziny w drodze, brzmiała wesoło, energicznie i nie dało się poznać, że odczuwa skutki różnicy czasu. Mój głos, przeciwnie, był piskliwy i zachrypnięty, ponieważ niemal go nie używałam. Przez większą część ostatniej godziny leżałam na mojej starej różowej narzucie w kwiaty zbyt niespokojna, by zasnąć, i zbyt zmęczona, by wstać.

– Brzmisz, jakbyś była zmęczona – powiedziała Frankie. – Wszystko w porządku?

Napięcie spłynęło ze mnie jak woda z sita. Gdyby stała naprzeciwko mnie, zarzuciłabym jej ręce na szyję. Wreszcie nie musiałam na nic uważać. Powiedziałam jej, że poza pracą spędziłam ostatni tydzień praktycznie w samotności, ignorując e-maile i telefony od znajomych, którzy słyszeli o moim powrocie. Tych ludzi znałam przez całe życie, byli dziećmi znajomych moich rodziców i tak jak ja wyjechali do Anglii i Stanów Zjednoczonych na studia. W przeciwieństwie do mnie, wrócili do domu, by zostać prawnikami, bankierami inwestycyjnymi i przedsiębiorcami, pobrać się z miłościami ze szkoły średniej i wprowadzić się do mieszkań w centrum miasta kupionych przez rodziców jako prezenty ślubne. Wszyscy wiedzieli już o mojej separacji, niewydolności nerek mojej matki, katastrofie, jaka spotkała mojego kuzyna. Samotność zaczynała stawać się dla mnie nie do zniesienia, lecz przywołanie w pamięci ich poważnych twarzy i przepełnionych troską głosów uświadomiło mi, bym trzymała się na dystans. Dobrze się czułam, mogąc komuś o tym powiedzieć. Choć od czasu gdy ostatnio widziałam się z Frankie, minęło siedem miesięcy – byłam zajęta próbami ratowania małżeństwa, a ona szukała nowej pracy – wiedziałam, że zrozumie, co czuję.

– Teraz masz mnie, więc przestań się nad sobą użalać – powiedziała, śmiejąc się, by pokazać, że ma dobre intencje. – Zanim wrócisz na uczelnię, będziesz miała mnie dość.

Frankie zasugerowała, że może wybierzemy się gdzieś tylko we dwie.

– Może pójdziemy do kina? – zaproponowała, ale bez entuzjazmu.

– Nie ma mowy – odparłam.

Powiedziałam, że zabiorę ją na przyjęcie, i to nie zwykłe przyjęcie, ale na trzydzieste urodziny Kat Tan, które odbędą się w posiadłości jej rodziców w dystrykcie 10., mimo że oboje z mężem dawno się stamtąd wyprowadzili. Nie odpowiedziałam na e-mail od Kat – od powrotu nawet nie rozmawiałam z tą starą przyjaciółką – i do momentu kiedy przekazałam Frankie zaproszenie, wahałam się, czy wziąć udział w przyjęciu.

Frankie mówiła tak głośno, że musiałam odsunąć telefon od ucha. Jak zwykle jej energia okazała się zaraźliwa. Niedługo później przekopywałam się przez walizkę, której jeszcze nie rozpakowałam, w poszukiwaniu kosmetyczki i przeglądałam szafę, częściowo wypełnioną nieużywanymi sukienkami koktajlowymi mojej matki, by znaleźć coś, co mogłabym na siebie włożyć. Powiedziałam Frankie, że po nią przyjadę.

Tego wieczora wezwałam taksówkę i pojechałam do nowego mieszkania Frankie przy Coronation Road znajdującego się w potwornym, kilkunastopiętrowym, awangardowym bloku przyozdobionym różowymi płytami, przez co przypominał łazienkę w stylu lat siedemdziesiątych. Taksówka leniwie zbliżyła się do krawężnika. Sprawdzałam szminkę w kieszonkowym lusterku, kiedy w okno zaczęła uderzać czyjaś pięść.

Lusterko spadło na moje udo. Otworzyłam drzwi z taką siłą, że prawie ją przewróciłam. Frankie napomknęła, że przez ostatnich kilka miesięcy trochę schudła, ale musiała stracić chyba ze dwadzieścia pięć kilo.

– Dlaczego nic mi nie powiedziałaś?

Frankie schyliła głowę, ale się uśmiechała.

– Przecież nie stało się to nagle.

Nie mogłam przestać się na nią gapić. Pofałdowane krągłości i miękkie, zaokrąglone kształty ustąpiły ostrym łukom i stromym płaszczyznom. Frankie związała włosy w schludny kucyk, co podkreśliło ukośne linie jej kości policzkowych i długą, płynną linię obojczyków. Najbardziej zaskoczyły mnie dziecięce nadgarstki, które trzymałam w dłoniach. Przed tą chwilą nigdy nie uwierzyłabym, że ktoś, kto był tak wielki, może mieć tak cienkie kości.

Taksówkarz zatrąbił.

– Przepraszam panią – zawołał. – To strefa załadunku, hor. Nie można tu tak stać.

Frankie wpakowała mi łokieć w żebra.

– Przepraszam panią – wyszeptała mi do ucha, naśladując mówiącego w singlish taksówkarza.

– Przestań – ostrzegłam ją, ale już wybuchałam śmiechem.

Usiadłyśmy na tylnym siedzeniu taksówki i Frankie opowiedziała mi o swoim locie i nowej osobie, która podnajmowała jej mieszkanie. Za każdym razem gdy na nią patrzyłam, jej wygląd szokował mnie wciąż na nowo.

Taksówka skręciła w wąską, wysadzaną drzewami ulicę, wzdłuż której stały przerośnięte domy, niemal naruszające granice swoich działek. W kraju zaludnionym tak gęsto, że osiemdziesiąt procent populacji mieszka w zbudowanych przez państwo wysokich wieżowcach, żadna ilość pieniędzy nie mogła kupić przestrzeni, która po prostu nie istniała.

Dom Kat był inny. Pomimo wysokiej bramy i szpaleru importowanych palm jego elegancję dało się dojrzeć już z ulicy. Rodzina Tan sprowadziła słynnego architekta z Beverly Hills, by zaprojektował foremną dwupiętrową białą kostkę, którą opisały dwa magazyny lifestyle'owe. Powiedziałam Frankie, że przeciwna strona domu jest jeszcze bardziej imponująca: z sięgającymi do dachu oknami z widokiem na basen, otoczony przez pachnące plumerie i żywopłot z różowych bugenwilli.

Wciąż szukałam portfela w torebce, kiedy Frankie sięgnęła ponad moim ramieniem i podała kierowcy banknot dziesięciodolarowy.

– Dzięki, wujku. Reszty nie trzeba – powiedziała.

Gdy zauważyła wyraz niedowierzania na mojej twarzy, wzruszyła ramionami i rzekła:

– Co? Spędziłam tu całe trzy miesiące, wiesz?

Stojąc przy bramie, Frankie spojrzała na dom i cicho zagwizdała, ale byłam zbyt podenerwowana, by zareagować. Nie mogłam sobie przypomnieć, kiedy ostatni raz znalazłam się na takim przyjęciu bez Paula. Podczas krótkich wycieczek do Singapuru zawsze cieszyliśmy się z tego, że mamy status outsiderów. Niczym turyści wgapialiśmy się w moich przyjaciół z dzieciństwa, dziwiąc się zaściankowości ich życia i znajdując pocieszenie w tym, że jesteśmy inni. Frankie, przeciwnie, była gotowa zanurzyć się w nowym życiu. Miała uważne spojrzenie i wyprostowane plecy. Powietrze dookoła niej wydawało się migotać.

Kiedy doszłyśmy do drzwi, położyłam dłoń na ramieniu przyjaciółki, mając nadzieję, że uda mi się dzięki temu przyciągnąć do siebie odrobinę jej pozytywnej energii.

– Gotowa? – spytała.

Przekręciłam gałkę i obserwowałam otwierające się na oścież drzwi.

Dom zapełniali goście w różnych strojach dopasowanych do motywu przewodniego przyjęcia – „Ryczących dwudziestek" – wybranego, by uczcić koniec ryczących lat dwudziestych Kat. Zauważyłam kilka sukienek w stylu chłopczycy i peruk à la Louise Brooks, ale większość osób po prostu ubrała się elegancko – dziewczyny w cekinach, chłopaki w marynarkach i jeansach. Wylewali się z salonu na patio i do ogrodu z basenem; skupiali się przy barze na zewnątrz i przy długim stole, na którym stały różne przekąski: pierogi w bambusowych koszach do gotowania na parze, wybór sushi, satay z kurczaka robiony na miejscu przez wynajętego kucharza – pomarszczonego malajskiego mężczyznę, który przyniósł swój własny minigrill i wachlarz z liści pochutnika. Dookoła nas ludzie śmiali się, przytulali i rozmawiali szalonymi głosami, próbując przekrzyczeć ambientowo-trance'ową muzykę dobiegającą ze stojących naokoło głośników.

– Chyba się źle ubrałam – powiedziała Frankie, na której twarzy po raz pierwszy pojawił się lęk. Przygładziła top na pasku jeansów i rozwiązała kucyk.

– Wyglądasz świetnie – powiedziałam szczęśliwa, że w ostatniej chwili zrezygnowałam z pomysłu, by ubrać się w byle co, jakby mnie nic nie obchodziło, i włożyłam jedwabną bluzkę na cieniuteńkich ramiączkach.

Nie trzeba było mówić Frankie, by zrzuciła sandały i położyła je przy innych parach butów ustawionych przy drzwiach. Zrobiłam to samo z moimi wysokimi obcasami. Próbując zyskać na czasie, zatrzymałam się przed lustrem w hallu, by sprawdzić, czy nie rozmazał mi się tusz do rzęs. Frankie dołączyła do mnie, przeczesując włosy palcami, i widok nas dwóch znów mną wstrząsnął. Nagle moje policzki wydały mi się zbyt pulchne, linia szczęki zbyt wyrazista – wszystko zbyt niskie i przysadziste.

Odwróciłam się od lustra.

– Idziemy?

– Chyba tak – powiedziała, znów ściągając spód topu.

Moja zazdrość zmniejszyła się.

– Wyglądasz doskonale – powiedziałam.

Kiwnęła głową, ale wydawała się nieprzekonana.

Po drugiej stronie salonu przy barze stała solenizantka w błyszczącej tiarze i sukience z kilku warstw srebrnych frędzli. W ubranej w operową rękawiczkę dłoni miała długi ustnik z niezapalonym papierosem, a w drugiej wielki bukiet pomarańczowych tulipanów. Byłam tak zaabsorbowana swoimi sprawami, że zapomniałam przynieść prezent.

– Zar boh! – krzyknęła Kat, kiedy mnie zobaczyła.

Rzuciła tulipany swojemu mężowi Mingowi i podbiegła do mnie.

– Gdzie, do cholery, się podziewałaś? Dlaczego nie odpowiadałaś na moje telefony? Dowiedziałam się, że wróciłaś, od mojej matki!

Zmierzyła nowe ciało Frankie od stóp do głów, a potem znów skupiła wzrok na mnie.

– Masz szczęście, że dookoła jest zbyt wiele osób, bobym ci kark skręciła.

Próbowałam się roześmiać w odpowiedzi na jej słowa.

– Świetnie cię widzieć – powiedziałam.

Nie winiłam Kat za to, że się gniewała. Była jedyną przyjaciółką z Singapuru, z którą utrzymywałam kontakt w czasie, kiedy byłam za granicą – w ciągu ostatnich miesięcy gorzej mi to szło. Kiedy Paul się wyprowadził, wysłałam do niej e-mail z wieściami, a potem nie odpowiadałam na jej coraz bardziej gorączkowe wiadomości.

Kat objęła Frankie swoim obleczonym w satynę ramieniem. Znały się już – spotkały się podczas pierwszej wizyty mojej byłej współlokatorki w Singapurze.

– Witaj ponownie – powiedziała Kat spokojnie.

Widziałam, że próbowała zdecydować, czy wspominać o tym, że Frankie schudła. Miała powiedzieć coś więcej, kiedy wpadł na nią wysoki, dobrze zbudowany mężczyzna o lekko już zaczerwienionej twarzy.

– Hej, patrz, gdzie idziesz, niezdaro – strofowała go Kat, tylko na wpół żartując.

Mężczyzna o czerwonej twarzy odzyskał równowagę.

– Przepraszam, moja droga – powiedział z eleganckim ukłonem.

Potrząsając głową, z wyrazem delikatnego niezadowolenia, Kat wyjaśniła, że to kaki jej męża z armii – przyjaciel z czasów obowiązkowej służby wojskowej.

Już łapał Frankie za rękę.

– Witaj. Chyba się jeszcze nie znamy.

Frankie zaczerwieniła się i pochyliła głowę, i przez chwilę, schowawszy swoją nowo wyrzeźbioną twarz, znów była moją współlokatorką z college'u, dziewczyną, dla której musiałam błagać jednego z przyjaciół Paula, by wziął ją na zabawę pod hasłem „przeleć czyjąś współlokatorkę" – ostatecznie szybko zostawił ją na parkiecie dla chudej rudowłosej dziewczyny, która mieszkała nad nami. Tego wieczora pozwoliłam Paulowi bawić się dalej z jego chamskimi przyjaciółmi i wraz z Frankie, wciąż ubrane w sukienki bez ramiączek, pojechałyśmy do centrum miasta w środku nocy na lody.

– Aiyah, Seng Loong, wynocha – powiedziała Kat, żartobliwie odpychając mężczyznę o czerwonej twarzy.

Zaprowadziła Frankie i mnie do baru, gdzie podała każdej z nas po kieliszku szampana.

– Ming! – zawołała do męża. – Zobacz, kto przyszedł. I poznaj Frankie.

W przeciwieństwie do swojej żony, która dosłownie fruwała po pokoju, machając ustnikiem papierosa, jakby był naturalnym przedłużeniem jej ręki, Ming, w długim fraku i wysokich spodniach, które musiała mu wybrać Kat, podszedł do nas, powłócząc nogami. Po policzku spływała mu kropla potu, a połowa jego wytwornego wąsa odkleiła się i bezwładnie zwisała przy jego ustach. Ming był drobny i miał wyłupiaste oczy, i zanim po poznaniu Kat zaczął nosić szkła kontaktowe, zawsze wyglądał na dość przymulonego za szkłami swoich okularów. Kiedy zaczęli się spotykać, wraz z Paulem zakładaliśmy się o to, jak długo ze sobą wytrzymają.

Teraz uściskałam Minga i powiedziałam mu, jak miło mi go widzieć. Właśnie miałam przedstawić mu Frankie, kiedy usłyszeliśmy głośne puknięcie. Głośniki wypluwające trance'ową muzykę wyłączyły się, a z tylnego rogu pomieszczenia zaczęły dobiegać pasaże. Przy fortepianie siedział niski, łysy mężczyzna w trzyczęściowym ciemnografitowym garniturze. Zrobił dramatyczny wdech, a następnie zaczął grać efekciarskie wykonanie *Smoke Gets in Your Eyes* wypełnioną zaimprowizowanymi trylami i glissandami. Przyciemnione światło odbijało się od jego gładko ogolonej głowy. Rozpoznałam w nim kolegę z klasy, z którym niegdyś zagrałam na cztery ręce podczas akademii z okazji Święta Niepodległości w podstawówce.

– Powinniśmy dać Gretch zagrać – powiedziała Frankie.

– To prawda – zgodziła się Kat.

– A właśnie – rzekł Ming. – Zapomniałem, że grasz.

– Może po kilku drinkach – powiedziałam, żeby ich uciszyć.

Choć mój stary fortepian wciąż stał w salonie moich rodziców, nie dotykałam klawiatury od czasu, kiedy sprzedałam mojego steinwaya koleżance ze studiów – za półdarmo, ponieważ pozwoliła mi trzymać całe sterty książek do muzyki w swojej piwnicy. Jedyną rzeczą, jaką przywiozłam do domu, był nieporęczny, staroświecki drewniany metronom w kształcie stożka, który miałam od czasów college'u, ale stał tylko smutno na moim nocnym stoliku, jak wielki, niepraktyczny przycisk do papieru.

Pianista grał dalej, ozdabiając każdą kolejną zwrotkę bardziej niż poprzednią. W głowie słyszałam tekst piosenki: „They said someday you'll find / all who love are blind / Oh, when your heart's on fire / You must realize / Smoke gets in your eyes"*.

Kiedy utwór się kończył, pianista gładko przeszedł do jednej z piosenek z *West Side Story*. Obok nas przecisnęły się dwie dziewczyny ściskające przynajmniej tuzin balonów w kształcie serca. Były ubrane niemal

---

* (Ang.) „Mówią, że pewnego dnia się dowiesz, / że wszyscy, którzy kochają, są ślepi / Ach, kiedy serce ci płonie / musisz sobie uświadomić, / że dym przyćmi ci wzrok" (przyp. tłum.).

identycznie – w seksowne bluzki z odkrytymi plecami i obcisłe czarne spodnie.

– Wszystkiego najlepszego, Kat! – zawołały unisono, rozluźniając uścisk dłoni.

Balony wzbiły się w powietrze. Z ust zebranego tłumu dobył się chór ochów i achów. Jakiś entuzjastyczny gość zaczął śpiewać „Sto lat", jednak jego głos szybko ucichł, ponieważ nikt do niego nie dołączył. Pianista grał dalej, nie opuściwszy ani nuty.

Kat powiedziała:

– Te dwie są niesamowite.

– Gdzie jesteśmy? – szepnęła mi do ucha Frankie. – W *Wielkim Gatsbym*?

Gdzieś niedaleko jakaś dziewczyna roześmiała się bardzo głośno.

Złapałam Frankie za nadgarstek i zaczęłam się zastanawiać, kiedy jego kruchość przestanie mnie zaskakiwać.

– Wyjdźmy na zewnątrz.

Zanim zdążyliśmy przejść przez drzwi na patio, Kat chwyciła mnie za przedramię.

– Daj nam chwilkę – powiedziała do Frankie, ciągnąc mnie w róg budynku.

– Co? Co zrobiłam? – spytałam, siląc się na radosny ton.

Splotła ręce na piersiach i przyjrzała mi się:

– Wszystko w porządku?

Jej pytanie zabrzmiało jak oskarżenie. Kiedy otworzyłam usta, powiedziała:

– Powiedz prawdę. Wszystko w porządku?

– Tak, doskonale.

Oczy Kat się zwęziły. Chwyciła moją twarz w dłonie i przyciągnęła mnie do siebie tak, że nasze nosy niemal się zetknęły.

– Nigdy go nie lubiłam, słyszysz? Nigdy na ciebie nie zasługiwał.

Wyrwałam się zdziwiona tym, jak instynktownie wciąż chciałam bronić Paula. Przytaknęłam, nie mogąc mówić.

– Dobrze – powiedziała, puszczając mnie. – Idź, baw się dobrze.

Wciąż niezdolna do tego, by wydusić z siebie choć słowo, cofnęłam się.

Na zewnątrz przy barze mężczyzna o czerwonej twarzy już zdołał wytropić Frankie.

– Nie miałem okazji odpowiednio się przedstawić – mówił. – Jestem Seng Loong. Mówią na mnie też Pierre.

Błysnął do niej dwoma rzędami żółtych zębów.

Niemalże roześmiałam się w głos, ale Frankie poprawiła kosmyk włosów i uśmiechnęła się nieśmiało.

– Cześć, Pierre. Jestem Francesca.

Nigdy nie słyszałam, by używała pełnego imienia.

– Francesca. Jesteś Włoszką?

Kiwnęła głową.

– Ze strony matki.

Wydawało się, że żadne z nich nie zauważyło, iż odeszłam, by napełnić pusty już kieliszek szampanem i nałożyć na talerz tyle szaszłyków satay i porcji sushi, ile tylko się na nim zmieściło. Oddaliłam się na tyły basenu, z dala od świateł i ludzi.

Z tego miejsca oglądałam, jak Pierre opowiada Frankie historię, której kulminację stanowiło to, że zaczął czołgać się dookoła niej na czworakach. Odchyliła głowę i śmiała się na całe gardło. Jej włosy były jak lśniąca połać złota.

Wydawało się, że Frankie zrzuciła swoją starą osobowość jak gruby płaszcz. Co zrobiła z otyłą, ociężałą dziewczyną, z którą widziałam się zaledwie siedem miesięcy wcześniej, tego popołudnia, kiedy próbowała mnie skłonić, bym dała sobie spokój z Paulem? Przypomniawszy sobie swoją paskudną odpowiedź na jej radę, na nowo poczułam jej konsternację i poczucie upokorzenia. A jednak ilu nowych adoratorów próbowało ją zdobyć od tego czasu? Ilu nowych rzeczy dowiedziała się o miłości?

Poczułam, że ktoś dotyka mojego ramienia, i odwróciłam się tak szybko, że szampan wylał mi się z kieliszka.

– Dobrze, że przyniosłem ci nowy.

Przede mną z kieliszkiem szampana w jednej ręce i heinekenem w drugiej stał James Santoso z tą swoją idiotyczną fryzurą.

– Co taki miły chłopak jak ty robi wśród takich pijaków?

Postawiłam pusty kieliszek na ziemi i przyjęłam od niego nowy.

Wskazał na zarumienionego casanovę, który próbował usidlić kolejną nieszczęsną dziewczynę przy stole, i wyjaśnił, że Pierre to jego były kolega ze studiów z zarządzania.

– Jak widzisz, przyszedłem z największym pijakiem ze wszystkich.

Rozejrzałam się po patio w poszukiwaniu Frankie i doszłam do wniosku, że musiała wrócić do środka. W międzyczasie James przypatrywał się mojemu pełnemu talerzowi.

– Pani Lin to ostatnia osoba, którą spodziewałbym się zobaczyć tu, jak cokolwiek moczy w tej lurze, którą sprzedają jako sos sojowy.

Wzruszyłam ramionami.

– Nie miałeś nigdy ochoty na bardzo tłusty kawałek pizzy? Albo popcorn zanurzony w tym okropnym, sztucznym maśle?

Jego usta wykrzywiły się w udawanym obrzydzeniu.

– Nigdy – powiedział. – Nie wiem, jak ty, ale jem tylko organiczną, naturalną, zdrową żywność.

Podniosłam porcję sushi palcami i na pokaz zanurzyłam ją w sosie, a potem wzięłam do ust.

James mlasnął z niesmakiem.

– Zgroza, zgroza!

Kiedy przestałam żuć, powiedziałam:

– Chodzi o to, by wstrzymać oddech.

Głośno się roześmiał, a ja poczułam, że stres całkowicie mnie opuszcza.

Po drugiej stronie basenu tańczący goście wili się jak stadka kolorowych rybek.

Spojrzał tam, gdzie patrzyłam.

– Znasz którąkolwiek z miliona osób na tym przyjęciu?

Prawda była taka, że znałam. Tam, na leżaku, siedziała Cindy Lau, moja druga najlepsza przyjaciółka z dzieciństwa. Kiedy miałyśmy dziewięć lat, wraz z Kat i Cindy kupiłyśmy sobie identyczne wisiorki ze sztucznego złota w kształcie serca, na których wygrawerowano słowa „Najlepsze przyjaciółki". Obiecałyśmy sobie, że będziemy je nosić już na zawsze, tyle że ja wciąż zapominałam zdjąć mój, kiedy szłam pod prysznic, aż została z niego tylko nieczytelna czarna kulka skorodowanego mosiądzu. Obok Cindy siedział jej mąż Terrence, który większość czasu spędzał w Island Country Club, podnosząc ciężary i grając w tenisa, podczas gdy jego żona pracowała do późna jako radca prawny. Tamta wysoka chuda dziewczyna z boa z purpurowych piór to Liwen Poon, która, jak słyszałam, porzuciła pracę przy kapitale wysokiego ryzyka i wydała album z popowymi piosenkami. Przez drzwi na patio wychodził właśnie Mark de Souza, chłopak, w którym kochały się wszystkie dziewczęta z mojej podstawówki, a obok niego, trzymając rękę w tylnej kieszeni jego jeansów, szła jego obecna dziewczyna Lakshmi, była programistka, która została właścicielką restauracji.

– Skoro znasz wszystkich, dlaczego stoisz tu sama?

James wytrzymał moje spojrzenie z kpiarskim uśmiechem na ustach.

Coś w jego wyrazie twarzy, a może jego amerykański akcent, sprawiło, że pomyślałam, iż może mogłabym mu to wyjaśnić, może by zrozumiał. Kątem oka zauważyłam, że podchodzi do nas Frankie, i poczułam się rozczarowana.

– Wszędzie cię szukałam – oznajmiła.

– Jak poszło z Pierre'em? – spytałam.

– Więc to o tobie tyle gadał – powiedział James.

Przedstawiłam sobie Jamesa i Frankie, wyjaśniając, że on jest najnowszym klientem Lin's, a ona naszą najnowszą pracowniczką.

– Przeprowadziłaś się aż tutaj, podążając za miłością do tradycyjnego sosu sojowego? – spytał.

– Nie do końca – odparła Frankie. – Przeprowadziłam się aż tutaj, podążając za miłością do Singapuru, chociaż bardzo chętnie zapoznam się też z tradycyjnym sosem sojowym.

Patrzyłam, jak wymieniają uśmiechy.

Kat zawołała mnie z drugiej strony basenu. Machała rękami i krzyczała, że chyba nie planuję chować się cały wieczór. Rzuciłam Frankie i Jamesowi przepraszające spojrzenie.

– Nie martw się o nas – powiedział James. – Dam Frankie szybką lekcję sztuki warzenia sosu sojowego.

Poszłam za Kat do domu.

Tłum w salonie przerzedził się. Mój partner z duetu z dzieciństwa wciąż siedział przy instrumencie, a zebrana dookoła niego grupka śpiewała mandaryńską balladę, której nie znałam.

– Proszę, nie trzymajcie drinków na fortepianie – powiedziała Kat, kiedy przechodziłyśmy obok.

Srebrne baloniki wisiały pod sufitem jak złowróżbny wzór na mapie pogodowej. Co pewien czas ich cienkie czarne wstążki dotykały głów gości, sprawiając, że ci spoglądali w górę z niepokojem. Kat podeszła do grupki osób siedzących na okrągłej kanapie, a ja podążyłam za nią.

– Powiedziałam mu: „Jeśli mam zrezygnować z kawy, ty też lepiej to zrób" – mówiła Cindy.

Cmoknęła Terrence'a w policzek i położyła mu głowę na ramieniu.

– To prawda – odparł. – W pierwszym tygodniu po tym jak odstawiła kofeinę, nie śmiałem z nią jeść śniadania.

– Ciesz się, że wciąż wolno ci jeszcze pić szampana – rzekła Cindy.

Odwróciła się do mnie.

– Gretch. Wreszcie postanowiłaś się pokazać.

Spod jej obcisłej czerwonej sukienki ledwo było widać zarysowujący się brzuszek, ale już wcześniej słyszałam dobre wieści.

– Gratulacje! – powiedziałam, starając się wyobrazić sobie, jak to jest mieszkać w ciele, które nie należy już tylko do mnie. Nagle przypomniałam sobie pamiętne oskarżycielskie spojrzenie Paula. „Nie masz już tak dużo czasu".

Zapewniłam znajomych, że dobrze sobie radzę i cieszę się, iż jestem w domu, a oni taktownie powstrzymali się od dalszych pytań. Kiedy pojawił się niosący tacę Ming, z wdzięcznością przyjęłam kolejnego drinka. Później rozmowa przeniosła się na coroczną wycieczkę na Bali, ślub, na którym byli miesiąc wcześniej, i bar w Robertson Quay otwarty przez wspólnego znajomego. Z początku słuchałam uważnie, próbując wyobrazić sobie ludzi i miejsca, o których mówili. Wkrótce jednak się poddałam. Wypiłam duszkiem resztę szampana. Być może nadszedł czas, by znaleźć Frankie i iść do domu.

Pianista i jego fałszujący chórzyści dotarli do końca piosenki. Kiedy się rozeszli, mój kolega z dzieciństwa znów zaczął grać, tym razem pierwsze, połamane akordy arii z *Ducha w Operze*.

Po drugim takcie w powietrzu dał się słyszeć wysoki, czysty głos, który spowodował, że pokój ucichł.

– „Myśl o mnie, myśl o mnie ciepło, gdy się pożegnaaaaaamy!"

Śpiewała Frankie siedząca na ławeczce przy fortepianie. Ze spokojnym wyrazem twarzy i na wpół zamkniętymi oczami śpiewała z pamięci srebrzystym sopranem, który pamiętałam tak dobrze.

Kieliszki zastygły w powietrzu, kanapki pozostały jak przymarznięte do talerzy, pointy dowcipów pozostały niedopowiedziane. Terrence objął Cindy i pogłaskał jej brzuch wolną ręką. Kat wreszcie wydała się naprawdę pod wrażeniem – złapała moje spojrzenie i powiedziała bezgłośnie:

– O mój Boże!

Stara Frankie nigdy nie pokazałaby się w pokoju pełnym ludzi, nieważne, jak bardzo by się upiła. Nowa Frankie zachowywała się, jakby nie robiło to na niej wrażenia. W jej śpiewie była jakaś niefrasobliwość, lekkie wzruszenie ramion – jakby rozumiała, że ma obowiązek dzielić się swoim talentem. W rzeczy samej, jej głos nabrał jędrności, mienił się kokieterią, wzmacnianą przez błysk oczu, które zyskały na wyrazie dzięki szczupłości jej twarzy. Przyszła mi na myśl legendarna śpiewaczka operowa Maria Callas, o której mówiono, że dramatyczna utrata wagi spowodowała pogorszenie się jej głosu. Jak bardzo trzeba być zdesperowanym, by połknąć tasiemca?

Kiedy Frankie dotarła do końca piosenki, ostatnia nuta pozostała na chwilę zawieszona w powietrzu. Cały pokój wybuchł burzą oklasków. Ktoś poprosił o bis. Inni wykrzykiwali zamówienia kolejnych piosenek.

Frankie schyliła głowę, machnęła ręką na komplementy i zniknęła w kuchni.

– Twoja przyjaciółka jest taka cudowna – powiedziała Cindy.

– Taka utalentowana – rzekł Terrence.

– Taka piękna – dodała Lakshmi.

Wszyscy dookoła mnie rozmawiali o pięknej dziewczynie ang mo o czarującym głosie.

Szczerze mówiąc, byłam dumna, że miałam przy sobie Frankie. Jej śpiew wreszcie sprawił, że zrozumiałam jej miłość do mojej ojczyzny. Tu, w Singapurze, była kimś nowym, egzotycznym, swego rodzaju osobliwością. Ale zamiast zwiększać jej skrępowanie, ta sytuacja uwolniła Frankie. Zmuszona do zaangażowania się i zabawiania innych, mogła wypróbować różne osobowości – stać się pewna siebie, towarzyska, zrelaksowana. Mogła być wszystkim, czym nie była w Ameryce.

Po chwili pianista i dwie identycznie ubrane dziewczyny, zachęcający wszystkich, by pojechali na tańce, podeszli do nas.

– Mam samochód – wybełkotała jedna z dziewcząt, opierając się na bliźniaczce, by utrzymać się w pionie.

Poszłam poszukć Frankie.

Zza drzwi kuchni usłyszałam jej żywiołowy, donośny śmiech.

– No i jest, gwiazda wieczoru! – powiedziałam, otwierając drzwi.

Siedziała na blacie, a jej długie nogi zwisały wzdłuż szafki.

– Cześć, Gretch! – zawołała.

– Hej, cześć – powiedział James.

Przebiegłam spojrzeniem z jednej roześmianej twarzy na drugą. Zastanawiałam się, jak długo siedzieli tam sami. Pianista wpadł do środka poinformować nas, że wszyscy jadą do Zouk i my również musimy tam pojechać – już zamówiono taksówki.

– Co to jest Zouk? – spytała Frankie.

– Co to jest Zouk? – odparł pianista z przesadzonym niedowierzaniem. – Co to jest Zouk?!

Wziął ją pod ramię i wyprowadził z kuchni, wyjaśniając, dlaczego Zouk to najlepszy klub nocny w całym Singapurze – a nawet na świecie – i że nie żartuje, ponieważ był już w niejednym klubie nocnym.

James wciąż stał oparty o stół kuchenny z rękami splecionymi na piersi.

– Idziesz? – spytał.

– A ty?

Próbowałam zdławić ziewnięcie.

Uśmiech powoli rozlał się na jego twarzy jak miód na chlebie.

– Dlaczego nie?

– Myślę, że ktoś powinien mieć oko na Frankie.

Żadne z nas się nie poruszyło. Byłam tak blisko, że czułam aksamitny zapach jego drogiej wody kolońskiej.

– Chodźmy – powiedział, wyprostowawszy się.

Położył dłoń na moim karku i delikatnie skierował mnie ku drzwiom. Jego ręka była ciepła i gładka, a dotyk dodał mi pewności siebie. Kiedy dołączył do pozostałych w hallu, opuścił dłoń i zatęskniłam za jej ciężarem.

Pół godziny po północy trzy taksówki zatrzymały się przy brzegu rzeki Singapur pod wielkim budynkiem, w którym niegdyś mieścił się magazyn, i wygramoliło się z nich dwanaścioro hulaków we frakach, tiarach i cylindrach. Padała mżawka – miękkie uderzenia kropel były zupełnie inne niż mroźny deszcz w San Francisco, który ranił skórę jak maleńkie igiełki. Ale był sobotni wieczór, a kolejka zebranych pod klubem ludzi postanowiła tańczyć, aż wschodzące słońce zacznie oświetlać ściany budynku.

Wraz z Frankie i Jamesem poszliśmy za naszymi przyjaciółmi na początek kolejki. Przy wejściu do klubu pianista przybił bramkarzowi piątkę, a dwie identycznie ubrane dziewczyny pomachały wejściówkami dla VIP-ów jak zwycięskimi biletami na loterię.

Bramkarz odpiął aksamitną linę i zaprosił nas do środka. Zwróciłam uwagę na trzy dziewczyny stojące na początku kolejki. Miały ledwo osiemnaście lat, były wyzywająco szczupłe i ubrane w minispódniczki i obcisłe bluzki. Obserwowały naszą grupę z tak nieskrywaną zazdrością, że aż spojrzałam na siebie ich oczami – beztroscy i pogodni, wystarczająco dorośli, by robić to, na co mieli ochotę, i wystarczająco młodzi, by odpowiadać tylko za siebie. Pamiętając, jak było tak bardzo chcieć stać się kimś innym, poczułam niemal matczyne pragnienie ostrzeżenia tych dziewcząt, by nie dały się zwieść pozorom.

W klubie na parkiet padało fioletowe światło. Zebrana tam horda ludzi wirowała w rytm tak mocnego basu, że każda komórka w moim ciele pulsowała. Powstrzymałam się od zasłonięcia sobie uszu dłońmi. Paul, uważający się za konesera podrzędnych barów, odwróciłby się na pięcie i wyszedł. Jednak James wydawał się niewzruszony. Kiedy zobaczył, że na niego patrzę, zamknął oczy i zaczął się chybotać i nucić dobiegającą z głośników piosenkę.

Dudniący bas ustąpił typowemu dla Zouk standardowi Belindy Carlisle wzbogaconemu o wyjące dźwięki syntezatorów i frenetyczny beat, by pasować do dwudziestego pierwszego wieku. Tłum na parkiecie śpiewał i poruszał się do taktu jak chór broadwayowskiego musicalu – to dziwaczny zwyczaj Zouk, który wydawał się wcieleniem nastawienia całego narodu: nawet najbardziej wolni, wszyscy postanawiamy naśladować jeden drugiego.

Kiedy wspinaliśmy się schodami na balkon dla VIP-ów, Frankie krzyknęła mi przez ramię:

– Skąd, do cholery, wszyscy znają tę samą piosenkę?

– Klienci wciąż się powtarzają – odkrzyknął James.

„Wzmacnianie konformizmu" – podsumowałaby tę sytuację moja matka swoim głosem postkolonialnej profesor.

Poczułam skurcz głęboko w brzuchu. Mama wróciła do domu ze szpitala wcześniej tego samego dnia i jak na razie zdołałam uniknąć bycia z nią sam na sam. Obiecałam sobie, że jutro przestanę się ukrywać. Jutro zrobię wszystko, co powinna zrobić dobra córka.

Wraz z przyjaciółmi usiedliśmy przy stoliku znajdującym się wystarczająco daleko od głośników, by móc rozmawiać, krzycząc sobie nawzajem do uszu. Kelnerka przyniosła nam dzbanki z wódką z sokiem żurawinowym i garścią słomek zastępujących pojedyncze szklanki, wypełniłam więc usta gęstym i słodkim napojem, mając nadzieję, że dodatkowa porcja alkoholu w jakiś sposób złagodzi ból pulsujący w mojej głowie. Czy w taki sposób piła moja matka? Ponieważ wolałaby skoczyć w przepastną ciemność, niż spędzić kolejną sekundę przywiązana do tego samego miejsca?

Kiedy zaczęła się nowa piosenka, tym razem w rytmie salsy, pianista i dwie dziewczyny podnieśli się od stolika i tanecznym krokiem podeszli na brzeg balkonu, gdzie mogli się przechylić i machać dłońmi w rytm muzyki. Siedzący po drugiej stronie stolika Ming porwał Kat do tańca. Mark i Lakshmi podążyli za nimi, podobnie jak Cindy i Terrence. Sięgnęłam po dzbanek i piłam z niego.

Pianista odwrócił się i wezwał gestem Frankie, Jamesa i mnie. Potrząsnęłam głową, ale nie byłam zaskoczona, gdy Frankie odchyliła głowę i wydała z siebie radosny i przeszywający okrzyk.

James rzucił mi spojrzenie z ukosa.

Ból podszedł mi do skroni.

– Powinieneś iść tańczyć – powiedziałam.

– Będę musiał wypić jeszcze ze dwa drinki, jeśli będziemy musieli całą noc słuchać tego hałasu.

Przysunął sobie dzbanek, wziął łyk i skrzywił się.

– Nie piłem niczego tak złego od czasu, gdy byłem czternastoletnią dziewczynką.

Roześmiałam się mimo woli. Puścił mi oko i dołączył do pozostałych.

Zostawszy sama przy stoliku, zarzuciłam sobie torbę na ramię i rozejrzałam się wokół w poszukiwaniu wyjścia, próbując ocenić, czy uda mi się wydostać stąd niepostrzeżenie.

Chwilę później pojawiła się przy mnie Frankie, wycierając sobie spocone czoło chusteczką.

– Przecież dopiero co przyszłyśmy... – powiedziała.

– Zostań. Możesz wezwać taksówkę. Kat upewni się, że trafisz bezpiecznie do domu.

Na jej twarzy zaznaczyła się troska.

– Jadę z tobą.

Kiedy znów się sprzeciwiłam, odparła:

– Gretchen, w ciągu ostatnich dwóch dni spałam w sumie siedem godzin. Jadę z tobą.

Podczas gdy Frankie czekała w kolejce do toalety, pospiesznie pomachałam moim znajomym, mając nadzieję oddalić się bez robienia zamieszania. Tylko Kat podeszła się pożegnać.

– Odezwij się czasem – poleciła. – I zdecydowanie weź znów ze sobą Frankie. Jest najlepsza.

– Prawda? – odparłam.

Włączono remix tanecznych hitów z lat osiemdziesiątych, który słyszałam w tym samym klubie ponad dekadę wcześniej. Nagle poczułam się niesamowicie zmęczona, niesamowicie stara.

James stał na szczycie schodów, opierając się o poręcz, i popijał piwo.

– Czas do łóżka? – spytał.

– Słuchaj – odparłam, zaskakując samą siebie. – Jesteś przez pewien czas w mieście, może poszlibyśmy kiedyś na drinka?

Pytanie rozbrzmiało echem w mojej głowie – nigdy wcześniej nie zadałam go nikomu. Cieszyłam się, że tłum był zbyt gęsty, by ktokolwiek z moich znajomych dosłyszał wypowiedziane przeze mnie słowa.

Mijały sekundy. Po chwili złapał mnie kciukiem pod brodę i poczekał, aż spojrzałam mu w oczy.

– Dobrze – powiedział. – Bardzo chętnie.

Podałam mu swój numer telefonu, a potem pospieszyłam w dół schodów do Frankie, która czekała przy drzwiach, kiwając głową do rytmu, całkowicie nieświadoma tego, co odważyłam się zrobić.

Na zewnątrz przestało mżyć, powietrze było jak rozmiękła gąbka. Wraz z Frankie wślizgnęłyśmy się do taksówki – szafirowej toyoty śmierdzącej syntetycznym kwiatowym odświeżaczem powietrza. W radiu nastawionym na pełny regulator leciała chińska popowa muzyka, która sprawiła, że przestałam słyszeć dzwonienie w uszach, ale nie walące serce. Rozsiadłam się w fotelu i próbowałam się uspokoić.

Frankie uniosła ręce i długo się przeciągała.

– Dobrze się bawiłaś? – spytałam.

– Świetnie.

Położyła palce na moim przedramieniu.

– A ty?

– Świetnie – odparłam, choć z każdą sekundą czułam, jak rośnie we mnie zażenowanie.

Taksówka szybko oddaliła się od rzeki i pojechała boczną ulicą, wzdłuż której znajdowały się jasno oświetlone całodobowe jadłodajnie, karmiące głodnych po zabawie w klubach imprezowiczów. Liczyłam zaparkowane samochody, by przestać myśleć o Jamesie.

Frankie oparła głowę o szybę, zamknęła oczy i wydała z siebie pełne zadowolenia westchnienie.

– To będzie cudowny rok – szepnęła niemal zagłuszona przez radio.

Trudy podróży wreszcie dały o sobie znać.

– Jestem naprawdę szczęśliwa, że znalazłyśmy się w tym samym miejscu.

Nie wydawało się, żeby spodziewała się odpowiedzi. W świetle księżyca jej skóra była śmiertelnie blada, a twarz spokojna jak jezioro. Wyobrażałam sobie własną twarz podczas snu, posępne usta i zmarszczone brwi.

Kiedy taksówka zbliżyła się do różowego budynku Frankie, potrząsnęłam nią, by ją obudzić. Ziewnęła i podziękowała mi, że wzięłam ją ze sobą, a potem objęła mnie i mocno przytuliła.

– Do zobaczenia w poniedziałek – rzekłam wesoło, mimo że myśl o spotkaniu się z Shuting i Fioną napawała mnie przerażeniem.

– Pierwszy dzień pracy – zaświergotała w odpowiedzi.

Wyszła z taksówki, otworzyła szklane drzwi budynku i zniknęła w windzie.

Kiedy się odwróciłam, taksówkarz spoglądał na mnie we wstecznym lusterku, czekając, aż powiem mu, gdzie ma jechać.

– Queen Astrid Park, proszę – powiedziałam, usiłując przekrzyczeć kipiące słodyczą głosiki wokalistek mandopopowego girlbandu.

Kierowca odkrzyknął:

– Ładna okolica. Pani tylko odwiedza? Nie z Singapuru?

Przeszłam na singlish.

– Nie, lah, wujku. Jestem z Singapuru. Właśnie się przeprowadziłam z powrotem. Ze Stanów.

Być może nie do końca mi wierząc, kierowca przeszedł z angielskiego na chiński.

– Wciąż potrafisz mówić po chińsku?

– Hao jiu mei yong – odparłam. Dawno już nie mówiłam.

– Dobrze, że nie zapomniałaś – powiedział. – Moje dzieci bardzo słabo znają chiński.

– Ci młodzi ludzie... – odparłam.

– Tak, młodzi – zgodził się.

Pochyliłam się do tyłu i patrzyłam na światła, które mijaliśmy, i turystów wciąż pijących sangrię z dzbanów w barach na chodniku. Próbowałam wyobrazić sobie siebie z Jamesem przy jednym z tych stolików i ten obraz sprawił, że się wzdrygnęłam. Prawdopodobnie i tak nie zadzwoni, a nawet jeśli to zrobi, zawsze mogę znaleźć jakąś wymówkę.

Taksówka zjechała z głównej drogi i ujrzałam okazałe kolonialne domy okolicy, w której mieszkali moi rodzice. Kiedy kluczyliśmy po cichych ulicach, zamknęłam oczy i tym razem pod zamkniętymi powiekami zobaczyłam Paula.

Siedzieliśmy przy stole w domu jego rodziców w Irvine, w Kalifornii. Ojciec na cały głos opowiadał okropną historię, waląc w stół pięściami i machając widelcem, a matka, brat i siostra śmiali się w głos. Ja jednak tylko siedziałam i uśmiechałam się w osłupieniu, ponieważ Paul trzymał mnie pod stołem za rękę i palcem wskazującym wypisywał mi na dłoni raz za razem słowa „kocham cię".

Taksówka podjechała do bramy. Dom moich rodziców majaczył na wzgórzu ze swoim hiszpańskim dachem z czerwonej dachówki i ozdobnymi balkonami z kutego żelaza – nawet w ciemności jego przepych wywoływał moje zażenowanie. Dokładnie przeszukałam torebkę, a potem dałam kierowcy dwudziestoprocentowy napiwek, który on próbował mi oddać jako resztę, myśląc, że pomyliłam się w obliczeniach.

ROZDZIAŁ 5

❖

Spędziwszy całą niedzielę na snuciu się z kąta w kąt po domu i udawaniu, że nie czekam na telefon, obudziłam się w poniedziałkowy poranek z postanowieniem, by zapomnieć o wydarzeniach sobotniej nocy. Powiedziałam sobie, że muszę dobrze wykorzystać resztę czasu, który spędzę w Singapurze. Zamiast więc leżeć w łóżku z kołdrą naciągniętą na głowę i czekać, aż samochód taty zniknie z podjazdu, wzięłam prysznic, ubrałam się i pospiesznie zbiegłam na dół. Zatrzymałam się naprzeciwko matki siedzącej przy stole w jadalni.

Mama opuściła gazetę i spojrzała na mnie wyczekująco, odsłaniając pozostałe na brodzie okruszki chleba. Chciałam jej je zetrzeć.

– Muszę teraz iść do pracy, ale wrócę do domu na kolację. Zobaczymy się wtedy?

Szybko zamrugała oczami i spojrzała na mojego ojca, który stał przy drzwiach frontowych.

– Oczywiście, kaczuszko. Gdzie indziej miałabym być?

Tata gorączkowo przeszukiwał teczkę, udając, że nie jest świadkiem mojej rozmowy z matką.

Powiedziałam mu, że miał rację, mówiąc, że nie ma sensu jechać do pracy osobnymi samochodami.

Zapiął teczkę, wyłamał sobie palce w obu dłoniach i zwrócił się do mnie:

– Chodź, idziemy.

Pożegnał się z matką:

– Do zobaczenia wieczorem.

Siedząc we wlokącym się po zakorkowanej autostradzie Pan Island mercedesie, słuchaliśmy z tatą porannych wiadomości w programie z muzyką klasyczną, które dziennikarz czytał z brytyjskim akcentem przypominającym brzmienie fletu. Najważniejszymi informacjami tego dnia były wzrost kradzieży rowerów po wschodniej stronie wyspy, aresztowanie pary Szwedów, którzy biegali nago po jednej z głównych ulic w sobotnią noc, i inauguracja dorocznej kampanii rządowej „Mów poprawną angielszczyznę", mającej zniechęcić do używania singlish. To, co podawano w tym kraju jako wiadomości, zawsze mnie bawiło, ale dziś byłam zbyt zaabsorbowana własnymi myślami, by żartować.

Na zewnątrz pudełkowate bungalowy ustąpiły miejsca najpierw współczesnym domom podobnym do tego, w którym mieszkała Frankie, a później wysokim blokom socjalnym pomalowanym na wesołe odcienie cytrynowego, lawendowego i miętowego. Poczekałam na koniec wiadomości, a potem ściszyłam radio.

– Tato, chciałabym z tobą o czymś porozmawiać.

Rzucił okiem w lusterko wsteczne, a potem znów spojrzał na drogę.

– Tak?

– Jeśli mam pracować w firmie tylko przez kilka miesięcy, chciałabym poświęcić je na coś istotniejszego niż sprawy administracyjne. Może mogłabym zająć się czymś rzeczywiście związanym z sosem sojowym?

Jego twarz się rozjaśniła. Zawadiacko uderzył dłonią w kierownicę i pomachał w moim kierunku palcem wskazującym.

– Mówiłem mamie, że zmienisz zdanie.

Odwzajemniłam jego uśmiech zdeterminowana, by zrobić wszystko, byle tylko uniknąć pracy z Fioną i Shuting, nawet jeśli oznaczało to wzięcie na siebie większej liczby obowiązków w firmie.

Tata na chwilę spuścił oczy z drogi i spojrzał prosto na mnie.

– Xiao Xi, jestem z ciebie dumny.

Nie dałam po sobie poznać poczucia winy. Bolało mnie, że taki drobiazg może mu sprawić tyle radości.

Tata nie wyrażał sprzeciwu, kiedy nie wybrałam studiów biznesowych ani ekonomicznych. Znacznie mniej niż moja matka protestował, kiedy postanowiłam wrócić na uniwersytet i studiować edukację muzyczną. Chińscy rodzice zazwyczaj ingerują w każdy aspekt życia swoich dzieci, ale tata tego nie robił. Sądząc, że jego milczenie oznacza, iż po prostu chce, bym była szczęśliwa, czułam, że los uśmiechnął się do mnie, dając mi takiego ojca.

Teraz, obserwując tryumfujące oblicze taty, uświadomiłam sobie, że to, co zawsze uważałam za jego zadowolenie, było po prostu obojętnością na jakikolwiek mój wybór, który nie oznaczał pracy w Lin's. Jeśli nie miałam dołączyć do rodzinnej firmy, zupełnie nie obchodziło go to, jak spędzam swój czas.

Ojciec spoważniał.

– Tak naprawdę jest coś, w czym mogłabyś pomóc mnie i wujowi Robertowi. Byłabyś doskonała do tego zadania.

Zamilknął na chwilę, jakby chciał zbudować napięcie.

Zapytałam, o co chodzi.

– Potrzebujemy kogoś, kto przejąłby kierownictwo projektu rozszerzenia naszej działalności na Stany Zjednoczone.

Projekt ten stanowił najważniejszą okazję do rozwoju dla Lin's – był oczkiem w głowie Cala. Zrozumiałam, że podczas weekendu tata i wuj Robert znaleźli rozwiązanie.

– Co się stanie z Calem? – spytałam.

Tym razem tata nie spuszczał wzroku z drogi.

– Cala już nie ma.

– Co to znaczy „nie ma"? – spytałam. – Wrócił na Malediwy? Kiedy będzie z powrotem?

Tata, mrużąc oczy, spojrzał w sufit, jakby tam szukał odpowiedzi.

– Cal już nie pracuje w Lin's.

Nie mogłam uwierzyć w to, co mówi, ani w jego pozbawiony emocji ton. Mój kuzyn jako jedyny z pokolenia wnuków Ahkonga okazywał jakiekolwiek zainteresowanie rodzinną firmą. Był również najstarszym wnukiem, jedynym chłopcem.

– Wuj Robert się na to zgodził? – spytałam.

– Nie miał wyboru, lah – odparł tata. – Musiał się zgodzić.

Jego nonszalancka postawa mnie zszokowała. Spodziewałam się, że tata i wuj Robert raz jeszcze udzielą Calowi reprymendy. Byłam pewna, że będą nalegać, by konsultował z nimi wszystkie decyzje, duże i małe, przed wykonaniem jakiegokolwiek ruchu. Nigdy nie sądziłam jednak, że mój kuzyn może zostać wylany.

Kiedy naciskałam na tatę, by wyjaśnił swoją decyzję, jego palce zaciskały się coraz mocniej na kierownicy, aż pobielały.

– To, co zrobił Cal, jest niewybaczalne. Nie obchodzi mnie, kim jest. Nie może zostać w firmie.

Nieważne, jak bardzo się starałam, nie mogłam sobie wyobrazić, jak wuj Robert wyrzuca z pracy swojego syna. Nie wyobrażałam sobie nawet, jak mój zachowujący zawsze stoicki spokój ojciec zdoła wcielić ten plan w życie. Tata i Cal zbliżyli się w czasie, kiedy byłam nastolatką – mniej więcej wtedy gdy odmówiłam uczestnictwa w organizowanych przez ojca degustacjach. Tata zapraszał wtedy Cala do naszego domu za każdym razem, kiedy chciał przetestować nowy produkt albo wypróbować sos konkurencji. Wraz z Calem spędzali długie godziny na debatowaniu o jakości sosów w taki sposób, jak inni dyskutują o ulubionych drużynach piłkarskich. Opracowali skomplikowany system oceny i zapisywali wyniki na odręcznych wykresach, które ojciec zachował do dziś. Kiedy tylko czułam najdrobniejsze ukłucie zazdrości, wystarczyło, że przypomniałam sobie, że dopóki tata miał Cala, mogłam robić, co tylko chciałam. O ile wiedziałam, siostry Cala Rose i Lily miały podobne podejście – obie niedawno postanowiły zostać matkami i gospodyniami domowymi, zamiast robić karierę.

Następne pytanie wydało mi się absurdalne, jednak je zadałam:

– Kto będzie kierował Lin's, jeśli nie Cal?

Ojciec zamarł w bezruchu.

– Xiao Xi, Cal nie rozumie, dlaczego Ahkong założył tę firmę. Wolałbym oddać wszystko obcym, niż przekazać mu dziedzictwo twojego dziadka.

Wydawało się, że powietrze wokół nas gęstnieje. Zaczęłam grzebać przy pokrętłach do klimatyzacji.

Dziewczynka z warkoczykami w jadącym sąsiednim pasem samochodzie zbliżyła twarz do szyby i pokazała mi język. Spojrzałam na tatę, by sprawdzić, czy to zauważył, ale patrzył prosto przed siebie. Zjechał następnym zjazdem, zaparkował na parkingu przy fabryce i wyłączył silnik. Przez moment milczał, a później, wchodząc po schodach, powiedział:

– Nie przejmuj się, lah. Zajmę się wszystkim. Skup się tylko na dwóch rzeczach: spędzaniu czasu z matką i tym, żeby nauczyć się jak najwięcej podczas pracy w Lin's.

Nagle uświadomiłam sobie ogrom projektu rozszerzenia działalności na Stany Zjednoczone. Zwiększony zakres obowiązków nie wydawał mi się już tak pociągający. Poszłam za tatą do jego biura.

– Poczekaj – powiedziałam. – Nie jestem pewna, czy mogę to robić. Nie mam żadnych kwalifikacji.

W kącikach ust taty pojawił się niemal niedostrzegalny uśmiech.

– Wiesz więcej, niż ci się wydaje. Przez całe życie miałaś do czynienia z sosem sojowym.

Kiedy wciąż się sprzeciwiałam, zaczął tracić cierpliwość.

– Aiyah, ja tu będę. Wuj Robert tu będzie.

Zamyślił się na chwilę.

– A jeśli Frankie jest tak pilna, jak była w college'u, ona również ci pomoże.

– To jej powinieneś dać tę pracę i zrobić mnie jej asystentką.

Powiedziałam mu, że Frankie ma dyplom presti-żowej szkoły biznesowej. Wiedziała wszystko o bada-niach konsumenckich, rynkach wznoszących i pozy-cjonowaniu produktu. Zamilkłam na chwilę, próbując przypomnieć sobie kolejne terminy biznesowe.

– Pamiętasz przecież, że pracowała jako doradca do spraw zarządzania?

Ba splótł dłonie i bardzo głośno wyłamał sobie pal-ce, sprawiając, że się wzdrygnęłam.

– A co wie o sosie sojowym?

Otworzyłam usta, nie chcąc przyznać się do porażki, a kiedy nie wydobyło się z nich ani jedno słowo, tata tryumfalnie uderzył w biurko.

– Han-ah. Do pracy!

Kiedy wychodziłam, zatrzymał mnie.

– Twój wuj ogłosi naszą decyzję. Do tego czasu, pro-szę, ani słowa.

Zapewniłam go, że potrafię dotrzymać tajemnicy.

Zanim zamknęłam drzwi, odwróciłam się do niego.

– Co zrobisz, jeśli Cal nie zgodzi się ustąpić i posta-nowi walczyć?

Wyglądał na zdziwionego.

– To rodzinna firma, a nie turniej bokserski.

Jego dowcip mnie rozbawił, ale nie byłam pewna, czy ma rację.

Wyszłam z biura taty dokładnie na czas, żeby złapać na klatce schodowej Frankie, która wychodziła właśnie zacząć swój pierwszy dzień pracy. Ubrana w luźną sukienkę do kolan i skórzane czółenka bez palców, z wilgotnymi włosami związanymi w kok, Frankie lśniła jak samochód na pokazie. Cała aktywność na naszym piętrze biurowca ustała. Shuting przestała wkładać papier do niszczarki pomimo naglącego skrzypienia maszyny. Fiona zawiesiła głos w środku konwersacji z Jasonem, który odwrócił się, by zobaczyć, co się dzieje. W butach na obcasie Frankie była znacznie wyższa od wszystkich kobiet i większości mężczyzn.

– Gretch, cześć! – powiedziała nieświadoma poruszenia, które wywołała.

Pokazałam Frankie jej biuro urządzone w pomieszczeniu, w którym wcześniej mieścił się składzik. W ramach przygotowań na jej przyjazd razem z innymi administratorami ułożyliśmy wszystkie pudła z dokumentami w jednym rogu, ale szafa i półki wciąż jeszcze były pełne stert papieru do drukowania, zapasowych zszywaczy i sześciu różnych modeli długopisów.

Frankie twierdziła, że jej to nie przeszkadza.

– Interesujący dobór farby – powiedziała, przyglądając się bladopistacjowym ścianom. – Bardzo kojący.

– Przepraszam, że tak się na ciebie gapią. Można by pomyśleć, że nigdy nie widzieli białej.

– Ach, nie przeszkadza mi to – odparła.

W kilku słowach opowiedziałam jej o wszystkich osobach pracujących na piętrze – „Unikaj sępów dramatu z marketingu; bądź miła dla Fiony, ma więcej władzy, niż myślisz" – po czym strałyśmy się z Frankie ocenić pracę, którą Cal zdążył wykonać w sprawie projektu rozszerzenia działalności o Stany Zjednoczone. Zważywszy na zamiłowanie mojego kuzyna do dróg na skróty, tendencję do trzymania kluczowych informacji dla siebie i budzącej sporo wątpliwości wizji bardziej współczesnego Lin's, byłyśmy sceptyczne wobec tego, czy jego zaleceniom można ufać.

Od razu powiedziałam Frankie, że to ona tu rządzi, i wydawało się, że ten układ jej odpowiada. Natychmiast zabrała się do pracy, metodycznie przeglądając dokumenty zostawione przez Cala i wypytując o szczegóły ludzi z działu marketingu i sprzedaży – a nawet mojego ojca – kiedy nie mogłam jej pomóc. Jeśli zauważyła, że jej nowi koledzy szepczą o jej amerykańskiej pewności siebie, nie pozwoliła na to, by jej to przeszkadzało.

W przeciwieństwie do niej, ja traktowałam pracę jak zadanie grupowe na studiach i próbowałam robić minimum niezbędne do wykonania zadania. Usiłowałam nakłonić Frankie do robienia przerw, pokazując jej przezabawne obrazki, które znalazłam w Internecie, i bombardując jej komputer szalonymi wiadomościami na czacie. Na początku dogadzała mi przez minutę czy dwie przed powrotem do pracy, ale po tym jak wysłałam jej trzeci e-mail ze zdjęciem kota, odwróciła się do mnie i powiedziała:

– Słuchaj, rozumiem, że twój wujek zatrudnił mnie głównie dlatego, żeby oddać ci przysługę, ale naprawdę sądzę, że mogę tu zrobić coś pożytecznego.

Słusznie zbesztana, zaczęłam czytać dokumenty, które uznała za najważniejsze, i im więcej się dowiadywałam, tym częściej musiałam przyznawać, że część spraw jest naprawdę interesująca. Kto wiedział, że producenci wykwintnego jedzenia z takich bastionów amerykańskości jak Gainsville na Florydzie czy Louisville w Kentucky zaczęli eksperymentować z tradycyjnie produkowanym sosem sojowym? Według ważnego magazynu kulinarnego, producent z Kentucky przeprowadzał nawet proces dojrzewania w starych beczkach po burbonie, by dodać nutę dymu i lokalny kolor. Czołowi szefowie kuchni z całych Stanów zachwycali się głębią smaku, której sos dodawał do dojrzewającej na sucho polędwicy wołowej albo maślanego dorsza. Awangardowy kucharz w Chicago zmieszał sos sojowy z masłem. Mieszaninę rozsmarował na niewielkiej brioszce, przykrył kawiorem tobiko i podał jako amuse boucle, jedno z siedemnastu dań do degustacji.

Nie trzeba było szczególnie zagłębiać się w te dokumenty, by uświadomić sobie rosnące zainteresowanie wszystkim, co naturalne i robione ręcznie – w końcu razem z Frankie przyleciałyśmy z San Francisco, epicentrum ruchu na rzecz tradycyjnej produkcji jedzenia. A jednak Lin's odchodził od tradycyjnych metod warzenia sosu.

Przedstawiłam Frankie sytuację: kilka miesięcy wcześniej pierwszą decyzją wuja Roberta jako prezesa firmy był zakup pierwszych w historii Lin's kadzi z włókna szklanego do masowej produkcji sosu – mój ojciec sprzeciwiał się tej decyzji. By nie kłuć taty w oczy, kadzie umieszczono w drewnianym budynku, z dala od słojów Ahkonga i w ukryciu. Nowe szarozielone zbiorniki różniły się od naszych słojów jak skrzypce Yamahy od skrzypiec Stradivariusa. Wuj Robert argumentował, że każda z tych kadzi ma pięciokrotnie większą pojemność niż pojedynczy słój. Ponadto pracownicy nie musieli już ręcznie mieszać fermentujących ziaren soi, ponieważ proste przekręcenie zaworu sprawiało, że wnętrze zbiornika zaczynało się poruszać. W efekcie tego zabiegu fermentacja skracała się z sześciu miesięcy do czterech, co wpływało na czas produkcji i obniżenie kosztów.

Frankie stuknęła długopisem w stół.

– To ma sens, zwłaszcza że sos smakuje w gruncie rzeczy tak samo, prawda?

Nie ukrywałam mojego niedowierzania.

– Do niczego nie dojdziemy, dopóki nie spróbujesz sosu.

Zamknęłam laptop Frankie i nakazałam jej odsunąć papiery.

Następnie urządziłam w swoim biurze spontaniczną degustację sosu, dokładnie taką samą jak te, które dziesiątki razy przeprowadzał ze mną tata. Pomimo ciekawskich spojrzeń przechodzących współpracowników zmusiłam Frankie, by łyk po łyku próbowała naszych najlepszych sosów, aż upewniłam się, że rozumie, jaką wartość mają nasze gliniane słoje, które co sześć miesięcy przemywano w letniej wodzie i zostawiano do wyschnięcia na słońcu. To specjalne traktowanie chroniło pięćdziesięcioletnią warstwę złotego osadu, który pokrywał wnętrze słojów i nadawał naszemu sosowi jego słynny ziemisty posmak.

– Niewiarygodne – powiedziała Frankie, mlaskając. – Próbowałam w życiu wielu sosów sojowych, ale ten jest wyjątkowy.

Obiecałam jej, że za kilka tygodni, kiedy partia z tego sezonu będzie już dojrzała i gotowa do przecedzenia, zabiorę ją na dół, by posmakowała naszego płowego płynu.

Po degustacji przygotowałam dwa koktajle ze sprite'em i podałam jeden Frankie. Z początku skrzywiła się, ale kiedy nie ustępowałam, przyjęła szklankę i pociągnęła maleńki łyk, a potem przyznała – jak wszyscy – że napój jest zaskakująco smaczny. Powiedziałam jej, że kiedy Ahkong naprawdę chciał zrobić wrażenie na swoich gościach, dodawał jeszcze kilka kropel sosu tabasco i plasterek cytryny – to ukłon w stronę klasycznej Krwawej Mary.

– Ale to następnym razem – powiedziałam do pijącej łapczywie Frankie.

Do końca dnia udało nam się przeanalizować wystarczającą ilość dokumentów, by dojść do wniosku, że konsumenci stają się coraz bardziej wymagający. Pomimo pewności mojego wuja i kuzyna, że klienci chcą tańszego produktu, wydawało się, że popyt na tradycyjnie wytwarzany sos sojowy niedługo zacznie lawinowo wzrastać. Firma przyjęła błędną strategię. Jeśli będziemy dalej pracować zgodnie z ich planem, ktoś inny wejdzie na miejsce, które wcześniej zajmowaliśmy.

Tego wieczora pojechałam razem z tatą do domu i po raz pierwszy od wielu dni zjadłam kolację z rodzicami. Następnego ranka ja i Frankie wróciłyśmy do pracy i sporządziłyśmy raport, który miałyśmy zaprezentować mojemu ojcu i wujowi. Kiedy skończyłyśmy, ci sami koledzy, którzy podśmiewali się z niekończących się pytań Frankie, mówili z podziwem o jej etyce pracy. Na mnie w ogóle nie zwracali już uwagi.

Frankie i ja byłyśmy tak zaabsorbowane pracą, że nie miałam okazji opowiedzieć jej o mojej rozmowie z Jamesem. A może sama nie chciałam sobie dać tej okazji. Zważywszy, że szansa na to, iż zadzwoni, malała z każdym mijającym dniem, kazałam sobie zapomnieć, że w ogóle zaprosiłam go na randkę. Miałam tylko nadzieję, że w najbliższym czasie na niego nie wpadnę.

Pod koniec pierwszego tygodnia pracy Frankie w Lin's zadzwoniła Kat i powiedziała, że tradycyjne towarzystwo spotyka się na drinka – koniecznie musimy się pojawić. Jeśli w poprzedni weekend się czegoś dowiedziałam, to tego, jak mało mam wspólnego z moimi starymi przyjaciółmi, ale jednak się zgodziłam, głównie dlatego że było to prostsze niż dyskutowanie z Kat.

Wychodziłyśmy z Frankie z firmy, kiedy mój telefon zadzwonił po raz drugi. Pomyślałam, żeby nie odbierać i pozwolić dzwoniącemu nagrać wiadomość, ale po chwili odwróciłam się od przyjaciółki, żeby odebrać, mając jednocześnie nadzieję na to, że to on, i na to, że to nie on.

Czując na karku świdrujący wzrok Frankie, próbowałam rozmawiać jak najkrócej i jak najbardziej neutralnym tonem.

– Dziś? – spytałam. – Za jakieś dwie godziny? Skąd wiesz, że nie mam innych planów?

Wiedziałam, że powinnam czuć się urażona tym, że dzwoni na ostatnią chwilę, ale cieszyłam się, że przynajmniej słyszę głos Jamesa.

– Cóż, a masz inne plany?

Nie od razu odpowiedziałam. Spojrzałam przez ramię na Frankie, która czekała, trzymając dłonie na biodrach, z podejrzliwym wyrazem twarzy. Przez chwilę rozważałam swoje możliwości, wreszcie powiedziałam:

– Do zobaczenia o siódmej.

– Kto to? – spytała Frankie z szelmowskim uśmiechem.

Szybko wyjaśniłam, w jaki sposób James dostał mój numer, a Frankie słuchała z rozbawieniem.

– Jeśli to nic specjalnego, dlaczego trzymałaś to w sekrecie?

Zignorowałam jej pytanie.

– Naprawdę mi przykro, że muszę cię zostawić.

Gdybym nie była taka podekscytowana randką, z pewnością czułabym się winna ze względu na to, że zepsułam Frankie wieczór.

Ku mojemu zaskoczeniu zapewniła mnie, że bardzo chętnie spotka się z moimi znajomymi sama. Zapisała wskazówki dotyczące dojazdu i numer telefonu Kat oraz obiecała, że postara się usprawiedliwić moją nieobecność.

– Baw się dobrze – powiedziała tonem, w którym dało się wyczuć, że nie podoba jej się to, co robię.

Dwie godziny później, umyta i z wysuszonymi włosami, umalowana i wypudrowana, siedziałam w taksówce pędzącej w kierunku restauracji – bicie mojego serca przyspieszało, w miarę jak wzrastała moja niepewność.

Wciąż brałam pod uwagę i odrzucałam te same myśli: czy naprawdę spodziewał się, że porzucę to, co akurat robię, i pospieszę na spotkanie z nim, zwłaszcza że czekał pięć dni z zadzwonieniem do mnie? Dlaczego robiłam właśnie to, czego chciał?

– Wujku, mógłbyś podkręcić klimatyzację? – spytałam kierowcę.

Przypomniałam sobie, że powinnam oddychać.

Mieliśmy się spotkać na Clarke Quay, pasie barów i restauracji na brzegu rzeki Singapur – najsłynniejszej rzeki na naszej wyspie – wystarczająco małej, by niektórzy turyści brali ją za kanał. W dziewiętnastym wieku okolica Clark Quay była dużym portem, a rząd zrobił, co mógł, by zachować jej zabytkowy urok, choć w wysterylizowanej formie. Rozpadające się magazyny zostały opróżnione i świeżo pomalowane na jaskrawe kolory. Wzdłuż równych rzędów palm wyznaczono chodniki z równego betonu. Armia pracowników ubranych w jasnozielone uniformy na bieżąco zmiatała jakiekolwiek śmieci, którym nie udało się trafić do wszechobecnych śmietników, tak lśniących i foremnych, że można je było wziąć za rzeźby. Tu, na Clarke Quay, każdy stolik był obsadzony przez lokalnych yuppies, białych emigrantów, a także turystów z Australii i Japonii, a mimo to bary i restauracje w każdym roku upadały.

James wybrał nowy bar, w którym podawano tapas, pragmatycznie nazwany Tapas Bar. Poprzednio w tym miejscu znajdował się podejrzany lokal, noszący bardziej enigmatyczną nazwę China Black. Jako dwudziestolatka byłam tam raz czy dwa – wystarczyło, żebym mogła o nim wspomnieć za każdym razem, kiedy potrzebowaliśmy ze znajomymi podać przykład miejsca, do którego nie chcemy iść w sobotni wieczór.

James stał już przed drzwiami restauracji, nienagannie ubrany w niebieskofioletową koszulę i jeansy tak sztywne, że musiały zostać wyprasowane. Jego irokez został przyklepany i stylowo zmierzwiony. Dokładnie w chwili gdy uniosłam rękę, by zwrócić na siebie jego uwagę, wyciągnął telefon z kieszeni i zaczął uderzać w ekran. Opuściłam dłoń i zwolniłam, mając nadzieję, że nikt nie zauważy mojej niezręczności.

Chwilę później mnie zauważył. Zanim zdążyłam się zawahać, podszedł i przytulił mnie.

– Cieszę się, że udało ci się przyjść.

Zrobiłam krok w tył i czekałam, aż wyjaśni, dlaczego tak długo czekał z telefonem, a kiedy tego nie zrobił, powiedziałam:

– Nie było łatwo, musiałam poprzestawiać kilka rzeczy w kalendarzu, ale jakoś się udało.

Roześmiał się, jakby właśnie usłyszał najlepszy dowcip w życiu, a potem ściszył odrobinę głos:

– Przy okazji, wyglądasz cudownie.

– O, dziękuję – powiedziałam formalnym tonem, by ukryć zadowolenie.

– Idziemy?

Otworzył drzwi i zaprosił mnie do środka gestem dłoni z gracją torreadora. Paul nigdy tak nie postępował – jak twierdził, dla zasady.

Wchodząc do zimnego hallu, zahaczyłam czubkiem czółenka o krawędź dywanu i poleciałam do przodu. Pisnęłam i chwyciłam się Jamesa obiema rękami.

– Mam cię – powiedział cicho.

Pod dłonią poczułam jego smukłe i twarde mięśnie. Opuściłam ręce wzdłuż ciała zaskoczona poczuciem bezpieczeństwa, które ogarnęło mnie, gdy mnie dotknął.

– Wszystko w porządku? – spytał, głęboko patrząc mi w oczy.

Odgarnęłam włosy z twarzy i wykrztusiłam, że nic mi nie jest.

Kelner, który zauważył moje potknięcie się, wyrósł przed nami jak spod ziemi.

– Po prostu bardzo chce poznać państwa kuchnię – powiedział James.

Nowi właściciele lokalu zrobili generalny remont. Zniknęły nisko zwisające latarnie, kanapy w panterkę i dywaniki ze sztucznej owczej skóry. Pozostały tylko betonowe posadzki i światła na suficie. Jedyną ozdobę restauracji stanowiło ogromne płótno przedstawiające nieokreślone plamy farby, rozciągające się na całą ścianę.

Kelner poprowadził nas do dużego stolika w rogu. Siadaliśmy, kiedy pojawił się przed nami szczupły mężczyzna, którego chudość podkreślał garnitur w prążki i wąski czarny krawat.

– Zauważyłem pana nazwisko na liście – powiedział, mocno ściskając dłoń Jamesa. – Bardzo się cieszymy, mogąc pana obsłużyć.

James spytał, jak idzie interes, a szczupły mężczyzna gestem pokazał pełną salę jadalną i powiedział:

– Nie narzekamy, nie narzekamy.

Polecił, by go wezwać, jeśli będziemy czegokolwiek potrzebowali. Następnie oddalił się, idąc wzdłuż stolików i kiwając głową na prawo i lewo oraz uśmiechając się do klientów.

Uniosłam brew, a James wzruszył ramionami i powiedział:

– Branża restauracyjna. Mały świat.

Otworzył menu i zamilkł.

Udawałam, że również je czytam, przyglądając się mu z drugiego końca stolika. Oto mężczyzna czujący się świetnie we własnej skórze i przyzwyczajony do tego, że traktuje się go dobrze. Był zaprzeczeniem niechlujnego, drażliwego Paula, który wszystkie zasady savoir-vivre'u uważał za elitarystyczne i sztywniał na widok materiałowych serwetek i ciężkich srebrnych sztućców. Paul odniósłby się z całkowitą dezaprobatą w stosunku do tego żywego, przestrzennego pomieszczenia, tego nienagannie zadbanego mężczyzny. Przygładziłam serwetkę na udach i postanowiłam cieszyć się wieczorem.

James wciąż studiował menu. Kiedy przewracał stronę, w dziurce od guzika jego mankietu błysnęła niewielka szafirowa kulka.

– Nie będziesz później musiał zdawać z tego egzaminu – powiedziałam.

Roześmiał się i przesunął dłonią po gładkiej brodzie.

– Karty dań są jak poezja – rzekł.

Przechyliłam głowę. Nie mogłam poznać, czy ruch koniuszków jego ust był rodzącym się uśmiechem czy pogardliwą miną.

Położył menu na stole.

– To, w jaki sposób są złożone z mniejszych sekcji, jak każda linijka przygotowuje cię na następną. Każde dobre menu opowiada historię: historię szefa kuchni, jego inspiracji i nadziei.

Spojrzał na mnie z oczekiwaniem.

– Kiedy ostatnio czytałeś prawdziwy wiersz? – spytałam.

James odsunął menu na bok i roześmiał się.

Pojawił się kelner, niosący dziwne naczynie z długim, wąskim dzióbkiem.

– Aperitif na koszt firmy – powiedział. – To cava z hiszpańskiego regionu Penedès. Wytrawna.

James spojrzał na mnie, by sprawdzić, czy zrozumiałam, a ja poczułam, jak sztywnieję z oburzenia.

– Moja ulubiona – powiedziałam, choć w gruncie rzeczy w jego trosce było coś ujmującego.

– Bardzo wytrawna, bardzo orzeźwiająca i doskonała jako aperitif – powiedział kelner, a potem uniósł naczynie wysoko nad głowę i skierował dzióbek do mojego kieliszka.

Musujące wino lało się doskonałym łukiem, który sprawiał, że pociekła mi ślinka.

– Taki dzbanek nazywa się porron – powiedział James, z lubością wymawiając gardłowe „r". – To tradycyjne katalońskie naczynie na wino.

Niemal poczułam, jak Paul szturcha mnie czubkiem buta pod stołem. Jego wyraz twarzy mówiłby: „Uwierzysz, jaki kiwak?". A jednak wiem, że broniłabym Jamesa.

Kelner wyjaśnił, że porron zazwyczaj używa się podczas urodzin, ślubów i innych uroczystych okazji. Długi dzióbek został zaprojektowany tak, by celować prosto w spragnione usta.

– Bardzo praktyczne – powiedziałam.

– Nie wspominając o tym, że przyjazne dla środowiska – dodał James.

Kelner czekał, aż skończymy rozmawiać, a potem zapytał, czy jesteśmy gotowi złożyć zamówienie.

– Ty pierwszy – powiedziałam, przeglądając niekończącą się listę dań.

James przyjrzał mi się uważnie.

– Jesteś bardzo głodna?

Miałam wrażenie, że tym pytaniem mnie testuje.

– Umieram z głodu.

– Dobrze. Ja też.

Energicznym ruchem zamknął menu. Kelnerowi oznajmił:

– Weźmiemy po jednej sztuce wszystkiego.

Pomyślałam, że żartuje. W restauracji podawano przynajmniej trzydzieści różnych dań. James jednak podał swoje menu kelnerowi i czekał, aż zrobię to samo.

– Czekaj, kowboju – powiedziałam. – Kiedy ostatnio sprawdzałam menu, mieliśmy zamówić jedzenie dla dwojga.

James położył dłoń na mojej i powiedział, żebym się nie martwiła. Poradzimy sobie z tymi porcjami.

– Widzisz? – powiedział, wskazując na moje menu. – Małe porcje.

Jego dłoń była tak ciepła i gładka, jak pamiętałam. Wciąż czułam jej dotyk na karku. Mimowolnie oddałam mu menu.

Nie minęło dużo czasu, a cały stolik zajęły ceramiczna kokilka z perłoworóżowymi krewetkami skąpanymi w maśle czosnkowym; przeźroczyste, cienkie jak papier plasterki wędzonej na zimno szynki rozłożonej na talerzu; tortilla espanola z kawałkami ziemniaków i białej cebuli; paski buraczków z kozim serem i plasterkami migdałów; jedwabiście miękkie gotowane na wolnym ogniu żeberka; gęsty gulasz z chorizo.

James jadł w wielkim skupieniu, z opuszczoną głową, oczami wbitymi w talerz i zarumienionymi policzkami. Co pewien czas podnosił wzrok i stwierdzał, że buraczkom przydałoby się trochę kryształków morskiej soli albo że żeberka były nieziemskie. Podziwiałam jego nieskrępowanie i nieposkromioną pasję. Kiedy nie rozmawialiśmy o jedzeniu, mówiliśmy o tym, za czym w Stanach najbardziej tęskniliśmy – zbyt tłustymi potrawami w tradycyjnych restauracyjkach, czerwonymi plastikowymi kubeczkami, hurtowym kupowaniem jedzenia.

– Dobrymi bajglami – powiedziałam.

Zamknął oczy i z uznaniem pokiwał głową.

– Przy Uniwersytecie Nowojorskim był bar z bajglami, do którego chodziłem przynajmniej trzy razy w tygodniu. Wciąż jeszcze śnię o tych bajglach. – Nagle znów otworzył oczy. – Ale ty mieszkałaś w Kalifornii, więc nie jestem pewien, czy wiesz, jak smakuje dobry bajgiel.

– Hej – ostrzegłam go, a kiedy się roześmiał, również się roześmiałam.

Pod koniec posiłku, kiedy odłożyłam widelec i nóż, a James wreszcie odsunął talerz, i zamówiliśmy espresso zamiast deseru, spytałam:

– Dlaczego postanowiłeś wrócić do domu po studiach?

James wrzucił kostkę cukru do maleńkiej filiżanki i zamieszał kawę.

– Nie postanowiłem. Decyzja zapadła wcześniej.

Miał poważny wyraz twarzy. Uniósł filiżankę do ust i osuszył ją dwoma długimi łykami.

Czekałam na ciąg dalszy, ale on otarł usta serwetką, jakby chciał mi pokazać, że nie ma już nic do powiedzenia.

– Myślę, że to ułatwia sprawę – powiedziałam. – Rodzice dali mi możliwość wyboru czegokolwiek, czego tylko chcę, a potem zachowali dystans i pozwolili robić, na co mam ochotę. I teraz popatrz na mnie.

Napotkałam jego wzrok i nagle opuściłam swój zawstydzona. To było małe miasto, mieliśmy wielu wspólnych znajomych. Wiedziałam, że nie muszę więcej mówić.

Delikatnie się roześmiał i powiedział:

– Mnie się wydaje, że radzisz sobie całkiem nieźle.

Kiedy przywołał kelnera, poczułam ukłucie zawodu, wiedząc, że wieczór ma się ku końcowi. Jak głupio postąpiłam, zwracając jego uwagę na moje nieudane małżeństwo. Tak dawno nie byłam już na randce, że najwyraźniej straciłam umiejętność podtrzymywania rozmowy.

Jednak zamiast poprosić o rachunek, James mrugnął do mnie i zaproponował:

– Zakończmy ten posiłek z przytupem.

Kelnerowi oznajmił:

– Pani jest gotowa, by wypróbować porron.

– Nie. Nie sądzę – powiedziałam. – Na pewno nie.

Ale kelner zmierzał już do baru.

Kiedy wrócił z dzbanem, wydawało się, że wszyscy w restauracji wpatrują się we mnie, więc wzruszyłam ramionami, odchyliłam brodę i szeroko otworzyłam usta. Zimny, cierpki strumień uderzył w moje gardło, a w restauracji zaczęto bić brawa. Siedząca dwa stoliki dalej grupa hiszpańskich biznesmenów zaczęła śpiewać na całe gardło:

– Cumpleaños feliz, cumpleaños feliz!

Stwierdzili widocznie, że to jedyne logiczne wyjaśnienie tej sytuacji.

W połowie piosenki musiałam unieść dłoń, by oznajmić kelnerowi, że mam dość. W tym momencie zdążyli już się do niej dołączyć śpiewający po angielsku klienci siedzący przy innych stolikach, podobnie jak James, który śpiewał zadziwiająco silnym barytonem, głośniej i bardziej entuzjastycznie niż ktokolwiek z pozostałych.

Kiedy wreszcie dostaliśmy rachunek, odruchowo po niego sięgnęłam, choć wiedziałam, że taki facet jak James nigdy nie pozwoli, żebym zapłaciła swoją część. Wstaliśmy od stołu. Kiedy wychodziliśmy z restauracji, jego palce musnęły moje plecy na wysokości talii, sprawiając, że po kręgosłupie przeszedł mi dreszcz.

Wieczór był wietrzny i dość zimny. Wyrównaliśmy z Jamesem krok i niedługo znaleźliśmy się na deptaku przy brzegu rzeki. Pokazał mi, gdzie mieszka – w jednym z trzech wysokich szarych budynków, stojących niedaleko przy gęstym lesie nowych kompleksów bloków. Zbliżała się dziesiąta i tłum osób spotykających się po pracy właśnie był najgęstszy: duże grupy mężczyzn w koszulach z rękawami podwiniętymi do łokci wychylały kufle piwa. Tu i ówdzie dało się zauważyć siedzące trójkami kobiety, które patrzyły na mężczyzn z zainteresowaniem pomieszanym z obrzydzeniem.

Wraz z Jamesem oddaliliśmy się od krzyków i śmiechów, popisów i póz, ostrego zapachu gotowania, wielokolorowych światełek świątecznych zwisających z dachów, balkonów, latarni ulicznych. Tu, przy rzece, na równej, oświetlonej latarniami ścieżce, czując wiatr we włosach, przesunęłam dłonią po przedramieniu Jamesa i umieściłam ją w jego dłoni. Mając nadzieję, że jest za ciemno, żeby zobaczył, iż się czerwienię, szłam dalej, noga za nogą, ale on przystanął. Odwróciłam się przestraszona. Byliśmy złączeni rękami jak dwoje tancerzy. Delikatnie przyciągnął mnie do siebie, przeczesał palcami moje włosy i zbliżył swoją twarz do mojej. Jego usta były ciepłe i wilgotne, a język delikatnie falował, żywszy niż jakakolwiek część ciała Paula. Kiedy zacieśnialiśmy uścisk, Paul znikał z moich myśli, a potem nie potrafiłam już myśleć o niczym.

Niedługo później znaleźliśmy się przed domem Jamesa. Przez szklane drzwi podziwiałam marmurowe podłogi i parę żyrandoli w stylu art déco. Oczywiście, że mieszkał w wykwintnym domu. Wyobrażałam sobie, że na górze znajdują się minimalistyczne duńskie meble, a z okien rozciąga się zapierający dech widok na miasto.

– Dziękuję za kolację – powiedziałam.

– Proszę bardzo.

Sięgnął ku mojej twarzy i założył mi kosmyk włosów za ucho.

– Mogę kazać dozorcy wezwać ci taksówkę.

– Świetnie – powiedziałam w tej samej chwili, kiedy on dodał:

– Chyba że...

Spojrzałam mu w oczy:

– Chyba że co?

James przeniósł ciężar ciała z jednej stopy na drugą.

– Chyba że chcesz wejść na górę?

Postawił to pytanie lekko, jakby pytał, czy piję herbatę z mlekiem.

Przeanalizowałam pytanie w myślach.

Nie byłam na randce od ponad dekady i nie byłam na wystarczająco wielu przez całe swoje życie, żeby móc to powiedzieć na pewno, ale i tak miałam wrażenie, że pójście na górę nie było czymś, co normalnie bym zrobiła.

Chwilę później pomyślałam jednak o przechodzeniu na palcach przez zaciemniony dom moich rodziców na górę do pokoju, w którym spędziłam dzieciństwo. Zobaczyłam siebie, jak siedzę na łóżku, przeglądając numery w telefonie, mając nadzieję, że mam do kogo zadzwonić, kto uzna absurdalność sytuacji, w której się znalazłam. Moja rozmowa z Frankie, choć pospieszna, wystarczyła, żebym zrozumiała, że nie podobało jej się to. Reakcja Kat byłaby mniej stonowana. Mogłabym spróbować porozmawiać z Marie albo Jenny w San Francisco, ale one znały mnie tylko w kontekście związku z Paulem. Zważywszy, że zniknęłam, nie wyjawiając im powodu rozpadu mojego małżeństwa, skok do okoliczności, w których się teraz znalazłam, byłby dla nich zbyt duży.

Podałam więc dłoń Jamesowi i powiedziałam mu, że rzeczywiście chciałabym wejść na górę. Razem minęliśmy biuro portiera i doszliśmy do oszklonych wind przy końcu hallu. Zaskoczyło mnie nasze odbicie: wyjątkowo symetryczne – oboje czarnowłosi, szczupli i ubrani w powściągliwe, dopasowane stroje. Byliśmy parą, jakie widuje się w reklamach lodówko-zamrażarek i płaskich telewizorów. Mający sto dziewięćdziesiąt centymetrów wzrostu Paul był przy mnie jak olbrzym – nawet trzymanie się za ręce było niezręczne.

Winda zadzwoniła, weszliśmy, drzwi się zamknęły. Kiedy się wznosiliśmy, liczyłam piętra – szóste, siódme, ósme, dziewiąte – mając jednocześnie nadzieję, że mogę zatrzymać czas i że mogę już przenieść się w przyszłość.

ROZDZIAŁ 6

❖

Znalazłszy się przed domem moich rodziców, prze-
czesałam zmierzwione włosy palcami i przygładziłam wymiętą bluzkę, przygotowując się na to,
by wyjaśnić im, gdzie byłam.

Nigdy wcześniej tego nie robiłam. Jako nastolatce
zdarzyło mi się raz czy dwa wymknąć z domu, żeby
zobaczyć się z chłopakiem, albo skłamać, że zostanę na
noc u koleżanki, ale nigdy nie spędzałam nocy poza
domem, nie powiedziawszy rodzicom o tym, gdzie
byłam. Moje odbicie w oknie przy drzwiach frontowych uzmysłowiło mi w pełni absurdalność mojej sytuacji. Zobaczyłam w nim potarganą trzydziestolatkę
we wczorajszych ubraniach, która za chwilę ma wejść
do domu i wpaść na jedzących śniadanie rodziców.
Nie miałam wyboru – musiałam po prostu się z tym
zmierzyć.

Kiedy otworzyłam drzwi frontowe, powietrze przeszył krzyk mojej matki, po którym nastąpiła surowa odpowiedź mojego ojca, zbyt cicha, żebym ją zrozumiała.

W jadalni klęczała Cora, służąca moich rodziców, z miotłą w dłoni. Kiedy mnie zobaczyła, podniosła się, ale zacisnęła usta i potrząsnęła głową. Dookoła niej na marmurowej podłodze połyskiwały odłamki szkła. Na śmietniczce obok leżała nóżka kieliszka koktajlowego.

Wbiegłam po schodach, po dwa stopnie naraz, i zobaczyłam, że drzwi sypialni moich rodziców są otwarte na oścież. Mama siedziała na podłodze z wyprostowanymi nogami i mocno obejmowała rękami swoje ciało.

– Nie chcę – powiedziała, potrząsając głową tak mocno, że jej proste, rozczochrane włosy uderzały ją w oczy. – Nie chcę, nie chcę, nie chcę!

Z każdym powtórzeniem jej głos nabierał siły.

Ojciec siedział na brzegu łóżka, trzymając głowę w dłoniach. Wyczuwając moją obecność, nagle odwrócił się do drzwi. Kiedy mnie zobaczył, jego twarz się rozluźniła.

– Xiao Xi – powiedział.

Weszłam do pokoju.

– Twoja mama... – zaczął, ale głos mu się załamał. Spróbował jeszcze raz: – Twoja mama nie czuje się za dobrze. Chce zostać w domu, jednak muszę ją zabrać na dializę.

Mama próbowała podnieść się i usiąść na kolanach. Zrobiłam krok do przodu, żeby jej pomóc, lecz przegoniła mnie gestem dłoni.

– Nie jest dzieckiem. Dlaczego nie możesz jej powiedzieć prawdy?

Skwaśniały zapach z jej ust sprawił, że się cofnęłam.

– Prawdy? – spytał tata. – Dobrze. Powiedz jej. Powiedz swojej córce, co właśnie mi oznajmiłaś.

Usta matki zaciskały się, kiedy mówiła:

– Nie próbuj wykorzystywać jej przeciwko mnie. Nie manipuluj mną.

– Czy ktoś mógłby mi powiedzieć, co się dzieje?

Tata odwrócił się w moją stronę.

– Nie chciała jechać – zaczął.

– Wciąż nie chce – matka warknęła głosem, którego nigdy wcześniej nie słyszałam. – Nie CHCE, czas teraźniejszy, Ce-Ha-Ce-E!

Tata nawet się nie skrzywił.

– Twoja matka mówi, że ma już dość dializy.

Mój wzrok przenosił się z upiornie spokojnej twarzy mojego ojca na zastygłe w niespotykanej furii oblicze matki. Od czasu gdy moja matka zapadła na niewydolność nerek, minęły trzy miesiące. Trzy miesiące już nie mogła pracować ani podróżować. Trzy miesiące, które spędziła przykuta do tej okropnej maszyny trzy godziny dziennie przez trzy dni w tygodniu.

Tata znów przemówił:

– Twoja mama chce, żebyśmy wszyscy patrzyli spokojnie, jak zapija się na śmierć.

Po raz pierwszy usłyszałam, że przyznaje, iż matka ma problem z piciem, i ogarnęło mnie poczucie ulgi. Nawet mama była tak zszokowana, że wydawało się, iż zapomniała o gniewie.

Kiedy słowa ojca rozbrzmiały w moim umyśle, zaczęła mnie ogarniać panika. Zrobiłam krok w przód i chwyciłam wychudzoną rękę mamy. Jej wysuszona i zimna skóra zbyt łatwo przesuwała się po jej kruchych kościach.

– Chodź, mamo – powiedziałam. – Musisz wstać.

– Wszyscy myślicie, że to takie proste – rzekła zmęczonym głosem.

Nie mogłam na nią patrzeć. Poprosiłam tatę, by schwycił ją za drugie ramię.

– Pomóż mi – powiedziałam, jakbym mówiła o ciężkim pudle albo nieporęcznym meblu.

– Ostrożnie! – krzyknęła piskliwie, kiedy ojciec chwycił za ramię, w które trzy razy w tygodniu wbijano igłę. Ale pozwoliła nam sprowadzić się ze schodów. Powiedziała:

– Nie mogę spędzić reszty życia w ten sposób.

I:

– Co byście zrobili na moim miejscu?

I:

– Czy w ogóle mnie słuchacie? Powiedzcie coś!

Podobnie jak tata, patrzyłam przed siebie. Wreszcie zrozumiałam jego powściągliwość. Mama nie potrzebowała, by ktokolwiek mówił jej, że nie ma alternatywy dla dializy.

Kiedy znaleźliśmy się na zewnątrz, tata usiadł na miejscu kierowcy, a ja poprowadziłam matkę na fotel pasażera. Zapiąwszy jej pas, zawahałam się przed zamknięciem drzwi. Rodzice przez większość dnia będą w szpitalu. Nie byliśmy umówieni, więc nie mieliśmy gwarancji, że uda nam się zobaczyć z lekarzem mamy. Czy naprawdę musiałam tam być?

Tata patrzył na mnie w oczekiwaniu; mama nie chciała spojrzeć w moim kierunku.

– Czekajcie – powiedziałam. – Zaraz wrócę.

Poskarżył się, że są spóźnieni, ale ja już zdążyłam wbiec do domu i wspiąć się po schodach, minąwszy przejętą Corę, która zauważyła nową butelkę w śmietniku i patrzyła na nią przygnębionym wzrokiem.

W sypialni rodziców wyciągnęłam jedwabną bluzkę spośród wielu wiszących w szafie, sięgnęłam po parę cienkich wełnianych spodni przewieszonych przez oparcie krzesła i wybiegłam z powrotem na zewnątrz.

Przez przednią szybę samochodu moi rodzice wyglądali na małych, bezbronnych i przede wszystkim starych.

Położyłam ubrania na tylnym siedzeniu. Próbując złapać oddech, powiedziałam do matki:

– To dla ciebie, kiedy dojedziemy do szpitala.

Przygładziła na udach bawełnianą koszulę nocną, udając, że się nie przejmuje.

– Dobrze – powiedział tata. – Naprawdę musimy już jechać.

Pobiegłam na drugą stronę samochodu i wskoczyłam do środka. Nie miałam okazji wziąć prysznica, ale przynajmniej James pozwolił mi skorzystać ze swojej zapasowej szczoteczki do zębów przed pożegnaniem mnie powściągliwym pocałunkiem, który sprawił, że zaczęłam się zastanawiać, co zrobiłam źle.

Jeśli tata i mama byli zaskoczeni, że postanowiłam z nimi pojechać, nie pokazali tego po sobie. Położywszy dłoń na oparciu fotela mamy, tata wycofał samochód z podjazdu. Spojrzał przez ramię, by sprawdzić, czy nic nie jedzie – napotkawszy mój wzrok, uśmiechnął się.

Kiedy zostawiliśmy moją matkę w centrum dializ, pociągnęłam tatę na stronę.

– Będziemy mogli porozmawiać z doktorem Yeohem? Odstąpił ode mnie na krok.

– Nie musimy. Już wszystko w porządku. – Odwrócił się, by pójść z powrotem do sali. – Poza tym to niemożliwe, jeśli się najpierw nie umówimy.

– Przecież nic z nią nie jest w porządku.

Trzy przechodzące pielęgniarki spojrzały na mnie uważnie.

– Proszę nie mówić za głośno, przeszkadza to pacjentom – upomniała mnie jedna z nich.

– Ona przeprasza – powiedział tata ostro.

Na końcu korytarza otworzyły się drzwi i wyszła z nich młoda kobieta w lekarskim kitlu, której towarzyszył lekarz matki – wysoki mężczyzna w białym fartuchu z rzedniejącymi włosami i obwisłymi policzkami.

Pospieszyłam w ich stronę, wołając lekarza.

Z początku wyglądał na zaskoczonego, ale później się uśmiechnął.

– Gretchen, Xiong, dobrze cię widzieć. Jak się masz?

Powiedziałam:

– Wiem, że jest pan zajęty, ale moja matka ma za sobą naprawdę ciężki poranek, myśli pan, że możemy zasięgnąć pana rady?

Lekarz powiedział koleżance, że porozmawia z nią później.

– Co się stało? – spytał.

Zanim mój ojciec zdążył mi przerwać, zaczęłam jak najszybciej opowiadać mu wydarzenia dzisiejszego poranka.

Kiedy wreszcie przerwałam, by złapać oddech, poczułam dłoń taty na ramieniu.

– Córka właśnie wróciła do domu. Boi się. I łatwo się ekscytuje.

Ruchem ramion strąciłam jego dłoń i rzuciłam mu zdumione spojrzenie.

Lekarz popatrzył najpierw na moją twarz, potem na taty. Zerknął na zegarek i powiedział:

– Właściwie to mam kilka minut, żeby z wami porozmawiać.

Zaprowadził nas do pustej sali konferencyjnej i zapewnił, że zaraz wróci.

– Co ty sobie wyobrażasz? – spytał tata.

– Dlaczego tak bardzo się boisz poprosić o pomoc?

Gotując się ze złości, spoglądaliśmy na siebie, stojąc po przeciwnych stronach wąskiego stolika konferencyjnego.

Lekarz wrócił.

– Proszę, usiądźcie. – Przesunął w naszą stronę po blacie stołu pognieciną broszurkę. – Wspominałem o tym poprzednim razem – powiedział do taty.

Nie było mnie przy tamtej rozmowie.

Broszurka reklamowała Światło Życia, centrum rehabilitacyjne przypominające skąpany w słońcu tropikalny kurort. Połyskujące fotografie przedstawiały idylliczne tereny ośrodka, ale z tylnej okładki broszury spoglądały na nas smutne oczy osadzone w szarej, pobrużdżonej zmarszczkami twarzy. Dlaczego pokazywali zbliżenie tego mężczyzny, który wyglądał na smutnego i ponurego?

Wciąż patrzyłam w oczy staruszka, gdy tata wziął ulotkę. Ledwo na nią spojrzawszy, złożył ją na pół raz i drugi, po czym wsunął do kieszeni na piersi.

– Pomyślimy o tym.

– Dobrze więc – rzekł lekarz, stukając palcami w stół, w sposób nieprzystający do powagi sytuacji, i znów spojrzał na zegarek. – I proszę tym razem naprawdę się nad tym zastanowić.

Chciałam złapać lekarza za poły fartucha i potrząsać nim, dopóki nie powie nam, co robić. Potrzebowaliśmy rozkazów, a nie miłej zachęty.

– Poważnie się nad tym zastanowimy – powiedziałam. – Zwłaszcza że rozumiemy, iż może to być jedyny sposób, by jej się polepszyło.

Lekarz wydawał się zadowolony z tego, że zrobił to, co do niego należało. Powiedział, że w międzyczasie możemy spróbować kilku rzeczy w domu: lepiej jej pilnować, znaleźć jej więcej zajęć, opracować konkretne krótko- i długoterminowe cele. Wyrzucał z siebie te terminy, jakby czytał listę zakupów. Bez wątpienia przychodziło do niego wielu pacjentów takich jak mama, którym towarzyszyły rodziny takie jak nasza – zaprzeczające powadze sytuacji i bojące się działania.

Podziękowaliśmy lekarzowi i patrzyliśmy, jak oddala się korytarzem.

Kiedy był na tyle daleko, by nas nie słyszeć, tata powiedział:

– Nie ma mowy.

Odwrócił się, by odejść.

Złapałam go za ramię, ale się wyrwał.

– To nie Ameryka. Nie podrzucamy członków rodziny innym ludziom, by się nimi zajęli.

– Nie czas myśleć o ratowaniu twarzy – stwierdziłam.

Spojrzał na mnie szeroko otwartymi oczami. Jego nozdrza się rozszerzyły. Pochylił się w moim kierunku i złapał mnie za nadgarstek.

– Wciąż jestem głową tej rodziny. Mam ostatnie słowo.

Dopiero kiedy mnie puścił, poczułam moc jego uścisku, siłę wszystkich pięciu palców. Wiedziałam, że żałował, iż przyjechałam z nim do szpitala. Wraz z matką długo sami radzili sobie z sytuacją. Xiong i Ling przeciwko całemu światu. Było tak do tego stopnia, że zaczęłam wierzyć, że nie potrzebują mnie – swojej jedynaczki – że zawsze będą mieli siebie.

Odszedł w kierunku poczekalni, a ja podążyłam za nim, zatrzymując się przy drzwiach, by spojrzeć na wiszący na ścianie zegar. Do końca dializy matki została przynajmniej godzina.

Tata usiadł na wyściełanym niebieskim materiałem krześle, zdjął okulary i zaczął masować nasadę nosa. Zajęłam miejsce obok niego.

– Jeśli będzie odpowiednio leczona, może jej się poprawić.

Założył z powrotem okulary.

– Jeżeli okaże się ludziom szacunek, na jaki zasługują, poradzą sobie z każdą sytuacją.

Walczyłam ze sobą, by powstrzymać gniew.

– Alkoholizm to choroba, tato.

Podniósł głos:

– Możemy się nią lepiej zająć. Możemy.

Później żadne z nas nie powiedziało już ani słowa. Siedzieliśmy w ciszy ze wzrokiem wbitym w drzwi pokoju zabiegowego, czekając, aż przejdzie przez nie mama, czująca się bezpiecznie i zdrowo, przynajmniej przez kolejny dzień.

W ten weekend zadzwoniła do mnie Frankie, by spytać, czy wybiorę się na plażę z nią, Kat i kilkoma znajomymi. Nazwała ich „stałą ekipą".

Miałam na końcu języka kilka kąśliwych uwag, ale po chwili zrozumiałam prawdziwe źródło mojej irytacji – pomyśleć, że naprawdę byłam zazdrosna o to, że Kat i Frankie umówiły się, nie konsultując tego wcześniej ze mną.

– Dzięki za zaproszenie, ale spędzę weekend z mamą – powiedziałam.

Kilka godzin później zadzwoniła również Kat. Kiedy wytłumaczyłam się jej w ten sam sposób co Frankie, po raz pierwszy w życiu ustąpiła:

– To chyba dobry powód – stwierdziła. – Nie będę ci się naprzykrzać. Pozdrów ciocię.

W ciągu ostatnich lat rozmawiałam szczerze z Frankie i Kat o piciu mamy, choć żadna z nich nie wiedziała, jak poważna stała się sytuacja. Zważywszy, że tata i ja dopiero próbowaliśmy wpaść na to, jak radzić sobie z postępem choroby mamy, nie dzieliłam się z moimi przyjaciółkami nowymi informacjami, a one nie pytały. Nie naciskały mnie nawet, bym wyjawiła im szczegóły mojej randki z Jamesem, przez co czułam większy zawód, niż byłam skłonna przyznać. Bardzo chciałam podzielić się wrażeniami i przeanalizować z nimi każdy szczegół randki – od tego, że spałam w jednym z jego starych, wytartych i jedwabiście miękkich T-shirtów, aż do tego, jak pocałował mnie w czoło rankiem, kiedy się żegnaliśmy. Późno w nocy objął mnie i przycisnął moją głowę do piersi – w takiej pozycji usnęliśmy. Co znaczyło to, że w ostatnich chwilach świadomości, leżąc obok niego i wsłuchując się w silne, równe bicie jego serca, czułam się tak wdzięczna, iż niemal się rozpłakałam? Co znaczyło to, że kiedy wysłałam mu następnego dnia SMS, odpowiedź zajęła mu sześć godzin? Co znaczyło to, że od tego czasu się nie odzywał? Słyszałam już komentarz Kat: „Aiyah, kobieto, czego się spodziewasz, skoro zadzwonił do ciebie dopiero po pięciu dniach?".

Nawet jeśli James zadzwoniłby dokładnie w tym momencie, żeby powiedzieć, jak dobrze się bawił, nawet jeśli chciałby się znów ze mną zobaczyć, odmówiłabym. Miałam już plany, których nie mogłam zmienić. Matka nigdy by się do tego nie przyznała, ale wiedziałam, że potrzebuje mnie i mojej obecności.

Tego sobotniego popołudnia, podczas gdy moi znajomi wylegiwali się na plaży, zajęłam miejsce na ławeczce przed fortepianem buduarowym Steinwaya, który dostałam na czternaste urodziny. Naszedł czas na pierwszą prawdziwą lekcję gry dla mojej mamy.

Ostatnio siedziałyśmy razem na tej ławeczce dwadzieścia lat temu. W tamtym okresie moja matka pełniła wobec mnie funkcję pół towarzyszki, pół wymagającej przełożonej – powtarzała zalecenia mojego nauczyciela, ganiła mnie lub zachęcała, kiedy narzekałam na zmęczone nadgarstki albo ogólne zmęczenie, przynosiła mi wodę w kieliszku koktajlowym, z jakiego sama piła.

Podczas studiów uczyłam tylko dzieci z podstawówki, więc nie wiedziałam dokładnie, co robić.

– Środkowe C – powiedziałam wreszcie, uderzając w odpowiedni klawisz, postanowiwszy zacząć od samego początku.

Mama jęknęła.

– Chyba żartujesz.

Wiedziałam, że nauczyła się podstaw, podglądając lekcje, które pobierałam od czwartego roku życia. Z początku, kiedy pracowała tylko na pół etatu, siedziała w jadalni i oceniała prace studentów, wystarczająco blisko, by zapamiętać wszystko, co mówił nauczyciel. Razem nauczyłyśmy się czytać nuty i przerobiłyśmy pierwsze dwie książki uczące metodą Suzuki. Niekiedy odkładała własną pracę na bok i siadała obok mnie na ławeczce przy fortepianie – jedna z nas grała lewą ręką, a druga prawą, po czym zamieniałyśmy się miejscami i zaczynałyśmy utwór od początku. Kiedy dorosłam, znów pracowała na cały etat na uniwersytecie, a utwory, które grałam, stały się zbyt trudne dla jej niewprawionych ćwiczeniem palców. Od czasu do czasu, wracając do domu ze szkoły, zastawałam ją przy fortepianie ze zmrużonymi oczami przyglądającej się nutom, próbującej odegrać utwór, który opanowałam kilka miesięcy, a nawet kilka lat wcześniej. Zawstydzona jej brakiem umiejętności, znajdowałam sobie wymówki, by wyjść z pokoju.

W weekendy mama brała mnie do filharmonii Victoria, choć wtedy Singapurska Orkiestra Symfoniczna była tylko grupką amatorów – twierdziła, że jej wykonania w niczym nie przypominały koncertów, na które chodziła w Nowym Jorku, a nawet w Ithace. Tata służył nam za szofera – tylko nas odwoził i przywoził. Niekiedy znajdował sobie miejsce parkingowe niedaleko i drzemał w samochodzie – zrobiłby wszystko, byle tylko nie musieć wchodzić do środka. Mimo to kiedy przeprowadziłam się do Kalifornii, spodziewałam się, że zajmie moje miejsce u jej boku. Jednak skończyło się na tym, że mama kilka razy poszła do filharmonii sama, a obecnie nie chodziła tam wcale.

Wpadłam na to, że skoro wróciłam do domu, powinnam nam kupić bilety na jakiś koncert.

Mama wciąż narzekała na to, jak mało mam wiary w jej umiejętności, ale mimo to postanowiłam kontynuować lekcję na własnych warunkach. Przeszłam do gam, podkreślając wagę nauczenia się poprawnego palcowania i przypominając jej, żeby uderzała w klawisze z przekonaniem, a nie tylko dotykała ich delikatnie swoimi wymanikiurowanymi, zbyt długimi paznokciami.

Wytrzymała jakieś siedem minut, po czym zaczęła narzekać na nudę, a kiedy westchnęłam z rozdrażnieniem, powiedziała:

– Przestań, mam pięćdziesiąt osiem lat. Nie mam czasu na podstawy.

Uniosłam dłonie w geście rezygnacji.

– Może powiesz mi dokładnie, czego chcesz się nauczyć.

Mama zachichotała i poklepała mnie po plecach w miejscu znajdującym się zaraz pod karkiem, jak w czasach gdy byłam dzieckiem i potrzebowałam, by mnie uspokoiła.

– Myślałam, że nigdy nie zapytasz – powiedziała. – Chcę zagrać tylko jeden utwór. Jeden piękny utwór. Nawet niedoskonale... wierz mi, znam swoje granice... tylko wystarczająco dobrze zagrać go w całości, nie powodując u nikogo bólu głowy.

Nie od razu odpowiedziałam. Ze wzruszenia miałam ściśnięte gardło i mokre oczy. Była to prosta prośba pochodząca od kobiety, która niedawno straciła tak dużo.

– Jaki utwór? – spytałam, przygotowując się na jej odpowiedź.

Twarz mamy rozjaśniła się uśmiechem. Dawno już nie widziałam tych dwóch rzędów niewielkich, uroczo powykrzywianych zębów.

Bez wahania odpowiedziała:

– *Gradus ad Parnassum*.

Zanim zdążyłam ocenić jej wybór, dodała:

– Nie mów mi, że jest za trudny. Będę ćwiczyła tyle, ile trzeba. Mam mnóstwo czasu.

Jej wybór nie powinien był mnie zdziwić. Uwielbiała Debussy'ego, a kiedy usłyszała, jak gram ten utwór podczas recitalu w ostatniej klasie szkoły średniej, powiedziała, że poruszył ją do łez – to wyznanie mnie zawstydziło. Teraz, dwanaście lat później, widziałam, że mówi poważnie. Ponagliłam ją, by zeszła z ławeczki, i przeszukałam znajdującą się w jej wnętrzu przegródkę, próbując znaleźć nuty, których nie dotykałam od tamtego recitalu – skserowane strony wciąż były sklejone w jeden arkusz, by uniknąć konieczności ich przekładania.

Tak naprawdę nie był to najgorszy wybór. Mogła przecież zdecydować się na coś zupełnie niemożliwego. Ponieważ utwór był wymagający technicznie i zawierał kilka fragmentów, w których trzeba było skrzyżować ręce, i skomplikowanych zmian tonacji, postanowiłam, że zaczniemy powoli.

– Zagraj go dla mnie – poprosiła mama.

Nie rozumiałam, jak to, że wykonam utwór, miałoby ją przybliżyć do jej celu, ale nagle poczułam, że palce wyrywają mi się do klawiatury. Sprzedaż mojego pianina w San Francisco była głupim pomysłem – popchnęły mnie do niej nie tylko wysokie ceny przechowania sprzętu, ale też złość na wszystkie okropne, niesprawiedliwe rzeczy, które przydarzyły mi się w tym miesiącu. Zastanawiałam się, czy byłaby jakakolwiek szansa, że Marie się nade mną zlituje i odsprzeda mi mój instrument.

Zagrałam *Gradus ad Parnassum* jeden raz, wolniej niżbym chciała, z trudem utrzymując równe tempo i wahając się nieco przy zmianie tonacji.

– Uff – powiedziałam, skończywszy.

Rozluźniłam palce.

Mama spoglądała na mnie z czułością i szepnęła:

– To było cudowne, kaczuszko.

Powiedziałam jej, żeby poszła po okulary do czytania. Przeszła się po salonie, a potem stwierdziła, że prawdopodobnie zostawiła je na stoliku nocnym. Udałam się za nią na górę, wzięłam ze swojego pokoju metronom i zeszłam na dół, niosąc go w obu dłoniach.

Kiedy usiadłyśmy z powrotem na ławeczce, mama spojrzała na mnie znad okularów.

– Wciąż masz tę staroć? Przecież w dzisiejszych czasach na pewno robią kieszonkowe.

Pogładziłam rudobrunatne drobnoziarniste drewno mojego metronomu.

– Lubię go – powiedziałam.

Ustawiłam metronom na sześćdziesiąt sześć uderzeń na minutę, tempo ponad dwukrotnie wolniejsze od tego, które oznaczono na wydruku nut. Wolne, równe tykanie od razu mnie uspokoiło. Dla mojego umysłu metronom był ucieleśnieniem prostoty – kiedy igła zaczynała się poruszać, wystarczyło trzymać się rytmu.

– Teraz twoja kolej – powiedziałam.

Mama zagrała pierwszy fragment w zwolnionym tempie. Co kilka dźwięków wahała się i gniewnie patrzyła na metronom, jakby zrobił coś złego.

– To coś doprowadza mnie do szału. Jak można się skoncentrować przy tym okropnym tykaniu?

Jako że była to pierwsza lekcja, wyłączyłam metronom i pozwoliłam jej zacząć od początku. Zwątpiłam w słuszność swojego zachowania w gabinecie lekarza.

Być może tata miał rację – może było zbyt wcześnie, by brać pod uwagę klinikę odwykową. Może wraz z mamą możemy siedzieć przy tym fortepianie kilka minut każdego dnia i w jakiś sposób to jej pomoże.

Po zakończeniu lekcji mama poszła się przespać, a ja usiadłam w salonie przed telewizorem. Na ekranie znów pojawiła się prowadząca talk show energiczna blondynka Melody.

W tym odcinku gościem w jej studiu była pulchna kobieta po trzydziestce o obwisłej brodzie i długiej do ramion trwałej, wyglądająca, jakby jej młodość dawno przeminęła. Kobieta, która określała siebie jako zakupoholiczkę, szczegółowo opowiadała o tym, w jaki sposób przepuściła pieniądze oszczędzone na studia swoich dzieci i pogrążyła rodzinę w długach. A jednak, pomimo przerażającego zachowania tej kobiety, w jej przyznaniu się do niego w telewizji było coś słodkiego i naiwnego, jakby przepełniało ją zaufanie, że Melody wszystko naprawi. Żadnemu Singapurczykowi nigdy nie przyszłoby do głowy przedstawiać swoich problemów całemu światu, chociaż, zważywszy na to, jak często Melody pojawiała się w lokalnej telewizji, chętnie oglądaliśmy, jak robią to inni.

Zakupoholiczka łamiącym się głosem opowiadała, jak jej niekontrolowane wydawanie pieniędzy doprowadziło do tego, że mąż się z nią rozwiódł. Publiczność w studiu wzdychała z przerażeniem i współczuciem;

Melody zmarszczyła brwi i zamknęła oczy, pokazując, że dociera do niej każde słowo. Kiedy zakupoholiczka przerwała, by otrzeć łzy, Melody objęła ją i przytuliła.

– Jesteś taka odważna – powiedziała do chlipiącej kobiety. – Poprawi ci się, ponieważ jesteś tutaj.

Publiczność w studiu klaskała z całych sił.

Mimo że nie pochwalałam tego rodzaju programów, wciągał mnie aksamitny, dźwięczny głos Melody, jej płonące niebieskie oczy, od których nie mogłam oderwać wzroku, zapał publiczności w studiu. Ja też chciałam uwierzyć, że ta zakupoholiczka, która zachowywała się nieodpowiedzialnie i skrzywdziła wiele kochanych przez siebie osób, może zostać wyleczona. Byłam tak skupiona na programie, że nawet nie pomyślałam o tym, by zmienić kanał, kiedy do salonu weszła moja matka.

– Och – powiedziała. – Melody.

Poprosiła, żebym się przesunęła, i zajęła miejsce obok mnie.

ROZDZIAŁ 7

❖

Matka zawsze twierdziła, że najlepsze lata jej życia przypadły na studia na Uniwersytecie Cornella.

– Tak dużo się wtedy działo – mówiła, zamykając oczy i pochylając głowę, jakby chciała dosłyszeć jakąś czarującą pieśń śpiewaną w oddali. – Odczyty, wykłady, przyjęcia, tańce. A jednak ciężko pracowałam. Musiałam, żeby dokończyć pracę doktorską.

Zapomniany dyskurs. Ku definicji postkolonialnej literatury niemieckiej – ciężki tom w granatowej płóciennej oprawie znajduje się na dole naszego regału na książki, zaraz obok dużego oprawnego w skórę albumu ze zdjęciami mojej matki z tego samego okresu. Młodsza wówczas niż ja w tej chwili mama miała włosy do pasa z przedziałkiem pośrodku. Chodziła w dopasowanych kaszmirowych golfach i tweedowych spódnicach do kolan i wypastowanych wysokich brązowych butach. Była naprawdę urocza.

Nawet dziś, kiedy wiek i choroby pozbawiły jej skórę blasku, a włosy połysku, zapadłe kości policzkowe mojej matki i jej podłużne kocie oczy pozostały niezmienione. W rzeczy samej, kiedy młodość przestała odwracać od nich uwagę, jej rysy stały się jeszcze bardziej uderzająco piękne, jak kawałek lipowego drewna ostrugany do swojego doskonałego, najistotniejszego rdzenia.

Dzięki uporowi i pragmatyzmowi moja matka została utalentowaną badaczką. Przeniosła te cechy do rodzicielstwa i postanowiła bardzo wcześnie, że dzieciom należy zawsze mówić prawdę. Wobec tego nigdy nie kazała mi wierzyć w Świętego Mikołaja ani w Zębową Wróżkę – rzeczy, o których czytałam w książkach Russella Hobana i Berenstainów – choć za każdym razem gdy traciłam ząb, szperała w torebce, szukając jasnej złotej jednodolarówki.

Kiedy mając pięć czy sześć lat, spytałam, skąd się biorą dzieci, pomyślała przez chwilę, a potem powiedziała:

– Cóż, panowie mają penisy. Panie mają waginy. Właśnie tam, skąd siusiasz.

Przerwała na chwilę, by upewnić się, że rozumiem, a potem ciągnęła dalej:

– Pan wkłada penisa do waginy pani.

Ułożyła kciuk i palec wskazujący jednej dłoni w literę O, do którego włożyła palec wskazujący drugiej dłoni.

– A potem pan strzela spermą we wnętrze pani, dzięki czemu zapładnia jej jajeczko i robi dziecko.

– Ale dlaczego on tak robi?

Przez chwilę patrzyła w dal zamyślona.

– Dlatego że to przyjemne.

Jako dziecko nie byłam szczególnie ciekawska, więc prawdopodobnie po prostu stwierdziłam, że to jedna z tych sytuacji, w których odpowiedź jest znacznie mniej interesująca niż pytanie, i nie przejmowałam się tym więcej.

W trzeciej klasie, podobnie jak moje koleżanki ze szkoły, zakochałam się w Marku de Souza. Już jako dziewięciolatek miał falujące brązowe włosy, które kiedy dorósł, zapewniły mu miejsce na liście najbardziej pożądanych kawalerów magazynu „Her World".

Pochłonięta uczuciami do tego chłopca i obsesyjnie zainteresowana kwestią miłości, zapytałam matkę, czy zakochała się w tacie od pierwszego wejrzenia, a ona odpowiedziała, zgodnie z prawdą, że nie. Powiedziała, że spotkała się z nim kilkakrotnie pod koniec szkoły średniej, ale kiedy postanowił pójść na miejscowy uniwersytet, nie wpłynęło to na jej decyzję, by pojechać na studia na Uniwersytecie Cornella.

Po college'u została w Ithace na studia drugiego i trzeciego stopnia. Pod koniec studiów doktoranckich mama zaczęła ubiegać się o etat na uczelniach w całych Stanach, ale kiedy jej rodzice dowiedzieli się, że planuje zostać w Ameryce, zaczęli ją błagać, by zmieniła decyzję. Jej matka zostawiała błagalne wiadomości na automatycznej sekretarce, a ojciec zaaranżował dla niej telefoniczną rozmowę o pracę z jednym z dziekanów Narodowego Uniwersytetu Singapuru. Ich poczynania zwiększyły tylko determinację matki, by ułożyć sobie życie z dala od ojczyzny.

Wtedy od czasu kiedy moi rodzice się spotykali, minęło osiem lat. A jednak, mając błogosławieństwo swoich przyszłych teściów, tata kupił bilet lotniczy z Singapuru do Nowego Jorku, wynajął samochód i pojechał do oddalonej o cztery godziny Ithaki – wszystko to wbrew woli własnych rodziców, którzy nie mogli zrozumieć, dlaczego ich syn nie chciał zapomnieć tej dziwnej, upartej dziewczyny.

Tata pojawił się przed drzwiami mamy tego samego dnia, kiedy otrzymała list z ósmą i ostatnią odmowną odpowiedzią na jej aplikację. Myśl, że miałaby czekać jeszcze rok i zaczynać cały proces od początku, była dla niej zbyt trudna do zniesienia, zwłaszcza wobec ciągłych nacisków ze strony jej rodziców i mojego ojca. Do końca tygodnia udało mu się ją przekonać, by kupiła bilet powrotny do Singapuru. Przyjęła propozycję pracy na Narodowym Uniwersytecie Singapuru, gdzie była jedyną pracowniczką wydziału humanistyki, która miała doktorat amerykańskiego uniwersytetu, co było tym bardziej wartościowe, że zrobiła go na jednej z uczelni należących do Ligi Bluszczowej. Moi rodzice wzięli ślub, a ja urodziłam się dziesięć miesięcy później.

Opowieść o tym, jak tata i mama się zeszli, była dla mnie jako dziewięciolatki czarująca. Wyobrażałam sobie ojca trzęsącego się w nowiutkim wełnianym płaszczu, dzielnie przedzierającego się przez lutowy śnieg, by uratować matkę i zabrać ją do domu. Dopiero później, po historii z profesorem z Ameryki zaproszonym na gościnne wykłady, zaczęłam zastanawiać się nad sensem wyborów matki. Jeśli nie kochała taty, dlaczego wróciła do Singapuru? Czy pokochała go w końcu? Czy nadal go kocha?

W miarę upływu czasu poznałam odpowiedzi na wiele z pytań, lecz w ich miejsce pojawiały się kolejne, każde ważniejsze niż poprzednie – tworzyły niekończący się łańcuch coraz istotniejszych kwestii.

Profesor, który przyjechał z Ameryki na gościnne wykłady, nazywał się Colin Clarke. Na co dzień uczył na Uniwersytecie Chicagowskim, a na uczelni matki miał poprowadzić seminarium. Na powitanie jego i jego żony dziekan wydziału humanistyki wydał kolację w restauracji podającej owoce morza na wschodnim wybrzeżu wyspy, słynącej z kraba w chili.

Z początku ojciec próbował wymówić się od uczestnictwa w tej kolacji. Nie było tajemnicą, że uważał towarzystwo kolegów z pracy mamy za wyczerpujące. Rozmawiali o książkach, których nie przeczytał, a kiedy próbował podyskutować o czymś, co przeczytał w gazecie albo widział w telewizji, włączali się na chwilę, a potem wracali do poprzedniego tematu. Ale mama upierała się, że nie może pokazać się sama. Wszyscy inni mieli przyjść ze współmałżonkami. W końcu tata ustąpił, lecz w dniu przyjęcia oznajmił, że idę z nimi. Mama nie była zadowolona.

Właśnie skończyłam dziesięć lat i miałam podobne zdanie o tych spotkaniach co mój ojciec. Gdyby nie krab w chili – pulchny, soczysty krab w gęstym, przepysznym sosie pomidorowo-paprykowym – odmówiłabym pójścia z rodzicami. Pomiędzy wykładami o historii kuchni singapurskiej, które poszczególni profesorowie wygłaszali dla zagranicznych gości, mama rozmawiała z kolegami o badaniach i zajęciach. Tacie i pozostałym współmałżonkom szybko skończyły się pomysły na to, jak mogliby uczestniczyć w rozmowie, więc spędzili resztę kolacji na przytakiwaniu i uprzejmym uśmiechaniu się. Co pewien czas któryś z dorosłych pytał mnie o ulubiony przedmiot w szkole albo o to, czy jedzenie mi smakuje, ale poza tym zostawiano mnie w spokoju.

Nie mogę sobie już przypomnieć twarzy Colina Clarke'a, lecz wciąż pamiętam jego żonę, przerażająco chudą kobietę o kręconych włosach koloru granatów, która narzekała na wilgoć i to, że jedzenie jest zbyt pikantne. W końcu zgodziła się spróbować pojedynczego kawałka kraba, a potem ostentacyjnie wytarła poplamione sosem palce w jednorazową serwetkę.

Z tej kolacji zapamiętałam jeszcze tylko jedną rzecz. Pod koniec posiłku zauważyłam, że mama i Colin Clarke rozmawiają o jakimś pisarzu czy filozofie, którego oboje podziwiali. Coś w tym, jak przechylali ramiona, pod jakim kątem trzymali głowy, przykuło moją uwagę, a kiedy spojrzałam z powrotem chwilę później, było jasne, że to, iż zapomnieli o swoich miseczkach z melonowym sago, świadczy, że ich rozmowa jeszcze się nie skończyła. Zanim zdążyłam zastanowić się nad ciężarem, który poczułam we wszystkich kończynach, tata przełknął resztkę piwa i chrząknął. Pochylił się, objął matkę ramieniem i zaczął ich wypytywać głośnym i ostrym głosem o tego ich filozofa. Przestraszył mnie nie jego agresywny ton, nie same pytania, ale sposób, w jaki mówił. Ojciec ozdabiał swoją wypowiedź takimi powiedzeniami, jak: „Nie żartuj", „Jasna sprawa" i „Co ty nie powiesz", i próbował naśladować amerykański akcent. Jego oczy gorączkowo połyskiwały, a twarz i szyja zaczerwieniły się. Jeden z profesorów próbował porozmawiać z nim na inny temat, ale nie chciał odwrócić uwagi od mamy i Amerykanina.

Potem ktoś – prawdopodobnie dziekan wydziału humanistyki – poprosił o rachunek. Profesorowie i ich współmałżonkowie sięgnęli po portfele i wstali od stołu.

Na parkingu mama szybkim krokiem poszła do samochodu, ignorując komentarze taty na temat kolacji. Przez całą drogę do domu tata mówił tym samym dziwnym głosem, a kiedy mama poprosiła, żeby przestał, spojrzał na nią szeroko otwartymi oczami i powiedział, że nie ma pojęcia, o co jej chodzi.

Pewnego wieczora, około miesiąca po przyjeździe Colina Clarke'a, tata nie wrócił do domu na kolację. Nazajutrz sytuacja się powtórzyła. Kilka godzin później, kiedy wreszcie wrócił, mama zbiegła ze schodów. Drzwi do gabinetu zamknęły się z hukiem i zaczęła się kłótnia. Leżałam w łóżku i słuchałam – byłam wystarczająco dojrzała, żeby wiedzieć, że coś jest nie w porządku.

Z początku rodzice mówili zbyt cicho, żebym ich słyszała, jednak po chwili z potoku zlewających się w cichy szmer słów wyłowiłam nazwisko Amerykanina, które tata wypowiadał z odrażającym amerykańskim akcentem, a głos mojej matki stał się głośniejszy i piskliwy. Wróciły do mnie obrazy z owej kolacji – to, jak mama śmiała się do rozpuku z dowcipów Colina Clarke'a, jak przy pożegnaniu jego żona nie chciała podać jej ręki i tylko mało entuzjastycznie jej pomachała. Głosy moich rodziców stawały się coraz głośniejsze, a kiedy nie mogłam już ich słuchać, wyszłam z łóżka i poszłam do łazienki. Leżałam w ciepłej wannie, patrząc, jak moje palce u rąk i nóg marszczą się coraz bardziej, jakby ze starości.

Kłótnia rodziców trwała z przerwami przez cały tydzień. Czwartego dnia tata zajrzał po północy do mojego pokoju, wszedł przez na wpół otwarte drzwi przylegającej do niego łazienki i znalazł mnie śpiącą w wannie pełnej letniej już wody. Następnego ranka pojechałam z nim do domu wuja Roberta i cioci Tiny, gdzie miałam zamieszkać do czasu, kiedy rodzice poradzą sobie ze „sprawami dorosłych". Nie powiedziałam im, że mam za dużo lat, żeby mnie tak traktować.

Podróż była pierwszą okazją od wielu dni, byśmy pobyli sami – byłam jednocześnie wściekła na ojca i uspokojona jego obecnością. Nie mogąc przekazać mu moich sprzecznych emocji słowami, spytałam po prostu:

– Kiedy będę mogła wrócić do domu?

– Niedługo – powiedział ojciec. – Za kilka dni przyjedziemy po ciebie z mamą.

W tamtych czasach w Singapurze rozwody wciąż były rzadkością – dowiedziałam się o ich istnieniu z książek, podobnie jak wcześniej o Świętym Mikołaju – ale i tak się martwiłam. Co musiałoby się stać, żeby matka wróciła do ukochanej Ameryki?

Gdy znaleźliśmy się przed domem wuja, tata rozciągnął usta w zmęczonym uśmiechu, który próbowałam odwzajemnić. Choć cisnęło mi się na usta wiele pytań, czułam, że nie nadszedł właściwy moment, by je zadać – być może ojciec i tak nie potrafiłby na nie odpowiedzieć.

Z perspektywy czasu trudno mi powiedzieć, jak dużo albo jak mało wiedziałam o konflikcie rodziców. W każdym razie niedługo po moim czterodniowym pobycie w domu wuja Roberta interweniowała moja droga przyjaciółka Kat.

Kat jest ode mnie trzy miesiące młodsza, ale zawsze wydawała się starsza, zwłaszcza kiedy byłyśmy dziećmi. Dzięki wpływowi swojej starszej siostry Kat jako pierwsza zaczęła używać cienia do powiek i jako pierwsza urządziła przyjęcie urodzinowe dla dziewcząt i chłopców. Była też pierwszą, która nauczyła mnie czegoś o typowym dla Singapuru postkolonialnym fenomenie sarong party girls, albo inaczej SPG's.

Pewnego popołudnia wraz z Kat i naszą przyjaciółką Cindy leżałyśmy na brzuchach na łóżku Kat, oglądając film *Pretty Woman*. Chociaż we wczesnych latach dziewięćdziesiątych filmy oznaczane jako „tylko dla dorosłych" cenzurowano przed dopuszczeniem do sprzedaży, to i tak mama Kat kazała nam przewinąć początek filmu, który uznała za nienadający się dla dziewcząt w naszym wieku. Pomimo że brakowało niektórych scen, od razu zauważyłam, jak elegancko ubrane dziewczęta spoglądały z góry na główną bohaterkę, i rozumiałam, że w jej postawie było coś wstydliwego, nawet jeśli nie do końca rozumiałam, że jest prostytutką.

Cała nasza trójka oglądała film w ciszy zachwycona wysadzanymi palmami bulwarami, wspaniałymi samochodami, wirującymi spódniczkami i modnymi kapeluszami – nic z tego nie przypominało Ameryki, o której opowiadała moja matka. Kiedy po ostatniej scenie ekran wygasł, Kat przewróciła się na bok i oparła na łokciu.

– Wiesz – powiedziała swobodnie – w Singapurze też są takie kobiety.

Coś w jej tonie sygnalizowało niebezpieczeństwo. Kontynuowałam rozmowę ostrożnie.

– Co masz na myśli?

– Panie z Singapuru, które spotykają się tylko z ang mos – powiedziała, używając określenia z chińskiego slangu oznaczającego białego.

Wyjaśniła, że jej rodzice zabrali całą rodzinę na plażę w Sentosa, gdzie wraz z siostrą widziały SPG – miejscowe kobiety ubrane w bikini w panterkę i krótkie szorty ze sztucznymi pasemkami ang mo i sztucznymi akcentami ang mo, które flirtowały ze wszystkimi bogatymi mężczyznami ang mo.

SPG to pejoratywne określenie osoby stanowiącej lustrzane odbicie mężczyzny z fetyszem Azjatek. Te dziewczyny to nie prostytutki, ale zważywszy na to, że byłyśmy dziesięciolatkami, chronionymi przez cenzurę rodzicielską i rządową, da się zrozumieć to, że dla Kat było to to samo.

Niepewna, w jakim kierunku zmierza ta rozmowa, spojrzałam na Cindy, żeby zobaczyć, czy ma tyle pytań co ja, ale ona spuściła oczy i wbiła wzrok we frędzle zwisające z narzuty. Podejrzewałam, że wszystko to słyszała już wcześniej.

Kat przyglądała mi się uważnie i mówiła dalej:

– Moja siostra pytała mnie, czy twoja mama to sarong party girl, ale oczywiście powiedziałam, że nie! Te panie ubierają się jak zdziry. I są młode.

To tylko sprawiło, że poczułam się jeszcze bardziej zdezorientowana. Znów spojrzałam na Cindy, żeby sprawdzić, czy potwierdzi niedorzeczne stwierdzenia Kat. Unikała mojego wzroku i wykrzywiała usta, jakby żuła cytrynową gumę. Wróciłam myślami do kłótni rodziców – coś musiało się stać między mamą a tym Amerykaninem, coś zbyt groteskowego, by o tym mówić.

Zastanawiałam się, kto jeszcze wiedział. Wcześniej tego samego dnia, kiedy mama Kat odbierała nas ze szkoły, pytała o moich rodziców. Nie zastanawiałam się wtedy nad tym, ale teraz myślałam, czy przypadkiem nie wydawała się nad wyraz przejęta, jakby jej pytanie nie wynikało jedynie z grzeczności. Jak mogła się dowiedzieć o kłótni mamy i taty? Komu jeszcze powiedziała Kat?

Powstrzymując łzy, poprosiłam o to, bym mogła skorzystać z telefonu znajdującego się w drugim pokoju.

Odebrała moja mama, a ja łamiącym się głosem zaczęłam ją błagać, by jak najszybciej po mnie przyjechała.

Piętnaście minut później znalazła się już pod bramą i machała pogodnie z samochodu.

Wciąż jeszcze pamiętam znaczący uśmiech Kat – zwężone oczy i wykrzywione usta zdające się należeć do kogoś dwukrotnie od niej starszego.

Później, gdy opuściłam dom, by wyjechać do szkoły z internatem, i przestałam myśleć o domu moich rodziców jako o swoim, zebrałam się na odwagę, by wypytać matkę, która oczywiście powiedziała mi prawdę.

W następnych latach powtarzałam sobie jej słowa, uzupełniając luki i dodając szczegóły, aż w końcu doszło do tego, że mogłam oglądać kolejne sceny w mojej głowie jak projekcję filmową, jak coś, co widziałam na własne oczy.

Nazajutrz po katastrofalnej kolacji powitalnej pełna życia wykładowczyni pojawia się przed drzwiami gabinetu szanownego gościa uniwersytetu. Stojąc przed nimi, waha się, dygocze, i zaczyna się zastanawiać, czy rzeczywiście przyszła przeprosić. W tym momencie bierze głęboki oddech i zdecydowanie puka do drzwi. Słyszy zaproszenie do środka. On jest wysoki i imponujący, szczupły jak na mężczyznę w jego wieku. Prosi ją, by usiadła, i zbywa jej przeprosiny szczerym amerykańskim śmiechem. Kontynuują dyskusję z poprzedniego wieczora, później on pyta o Duallę Misipo, a może Kum'a Ndumbe III, kameruńskich pisarzy piszących po niemiecku.

Pierwsze pół godziny minęło niemal niezauważalnie, tak jak następne, a później jedno z nich zasugerowało, by opuścili kampus i kontynuowali rozmowę przy drinku. Ona spojrzała na zegarek, a może zrobił to on, być może oboje, ale i on, i ona nie powiedzieli, że jest dopiero trzecia.

Zakrapiane popołudnie przeciąga się do późnego wieczora, a potem przechodzi w kolejne wieczory spędzone przy narożnych stolikach w cichych, zaciemnionych restauracjach albo w filharmonii, albo w biurze jednego z nich, z szeroko otwartymi drzwiami – rozmawiali o książkach.

Choć próbuję, nie mogę sobie przypomnieć, żebym widziała w tamtych czasach matkę pijaną. Być może była na tyle ostrożna, że trzeźwiała przed powrotem do domu. Może nie wiedziałam, na co zwracać uwagę. A może po prostu wracała dopiero po tym, jak tata położył mnie do łóżka.

Nieistotne okazało się, że bez względu na to, jak długo przebywała poza domem, zawsze wracała na noc, ani że choć Amerykanin powiedział jej, że jest zbyt mądra, by pozostawać w tej drugorzędnej instytucji, i błagał ją, by przeniosła się do Chicago, obiecał znaleźć jej pracę i przysiągł zostawić swoją żonę o kręconych włosach, ich romans był zupełnie platoniczny, gdyż na naszej maleńkiej, oddzielonej od świata wyspie to, że mama i Amerykanin byli widziani razem, wystarczyło, by doszło do skandalu.

Matka odseparowała się od swoich rodziców w czasie, gdy nakłaniali ją, by wróciła do domu, więc mogę sobie tylko wyobrażać ich cierpienie. Ahkong i Amah zaś nie ukrywali swojego oburzenia. I tak nigdy nie akceptowali małżeństwa swojego syna, a teraz zadomowili się przy naszym stole w jadalni i próbowali nakłonić go, by pogodził się z porażką i zaczął od początku. Słuchałam tego przestraszona ze swojego piętra. Wtedy po raz pierwszy zrozumiałam, że wraz z rodzicami tworzymy pojedyncze, wrażliwe ciało. Wszyscy inni, niezależnie od ich dobrych intencji, zawsze będą stanowić potencjalne zagrożenie.

Na szczęście tata raz jeszcze przeciwstawił się rodzicom. Ojciec i matka nie rozstali się, a życie, przynajmniej z mojej perspektywy, wróciło do normy.

W miesiącach po tym jak się pogodzili, tata rzadko opuszczał kolację w domu. Mama kazała gospodyni przygotowywać wołowinę po burgundzku, polędwiczki wieprzowe z jabłkami i łopatkę jagnięcą – wszystkie te potrawy tata uwielbiał, ale mama zazwyczaj twierdziła, że były zbyt ciężkie na co dzień. Kiedy rodzice chodzili ulicą, trzymali się za ręce, luźno splatając palce. Na czterdzieste urodziny mamy polecieli do San Sebastian i wrócili z twarzami opalonymi w okulary słoneczne i ręcznie spisanymi menu z restauracji z gwiazdkami Michelina. Mama nawet przestała wspominać lata spędzone w Ameryce. Ponad dekadę po ślubie wreszcie wydawała się gotowa na to, by cieszyć się życiem w Singapurze.

Choć niezmiernie cieszyło mnie to, że widzę rodziców szczęśliwych, zaczęłam rozumieć, że nawet w naszej małej trzyosobowej rodzinie ich dwoje stanowi wyizolowaną jednostkę. Jak inaczej wyjaśnić to, że kiedy mama zaczęła więcej pić, otwierać butelkę wina codziennie do kolacji i wychylać kieliszek po kieliszku do późnej nocy, tata poświęcał tyle energii ukrywaniu jej zachowania przede mną?

A jednak od mojego powrotu zdarzały się chwile, kiedy łatwo było przeoczyć, ile napięcia choroba matki i jej picie wniosły do ich małżeństwa. Przez ostatnie tygodnie zdarzało mi się wejść do salonu i zastać rodziców siedzących przed telewizorem, trzymających się za ręce – w pozycji, w której wydawali się niemal nieświadomi. W takich chwilach chciałam wierzyć, że nieważne, jak głęboka była zdrada mamy, tata znalazł sposób, żeby jej wybaczyć; że pomimo wszystkiego, z czego mama musiała zrezygnować, odnalazła zadowolenie.

ROZDZIAŁ 8

❖

Teraz, po rozwiązaniu sytuacji z Calem i po tym jak wuj Robert zapewnił mojego ojca, że ma wszystko pod kontrolą, tata powoli wracał na emeryturę. Planował nie spędzać w Lin's więcej niż dwóch dni w tygodniu, więc w poniedziałek pojechałam do pracy sama.

Wzięłam dzień wolnego, żeby móc towarzyszyć rodzicom w szpitalu, a kiedy znów pojawiłam się w biurze, odniosłam wrażenie, jakby nie było mnie tu kilka tygodni. Choć była dopiero ósma trzydzieści, na całym piętrze wszyscy się uwijali. Pracownicy działów marketingu i sprzedaży zebrali się w sali konferencyjnej z segregatorami grubymi jak słowniki. Dwóch pracowników działu finansów biegało tam i z powrotem między swoimi boksami. Nawet Shuting była zbyt zajęta, by podnieść wzrok, kiedy koło niej przechodziłam.

Rzuciłam torebkę na biurko i poszłam prosto do biura Frankie, której towarzyszył Jason z działu sprzedaży.

– Dzięki, że zdobyłeś dla mnie te dane tak szybko – powiedziała z czarującym uśmiechem.

Jason wsunął dłonie do kieszeni i uniósł ramiona tak, że dotknęły uszu.

– Jeśli tylko będziesz czegokolwiek potrzebowała, daj mi znać.

Wychodząc, kiwnął mi głową i zatrzymawszy się na chwilę przy półce z zapasowymi przyborami biurowymi, wziął z niej garść długopisów.

– O której wszyscy zaczęli pracować?

Opalona po wycieczce na plażę z moimi znajomymi Frankie wyglądała na jeszcze bardziej blond. Kiedy odwróciła głowę, zauważyłam, że czubek jej ucha jest różowy od oparzenia słonecznego.

– Nie słyszałaś? Ludzie z Mama Poon przyjeżdżają zobaczyć fabrykę.

Znałam Mama Poon, modną kalifornijską sieć, która w zgodnej opinii ekspertów rewolucjonizowała branżę spożywczą. Jeden z jej sklepów otwarto na mojej ulicy w San Francisco tuż przed moim powrotem do Singapuru. Spędziłam kilka godzin na chodzeniu po alejkach i wypełnianiu koszyka japońskimi krakersami owiniętymi papierem we wzory z kwiatami wiśni i czerwone foliowe tubki marcepanu w czekoladzie, poza normalnymi zakupami. Jak wszystkie inne sklepy

Mama Poon, również ten miał przypominać stojącą na brzegu morza chatkę – weseli pracownicy byli ubrani w jasne hawajskie koszule.

Próbowałam sobie wyobrazić, jak ci sami ludzie przechadzają się po naszych biurach.

– Co oni mają tu robić?

Frankie gestem wskazała mi krzesło. Wyjaśniła, że Mama Poon poszerzała linię sprzedawanych pod swoją marką sklepową produktów wytwarzanych w różnych zakątkach świata. Jednym z tych produktów miał być sos sojowy, a legendarny założyciel Mama Poon, sam Benji Rosenthal, zdecydował, że wybierze spośród trzech fabryk – jednej w Kuala Lumpur, jednej w Tainanie i naszej.

– Będzie tu jutro, żeby degustować nasz sos z kadzi z włókna szklanego – powiedziała Frankie.

Nie wyglądałam, jakby zrobiło to na mnie wrażenie, więc spróbowała jeszcze raz.

– Benji Rosenthal przyjeżdża do Lin's. Ten Benji Rosenthal.

Benji Rosenthal był starzejącym się hippisem z długim do pasa kucykiem, którego historia kapitalistycznego sukcesu była wykładana jako legenda w szkołach biznesu w całych Stanach. Spędził lata osiemdziesiąte na surfowaniu i próbowaniu trawki w całej południowo-wschodniej Azji. Zaprzyjaźnił się wówczas z tajską staruszką Mamą Pun. W zamian za wykonywanie dla niej prac fizycznych i gospodarskich pozwoliła mu korzystać z zapasowej sypialni, która niegdyś należała do jej zmarłego męża. Kiedy artretyzm niemal ją sparaliżował, Benji Rosenthal przejął od niej obowiązki kucharskie. Pod jej uważnym okiem nauczył się przygotowywać curry na mleku kokosowym, pikantne sałatki i solidne omlety faszerowane mięsem albo ostrygami, które stanowią podstawę kuchni centralnej Tajlandii. Zajmował się starszą kobietą do jej śmierci.

Po powrocie do Kalifornii Benji Rosenthal odkrył, jak trudno odtworzyć jego ulubione dania bez kardamonu, tajskiej kolendry i galangalu. Nostalgia połączona z frustracją sprawiła, że otworzył mały sklep w Santa Barbara, który na cześć swojej zmarłej przyjaciółki nazwał Mama Poon – zanglicyzował jej nazwisko na potrzeby marketingu. W kolejnych latach sklepik rozrósł się w sieć supermarketów. W Kalifornii, Oregonie i Waszyngtonie pojawiło się osiemnaście sklepów, a na Wschodnim Wybrzeżu w ciągu roku miały powstać kolejne trzy.

– Rozumiem – powiedziałam. – Ta wizyta to duża sprawa. Ale dopiero zaczęliśmy eksperymentować z kadziami z włókna szklanego. Nie wiemy, czy sos z nich będzie wystarczająco dobry.

Po fiasku Cala z nowymi sosami spodziewałam się, że mój wuj będzie postępował ostrożniej. Sama nie smakowałam nowego produktu, ale tata zapewniał mnie, że będzie gao sai – to określenie wydało mi się zabawniejsze i mniej obrzydliwe niż jego tłumaczenie: psie gówno.

Frankie wzruszyła ramionami.

– O tym zdecyduje Benji Rosenthal. Co mieliśmy zrobić? Odprawić go z kwitkiem?

– Słuszna uwaga – odparłam.

Kiwnęła głową i podrapała się w spalony słońcem czubek ucha.

– Jak było na plaży?

– Cudownie – odpowiedziała.

– Ja również miałam dobry weekend.

Czekałam na to, by Frankie spytała o moją matkę lub wyznała, że za mną tęskniła.

– O, to dobrze. Cieszę się – powiedziała tylko i zaczęła opowiadać mi o wszystkim, co mamy zrobić tego dnia.

Nie musiałam długo czekać, by spróbować nowego sosu Lin's z kadzi z włókna szklanego. Siedziałam przy biurku, gapiąc się w telefon komórkowy i mając nadzieję, że zadzwoni James, kiedy wuj Robert wezwał mnie i Frankie do swojego biura.

Wuj stał przy oknie plecami do nas, trzymając pod światło buteleczkę. Kiedy usłyszał, jak wchodzimy, odwrócił się.

– Witajcie w przyszłości – powiedział. – Sos sojowy Lin's, wersja 2.0.

Pan Liu, główny analityk Lin's, właśnie wysłał mu próbkę sosu, który mieliśmy zaprezentować gościom z Mama Poon.

Wzięłam butelkę z wyciągniętej dłoni wuja. Wciąż była jeszcze ciepła od jego dotyku. Podniósłszy ją na wysokość oczu, zauważyłam, że sos był ciemny i gęsty, niemal mętny – tak inny od płowego przezroczystego wywaru z glinianych słojów.

– Cóż, Gretchen, to nie będzie smakować jak nasz najlepszy sos – ostrzegł mnie, przesuwając w moim kierunku po biurku białą porcelanową miseczkę.

Zwrócił się do Frankie.

– Ma podniebienie jak ojciec.

– Na twoje szczęście wyszłam z wprawy – powiedziałam.

Wlałam do miseczki trochę sosu i kilkakrotnie szybko pociągnęłam nosem, poszukując cytrusowych nut i karmelowej bazy, które wyróżniały nasz firmowy wywar.

Jednak ten sos miał mocny, mięsny zapach, płaski i tępy jak stara moneta. Zanurzyłam w miseczce koniuszek małego palca i przytknęłam go sobie do języka. Uderzył mnie ostry słono-słodki smak, który zniknął niemal natychmiast, pozostawiając po sobie wodnisty, metaliczny posmak.

Nagle poczułam ulgę, że sos nie okazał się lepszy, niż oczekiwałam.

– Czy to wszystko, na co stać pana Liu?

Wuj westchnął. Umoczył mały palec w sosie, a następnie włożył go do ust i głośno possał. Zamknął oczy na chwilę i rzekł:

– Nie jest idealny.

– Święta prawda – powiedziałam ze śmiechem.

Nie rozumiałam jeszcze powagi sytuacji ani tego, że kontrakt z Mama Poon może wpłynąć na przyszłość naszej firmy.

Nie zważając na mój komentarz, wuj przesunął miseczkę na drugą stronę stołu do Frankie. Zamoczyła palec w sosie tak jak ja i wuj, a potem posmakowała. Jak na kogoś, kto ma za sobą tylko jedną degustację, wydawała się bardzo pewna siebie.

Wuj Robert powiedział:

– Pamiętaj, że ten sos jest tańszy i ma dłuższy okres przydatności do spożycia niż nasz najlepszy produkt. Właśnie tego szuka Mama Poon.

Frankie oblizała swoje przednie zęby i rzekła:

– Szczerze mówiąc, według mnie smakuje całkiem nieźle.

Spojrzałam na nią znacząco i dodałam:

– To znaczy... zważywszy na okoliczności.

– Właśnie – powiedział wuj. – Musimy być realistami.

– Robert ma rację – stwierdziła Frankie, patrząc na mnie, jakbym się z nimi nie zgadzała. Wydawała się nie zauważać, że wszyscy inni nazywali mojego wujka „pan Lin". Ciągnęła dalej: – Sos z kadzi z włókna szklanego jest przeznaczony dla innego rodzaju konsumentów. Czy klienci Mama Poon naprawdę dostrzegą różnicę?

Powstrzymałam się od komentarza, że krytykanci mówili Ahkongowi dokładnie to samo ponad pięćdziesiąt lat temu. Wuj Robert poprosił, żebym spróbowała sosu, a ja powiedziałam, co o nim myślę. Wszystko inne – kadzie z włókna szklanego, umowa z Mama Poon, projekt rozszerzenia działalności na Stany Zjednoczone – to już ich sprawa. Nie musieli mi tego wyjaśniać.

Choć próbowałam udawać, że mało mnie to wszystko obchodzi, nie mogłam przestać zastanawiać się, co mój dziadek myślałby o Mama Poon. Zwłaszcza że zaledwie tydzień temu wraz z Frankie doszłyśmy do wniosku, że Lin's musi opowiedzieć się za tradycyjnymi metodami warzenia sosu, próbując dotrzeć do jak największej liczby klientów ze swoimi najlepszymi produktami, a nie angażować się w projekty komercyjne.

– Czy mój ojciec smakował ten sos? – spytałam.

Wuj oparł łokcie o biurko i wsparł brodę na dłoniach. Objął palcami swoje pulchne policzki i przez chwilę miałam wrażenie, że widzę chłopca, którym niegdyś był – młodszego brata Ah Xionga.

– Powiedzmy tylko, że wolałby się nie angażować – odparł.

Wyprostował się na fotelu i rozłożył ramiona jak śpiewak operowy gotowy do rozpoczęcia arii.

– Ale tak już jest w biznesie, lah. Nie możesz wybrać sobie ścieżki i ślepo nią podążać.

– Zgadzam się – rzekła Frankie. – Sukces wymaga elastyczności. Zdolności adaptacji.

Wymienili pełne satysfakcji uśmiechy, a ja postanowiłam nie odzywać się przez resztę spotkania.

Na dole na dziedzińcu, pod oknem mojego wuja, ubrany w słomkowy kapelusz z szerokim rondem pracownik fabryki chodził wzdłuż rzędów glinianych słojów z drewnianą łyżką w dłoni. Unosił wieko każdego słoja, a następnie kilkakrotnie porządnie mieszał miksturę.

Jako dziecko uwielbiałam chodzić za zajmującym się tym pracownikiem ubrana w firmową koszulkę, która sięgała mi do kolan, i stając na palcach, zaglądać do środka każdego ze słojów, oferując rady i błagając go, by pozwolił mi pomóc. Jeśli prosiłam wystarczająco długo, a pracownikowi nieszczególnie się spieszyło, pozwalał mi chwycić łyżkę rączkami, a ja z zaciśniętymi zębami, mrużąc oczy, spocona z wysiłku, próbowałam mieszać najlepiej, jak potrafiłam. Nawet stojąc w znajdującym się na piętrze klimatyzowanym biurze wuja Roberta, wciąż mogłam przywołać w pamięci cierpki, słony zapach fermentujących ziaren i poczuć, jak zawartość słoja porusza się pod wpływem łyżki jak żywa istota.

Wuj wyjaśnił, że ja i Frankie powinnyśmy spędzić resztę popołudnia na układaniu slajdów do jutrzejszej prezentacji.

– Nie mamy za dużo czasu, więc doceniam waszą elastyczność.

Na dole, na dziedzińcu pracownik fabryki kończył mieszać w ostatnim słoju. Otarł pot z czoła rękawem żółtej koszulki polo i powiesił łyżkę na znajdującym się na ścianie haku.

O szóstej wieczorem wciąż jeszcze byłyśmy z Frankie daleko od zakończenia naszego zadania. Nie przeszkadzało mi to, że muszę zostać do późna w pracy – w końcu i tak nie miałam nic innego w planach.

Przed wyjściem z firmy wuj zapukał do drzwi mojego biura. W jednej ręce trzymał styropianowy pojemnik na jedzenie.

– Powiedziałem panu Liu, żeby dalej pracował nad sosem – rzekł. – Oczywiście zawsze jest miejsce na poprawki, lah. Czasem się o tym zapomina. – Mówił wesołym tonem, ale wyglądał mizernie: skóra jego policzków obwisła pod własnym ciężarem. Po raz pierwszy pomyślałam o tym, jak wielkim wyzwaniem było dla niego przejęcie tego projektu od syna. – Przepraszam, jeśli trudno było się ze mną dogadać. Od teraz pozostawię kwestie strategiczne tobie i Frankie. – Uśmiechnął się do mnie smutno. – Wykonujesz świetną robotę. Wiem, że twój ojciec jest z ciebie dumny.

Zastanawiałam się, jak to jest stracić wiarę we własne dziecko. Czy wuj Robert winił siebie za błędy Cala?

Od kiedy pamiętam, mój kuzyn niczego się nie bał. Potrafił zastraszyć wszystkich dookoła, łącznie z własną matką. Kiedy byłam w podstawówce, często grałam w gry planszowe z Lily i Rose w ich domu. Cal nigdy nam nie towarzyszył. Miał cztery lata więcej niż my i w tamtych czasach był już humorzastym nastolatkiem. Ale pewnego razu, kiedy nasza runda Monopoly wymknęła się spod kontroli i zaczęłyśmy zbyt głośno krzyczeć, wybiegł ze swojego ciemnego jak pieczara pokoju i zmiótł dłonią wszystkie pionki. Czerwone i zielone domki spadły na moje uda. Byłam zbyt przerażona, by cokolwiek powiedzieć. Gdyby mój wuj był wtedy w domu, nakrzyczałby na Cala, który przyjąłby jego upomnienia z opuszczoną głową, ale ze wzrokiem niewzruszonym jak skała. Nawet gdy go rugano, mój kuzyn nie okazywał strachu.

– Wujku Robercie – powiedziałam – jak Cal przyjął te wydarzenia?

Wuj wzdrygnął się.

– Nic mu nie jest – odparł zbyt głośno.

Spojrzał w dół i wydawał się zaskoczony, widząc styropianowy pojemnik w swojej dłoni. Postawił go na moim biurku.

– Resztki z lunchu – powiedział, nie patrząc mi w oczy. – Nie siedźcie za długo z Frankie.

I wyszedł.

Niedługo zostałyśmy z Frankie same w budynku.

Kiedy zgłodniałyśmy za bardzo, by kontynuować pracę, przeniosłyśmy się do pokoju socjalnego. Siedząc na blacie przy zlewie, podawałyśmy sobie resztki, które zostawił mi wuj, najpierw próbując jeść zimny makaron plastikowymi nożami, które znalazłyśmy w kubku na półce, a potem poddałyśmy się i zaczęłyśmy używać palców.

Próbowałam wytłumaczyć Frankie, dlaczego tak się przejęłam rozmową z wujem, nie wyjawiając jednocześnie, że Cal został zwolniony.

– Żal mi go – powiedziałam. – Może i jest prezesem firmy, ale wszyscy próbują wpływać na jego decyzje.

Uśmiechnęłam się, wspominając reakcję matki na bladopistacjowy kolor ścian w biurze – zagroziła, że w środku nocy sprowadzi własną ekipę malarzy.

– Widział, jak twój ojciec przechodził przez dokładnie to samo – powiedziała Frankie. – Doskonale wiedział, w co się pakuje.

Jej brak współczucia zaskoczył mnie.

– Może i tak, ale to wciąż trudna sytuacja. I nie znaczy to, że akceptuję ten nowy sos. Przy moim dziadku nikt nie ważyłby się nawet wspomnieć o włóknie szklanym.

Frankie wytarła palce papierowym ręcznikiem, poklepała się po płaskiej przestrzeni, gdzie niegdyś znajdował się jej brzuch, i powiedziała, że skończyła jeść. Choć wciąż byłam głodna, czułam się zmuszona, by również skończyć.

Powiedziała:

– Z tego, co słyszałam, wynika, że twój dziadek był ryzykantem. Nigdy nic nie wiadomo. Może akurat na to ryzyko by się zdecydował.

Przez cały dzień nie zgadzała się z niczym, co mówiłam, i teraz, po jedenastu godzinach pracy, zaczęło mnie to denerwować. Powiedziałam:

– Lin's produkuje sos sojowy. Tradycyjnie wyrabiany sos sojowy, od którego ciekne ślinka. To gówno z kadzi z włókna szklanego nie odpowiada naszym standardom.

Podniosła ręce w geście poddania się, co jeszcze bardziej mnie wkurzyło. Odparła:

– Dobrze, masz rację, skąd ja mogę wiedzieć?

Napełniła szklankę wodą z kranu, wychyliła i napełniła ponownie.

– Chcesz trochę? – spytała, podając mi szklankę.

Potrząsnęłam głową. Próbując załagodzić sytuację, powiedziałam:

– Opowiedz mi o swoim weekendzie.

Jej twarz się rozjaśniła.

– Nie uwierzysz, do czego namówiła mnie twoja szalona przyjaciółka Kat.

– Do czego? – spytałam miłym głosem.

– Kupiłam bikini. Moje pierwsze.

– Poszłaś na zakupy z Kat? – próbowałam mówić neutralnym tonem.

– Tak, w piątek po pracy – powiedziała i zaczęła opowiadać o wycieczce na plażę i o zaimprowizowanym turnieju siatkówki plażowej, do którego je wciągnięto. – Koedukacyjne drużyny. Na szczęście pojawili się Pierre i James.

Zamarłam.

– James?

– Tak, przyszedł z Pierre'em – dodała, a potem zamilkła, widząc moją minę. – Och, myślałam, że wiesz.

Nie zareagowłam.

– Miałaś przecież już plany – przypomniała mi. – Chciałaś zostać z mamą w domu.

– Tak zrobiłam.

– Co u niej?

– Znacznie lepiej, dziękuję – odparłam.

Frankie przysunęła się bliżej.

– A co się dzieje między tobą a Jamesem?

Chciałam podzielić się z nią wszystkim, naprawdę chciałam. Czy Frankie uzna, że popełniłam okropny błąd, idąc z Jamesem do łóżka na pierwszej randce? Znienawidziłam się za to, że pozwoliłam tej myśli pojawić się w mojej głowie, a potem znienawidziłam się za to, że dostałam obsesji na punkcie tego faceta, który najwyraźniej nie był mną zainteresowany. Postanowiwszy nie marnować na niego ani sekundy więcej, powiedziałam:

– To była tylko jedna randka. Nie wiem nawet, czy się jeszcze zobaczymy.

Nie ustępowała.

– Jesteś pewna, że wszystko w porządku?

Spojrzałam na zegar na mikrofalówce. Ósma trzydzieści.

– Powinnyśmy wracać do pracy.

Przyglądała mi się jeszcze przez sekundę czy dwie,
a potem ziewnęła i przeciągnęła się.

– Jak długo jeszcze mamy sobie radzić bez Cala? –
spytała.

Było to pytanie retoryczne, ale skorzystałam z niego,
by przechylić szalę władzy z powrotem na swoją stronę.
Wuj Robert miał ogłosić decyzję już niedługo, więc nie
widziałam nic złego w powiedzeniu jej prawdy.

– Frankie – powiedziałam. – Cala już nie ma.

Powtórzyłam jej to, co usłyszałam od ojca, a zaskoczony wyraz jej twarzy odrobinę mnie ucieszył.

O dziewiątej zgodziłyśmy się, że będziemy kontynuować pracę następnego dnia od wczesnego ranka. Pod-
wiozłam ją do domu.

Kiedy znalazłam się z powrotem w domu, zastałam
na biurku oficjalnie wyglądającą kopertę, którą najprawdopodobniej położyła na nim Cora. Nadawca pochodził z San Francisco i od razu domyśliłam się, że
list przyszedł od prawnika piszącego w imieniu Paula. Ogarnęła mnie znajoma panika – poczucie, że nieważne, ile powietrza wezmę, i tak się uduszę.

W jakiś sposób udało mi się uspokoić trzęsące się dłonie i rozdarłam kopertę tylko po to, by znaleźć w niej list z konserwatorium, które żądało wpłaty za trzymanie dla mnie miejsca na przyszły semestr.

Zamknęłam oczy. Mój oddech zwolnił. I nagle wydało mi się, że stoję na rogu Franklin i Oak i słyszę dźwięki samotnej trąbki dobiegające z okna pokoju ćwiczeń, a wiatr unosi leżące przy moich stopach żółte liście – słońce świeci tak jasno, że ledwo mogę otworzyć oczy.

Podpisałam formularz, nie przeczytawszy go, znalazłam znaczek na kopertę i położyłam ją na samym środku biurka, jakbym bez tego przypomnienia miała zapomnieć poprosić ojca o czek.

ROZDZIAŁ 9

❖

Wraz z Frankie właśnie skończyłyśmy ostatnie poprawki na slajdach do prezentacji dla wuja, kiedy drzwi do sali konferencyjnej otworzyły się na oścież. Ktoś nacisnął włącznik światła i wbudowane w sufit żarówki zaczęły migotać jedna po drugiej.

Pierwszy wszedł mój wuj. Na tę szczególną okazję włożył zapinaną koszulę z długim rękawem, zamiast jednego ze swoich ulubionych wytartych T-shirtów. Uśmiechnęłam się, próbując dodać mu otuchy, ale wydawało się, że nie zauważył.

Zaraz po nim wszedł legendarny Benji Rosenthal – wysoki mężczyzna w średnim wieku, szczupły i muskularny jak współczesny tancerz, ubrany w zwyczajową hawajską koszulę. Najwyraźniej nie ubierał się elegancko dla nikogo. Towarzyszył mu asystent – tyczkowaty chłopak w podobnej koszuli, który wyglądał, jakby dopiero co skończył college.

Gdy wszyscy się wszystkim przedstawili, zajęliśmy miejsca dookoła stołu – my w świeżo uprasowanych, biznesowych uniformach, oni w strojach plażowych – a Frankie przyciemniła światła.

Zamiast nakazać mi rozpoczęcie pokazu slajdów, wuj Robert odsunął mankiet koszuli i spojrzał na zegarek. Poruszył się na krześle i zmarszczył brwi. Nigdy nie widziałam, żeby był tak zdenerwowany. Wyprostował ramiona, usiadł wygodniej i spytał Benjiego Rosenthala o lot i o to, czy zdąży podczas pobytu w Singapurze trochę pozwiedzać.

Spojrzałyśmy z Frankie po sobie.

– Niestety, musimy zaraz po tym spotkaniu jechać na lotnisko – odparł Benji Rosenthal.

Miał donośny, tubalny głos i świecące oczy, tak że można było się spodziewać, że zaraz opowie jakiś dowcip.

Jego asystent, najwyraźniej niezainteresowany rozmową, patrzył w trzymany w dłoni smartfon.

– Tak, oczywiście – powiedział wuj Robert. – Szkoda, że przylecieli panowie z tak daleka i nie macie czasu niczego zobaczyć.

Znów zerknął na zegarek i zaczął wymieniać różne atrakcje turystyczne, które przegapią Amerykanie. Rezerwat ptaków Jurong, nocne safari w zoo Mandai, no i oczywiście Chinatown, gdzie właśnie trwały przygotowania do Festiwalu Głodnych Duchów.

Siedząca po drugiej stronie stołu Frankie patrzyła w kierunku włącznika światła na tylnej ścianie, zastanawiając się, czy powinna z powrotem włączyć światła, czy może wszyscy powinniśmy kontynuować rozmowę w półmroku rozświetlanym przez znajdujący się pod sufitem rzutnik. Niemal niezauważalnie potrząsnęłam głową.

W tej chwili otworzyły się drzwi.

– Jasne, zdecydowanie – mówił ktoś do nieznanego słuchacza. – Pogadamy później, dobra?

Od razu rozpoznałam głos.

Na progu pojawił się brązowy wypastowany mokasyn, za nim szara nogawka i różowa koszula.

– Przepraszam za spóźnienie – powiedział Cal.

Jego szeroki uśmiech zapewnił nas, że ma doskonałe wyjaśnienie dla swojego spóźnienia – tak doskonałe, że w rzeczy samej niczego nie musiał wyjaśniać.

Frankie szeroko otworzyła usta. Kiedy napotkałam jej wzrok, zamknęła je i spojrzała w przeciwną stronę. Nie mogłam poznać, czy była na mnie zła czy po prostu zdezorientowana. Chciałam jej powiedzieć, że jej nie okłamałam i że jestem równie zaskoczona jak ona.

Wuj Robert potrząsał głową, udając, że gani syna, ale nie potrafił ukryć zadowolenia.

– Przedstawiam panom mojego syna – powiedział do Benjiego Rosenthala. – To mój pierworodny. Czy pan ma dzieci?

– Nic mi o tym nie wiadomo – powiedział Amerykanin, mrugając okiem, a potem dodał poważniej: – Mam tylko swoją firmę.

Jego asystent jako jedyny krótko się zaśmiał.

– Calvin Lin – powiedział Cal, wyciągając dłoń do Benjiego Rosenthala. – To przyjemność i zaszczyt poznać pana.

Wielkie, równe zęby mojego kuzyna błyszczały, kontrastując z jego szeroką twarzą. Był bardzo opalony po spędzeniu kilku tygodni na Malediwach w oczekiwaniu na wieści o swojej przyszłości w firmie. Przedstawił się asystentowi, a potem Frankie – poklepał wierzch jej dłoni, mówiąc, że słyszał o niej same dobre rzeczy. Zaczerwieniła się i schyliła głowę.

Kiedy okrążył stół i podszedł do mnie, mocno uderzył mnie między łopatki i powiedział:

– Witamy z powrotem, Gretch.

– Nawzajem – odparłam, patrząc prosto na wuja.

Wuj Robert spojrzał najpierw na ekran, później na sufit, a na koniec na swoje dłonie, ale ani razu w moją stronę.

– Zacznijmy więc – powiedział.

Trzymając palec wskazujący nad klawiaturą laptopa, wyobrażałam sobie, że odsuwam krzesło, staję na równe nogi i biegnę korytarzem, by zadzwonić do taty.

Rano przy śniadaniu ojciec schował się za gazetą, a ja szybko wkładałam do ust kolejne łyżki płatków i próbowałam pić kawę jak największymi łykami, nie parząc sobie języka. Biegłam już do drzwi z na wpół zjedzonym tostem w dłoni, kiedy wpadłam na to, by zapytać go, czy planuje przyjść do biura.

– Nie chcesz przynajmniej uścisnąć dłoni słynnego Benjiego Rosenthala?

Tata opuścił gazetę, by spojrzeć mi w oczy. Zauważyłam worki pod jego oczami. Od spotkania z lekarzem mamy miał problemy ze snem. Powiedział:

– Twój wuj nie potrzebuje mojej pomocy. Wyraził się jasno.

Przez pośpiech nie zorientowałam się, że wuj Robert twierdził coś dokładnie przeciwnego – że to tata nie chciał mieć nic wspólnego z przedstawicielami Mama Poon.

Niemożliwe, by mój ojciec wiedział, że Cal wrócił.

Wuj Robert odchrząknął. Tym razem spojrzał prosto na mnie.

Uderzyłam w klawisz enter. Na ekranie pojawił się pierwszy slajd z wesołym czerwonym napisem: „Jak tu dotarliśmy".

Wuj zaczął opowiadać historię sosu sojowego Lin's, a ja zaczęłam się przyglądać Calowi. Jak śmie tak po prostu wchodzić na spotkanie, jakby nie miał za co przepraszać, jakby nie zawiódł swojego ojca, mojego ojca i całej rodziny?

Przełączyłam slajd. Wuj Robert był już w swoim żywiole – przestał podążać za notatkami i opowiedział anegdotę o początkowych, nieudanych próbach sprzedaży sosu przez Ahkonga. Wyjaśnił, że na początku sprzedawcy nieszczególnie przychylnym okiem patrzyli na nowy produkt, zwłaszcza że był znacznie droższy niż te, które mieli w asortymencie. Zdeterminowany, by pokazać, że jego sos był wart dodatkowych pieniędzy, Ahkong nie zgodził się na zniżkę ceny. W pierwszym tygodniu odwiedził ponad dwadzieścia sklepów spożywczych na całej wyspie i za każdym razem odchodził z kwitkiem. Zdesperowany, wpadł na pomysł, żeby wozić ze sobą na specjalnym wózku ciężki gliniany słój, by zademonstrować swój wyjątkowy proces fermentacji. Być może litując się nad Ahkongiem, pierwszy sklepikarz, którego odwiedził ze słojem, zgodził się spróbować sosu, co doprowadziło do pierwszej transakcji Ahkonga.

Benji Rosenthal spytał:

– Ile te rzeczy właściwie ważą?

– Prawie dwadzieścia pięć kilogramów – powiedział wuj Robert. – Widzi pan, naprawdę był zdesperowany.

Benji Rosenthal uderzył w stół i serdecznie zarechotał, a wuj się rozpromienił.

Poczułam zażenowanie na myśl o tym, jak zareagowałby dziadek na tę scenę – historie o jego ciężkiej pracy zostają użyte, by sprzedać pierwszy sos Lin's dojrzewający w kadziach z włókna szklanego. Nie jestem pewna, co Ahkong powiedziałby na postępki Cala, ale wiedziałam, że wuj nigdy by się nie odważył samowolnie przywrócić syna do pracy, gdyby dziadek wciąż stał na czele firmy.

Mimo że byłam w firmie dopiero od miesiąca, zdrada wuja Roberta dotknęła mnie równie mocno jak zdrada Paula i jego kłamstwa dotyczące Sue.

Siedemnaście lat wcześniej, podczas pierwszego okresu pracy w Lin's, spędziłam szkolne wakacje z Calem, który już trzeci rok z rzędu pracował przy butelkowaniu. Kuzyn nie zadał sobie trudu, by ostrzec mnie, jak wyczerpujące jest to zajęcie. Mimo kręcących się z pełną prędkością wiatraków na suficie w fabryce panował duszący upał. Po trzech godzinach pierwszej ośmiogodzinnej zmiany zaczęły mnie boleć uda – przestały dopiero dwa dni po tym, jak opuściłam fabrykę. Ale podczas gdy próbowałam obudzić w nim współczucie dla moich zdrętwiałych nóg i przepoconych ubrań, Cal pilnie pracował, nie narzekając i przerywając ciszę tylko po to, by powiedzieć mi ze spokojem buddysty zen, że skupianie się na cierpieniu tylko pogorszy sprawę.

Po tych pierwszych dniach w fabryce przestałam próbować nawiązać więź z Calem. Poznałam za to osoby pracujące na taśmie – miłe, przyjazne kobiety w średnim wieku, które nigdy nie kazały mi zamiatać podłogi. Opowiedziały mi o starych czasach w Lin's i o swoich dzieciach – niektóre były mniej więcej w moim wieku. O wpół do pierwszej, kiedy wszyscy zbieraliśmy się na lunch, pracownicy głaskali mnie po głowie i mówili, że wykonuję dobrą robotę.

Jednego wyjątkowo wilgotnego dnia pod koniec mojej miesięcznej praktyki, kiedy wraz z Calem i innymi pracownikami szliśmy do jadalni, Ahkong poprosił mnie, żebym usiadła między nim a tatą. Napełnił moją miskę klarowną zupą z beninkazy i dolał do niej kilka kropel sosu sojowego.

– Jiak – zachęcił mnie.

Zupa była gorąca, więc najpierw podmuchałam na łyżkę, a potem ostrożnie włożyłam ją do ust.

– Dziwaczna – to słowo pierwsze przyszło mi do głowy.

Jadłam dalej.

– W jakim sensie dziwaczna?

Tata odłożył swoją łyżkę.

Ahkong pochylił się w moim kierunku.

Nie byłam pewna, dlaczego zachowywali się tak dziwnie.

– Po prostu dziwaczna – powiedziałam między kolejnymi łyżkami.

Dziadek wlał mniej niż łyżeczkę sosu do mojej miski, ale już ta niewielka ilość wystarczyła, by sprawić, że zupa stała się za słona. Wskazałam na plastikową miseczkę z sosem.

– To nie jest nasz sos.

Ahkong odchylił głowę i się roześmiał. Cała reszta stołu biła brawo, a ja czułam się jednocześnie zadowolona i zażenowana. Wszak to tata nauczył mnie lata temu odróżniać i rozpoznawać różne warstwy smaku w naszym lekkim sosie.

Ahkong wyciągnął jasnoczerwony dziesięciodolarowy banknot i podał go mi. Odwrócił się do taty i odezwał się po chińsku:

– Ten mały chudzielec odniesie w życiu sukces.

– Miała szczęście – stwierdził tata, uśmiechając się przy tym szeroko i ciepło.

Wychodziłam z sali jadalnej z Calem i kiedy szklane drzwi zamknęły się za nami, złapał mnie za nadgarstek i odciągnął na bok. Nie przejmując się tym, że dookoła stali inni pracownicy, zbliżył swoją twarz do mojej tak bardzo, że czułam zapach imbiru w jego oddechu. Cofnęłam się i przywarłam plecami do ściany.

– Przestań się wszystkim podlizywać, słyszysz? – powiedział.

Automatycznie pokiwałam głową.

– Jesteś tylko dzieciakiem. Nic nie wiesz.

Ponownie pokiwałam głową.

– Dobrze. Idziemy.

Odwrócił się i szybkim krokiem przeszedł przez dziedziniec, a ja próbowałam za nim nadążyć, ciesząc się, że miesiąc już prawie minął.

W następnym roku, kiedy miałam czternaście lat, błagałam o to, by zwolniono mnie z pracy w fabryce, jak moje kuzynki – Lily ze względu na dokuczliwą astmę, a Rose, ponieważ spędzała wakacje na obozie baletowym. W przeciwieństwie do nich, nie miałam dobrej wymówki, ale tata ustąpił, kiedy w sojuszu z matką ustaliłam, że będę dwa razy więcej ćwiczyła na fortepianie. W końcu ojciec pogodził się z moim brakiem zainteresowania sosem sojowym i przeniósł uwagę na Cala.

Teraz wuj wymieniał nagrody, jakie otrzymał nasz sos: Ambasador Singapurskiego Smaku, Gwiazda Azji, Złota Doskonałość, Nagroda Dziedzictwa Singapuru. Benji Rosenthal ułożył palce w trójkąt i zamknął oczy. Albo słuchał bardzo uważnie, albo w ogóle. Wuj kontynuował.

Zastanawiałam się, gdzie był siedemnaście lat temu, tego popołudnia, kiedy dziadek mnie testował. Nie przypominałam sobie, by wuj Robert siedział przy stole, ale wyobrażałam sobie, że znajdował się gdzieś w sali jadalnej i obserwował mnie w ciszy, już wtedy knując, w jaki sposób mógłby pomóc synowi. Jak mogłam pogodzić tę wizję wuja Roberta z człowiekiem, którego znałam? Ze wszystkich krewnych to jego uważałam za najbliższego, jemu najbardziej ufałam.

Światła sali konferencyjnej zamigotały i zapaliły się na powrót, a Benji Rosenthal otworzył oczy. Asystent po raz pierwszy odłożył smartfon. Wuj spojrzał na Amerykanów, a Cal ospale zatoczył głową koło, jakby właśnie przebudził się z drzemki.

– Cóż, słuchajcie – powiedział Benji Rosenthal, rozglądając się po pokoju tak, by wyglądało, że zwraca się do każdego z nas. – To imponujące. Naprawdę imponujące.

– Proszę poczekać, aż spróbuje pan naszego sosu – powiedział Cal, sięgając po tackę, którą wcześniej ustawiłam na stole.

Z wytrenowaną swobodą podał sos Amerykanom. Odchyliłam się na krześle i patrzyłam, jak instruuje ich, by pochylili się i powąchali jego bukiet.

– Jakbyście wąchali kieliszek ulubionego wina.

Nikt nie zaznaczył, że Lin's otrzymał nagrody i wyróżnienia za swoje najlepsze sosy ani że nowy sos jest cierpki, ostry i ma metaliczny posmak.

Patrzyłam, jak Benji Rosenthal moczy krakersa ryżowego w miseczce i wkłada do ust. W tamtej chwili życzyłam sobie tylko, by skrzywił się, odwrócił głowę i wrzasnął, że czuje się, jakby ssał zardzewiały gwóźdź.

– Świetny – powiedział Amerykanin, nie przestawszy jeszcze żuć. – Doskonały. Właśnie tego szukamy do naszych sklepów.

– Świetny. Po prostu wspaniały – dorzucił asystent.

Szczęka mojego wuja rozluźniła się. Od początku miał rację. Benji Rosenthal nie potrafił dostrzec różnicy – tak samo nie zauważą jej klienci Mama Poon. Sos był wystarczająco dobry.

Wszyscy znajdujący się dookoła stołu wstali, a ja poszłam za ich przykładem. Benji Rosenthal obiecał, że skontaktuje się z nami, kiedy dokończy wizytować pozostałe fabryki. Z błyskiem w oku powiedział wujowi Robertowi:

– A tak między nami, już podjąłem decyzję.

Wymieniliśmy uściski dłoni i zapewniliśmy siebie nawzjem, że dobrze było się wreszcie poznać.

– Świetna robota – powiedział wuj Robert do Frankie. To samo powtórzył mi.

Rzuciłam mu zimne, badawcze spojrzenie, a on z nieobecnym wyrazem twarzy poklepał mnie po ramieniu i popatrzył gdzieś nad moim uchem.

Cal i wuj Robert odprowadzili Amerykanów korytarzem – żaden z nich nie dał znaku, że powinnyśmy z Frankie podążyć za nimi. Kiedy mężczyźni znikali na klatce schodowej, głos Benjiego Rosenthala wybił się nad inne.

– Wie pan – powiedział – Mama Poon to tak naprawdę rodzinna firma. Fajnie, że udało się znaleźć inną firmę, mającą tak podobne wartości i ideały.

Cal odpowiedział:

– Dorastałem w tej fabryce i nie chciałbym, żeby było inaczej. To naprawdę jest mój dom.

W sali konferencyjnej Frankie zamknęła laptop i opadła na fotel. Położyłam głowę na dłoniach, czując nagle ogarniające mnie zmęczenie.

Po chwili Frankie spytała:

– Co mamy teraz zrobić?

I wtedy usłyszeliśmy trzy głosy należące do wbiegających po schodach osób – pierwsze dwa należały do wuja Roberta i Cala, a trzeci do taty.

Podbiegłam do drzwi, a Frankie za mną. Wyjrzałyśmy z sali konferencyjnej i zauważyłyśmy, że inni pracownicy też nasłuchują głosów dobiegających z korytarza.

– Nie – usłyszałyśmy mojego ojca, którego głos odbijał się od ścian klatki schodowej. – Rozwiążemy tę sprawę natychmiast.

Spojrzałam na zegarek. Najwyraźniej zostawił mamę w szpitalu i pospieszył do firmy. Kto zadzwonił do niego, by powiedzieć mu o Calu? Być może pan Liu. Pracował dla nas od ponad pięćdziesięciu lat i z pewnością leżało mu na sercu to, w jaki sposób firma jest zarządzana. Być może zadzwoniła Shuting, wreszcie przeznaczając swoją energię sępa dramatu na coś wartościowego. Być może tata sam się wszystkiego domyślił, siedząc z mamą w gabinecie zabiegowym, myśląc o poprzednich rozmowach z moim wujem, jednym okiem oglądając Melody w telewizji.

Wszyscy trzej doszli do szczytu schodów. Wuj Robert marszczył ze zmartwienia czoło. Cal pocił się i pod pachami jego różowej koszuli pojawiły się plamy. Tylko tato zachował kamienny spokój, jego twarz wciąż była jak maska.

Na piętrze wszystkie głowy pochowały się z powrotem w boksach, ale ja się nie poruszałam. Nie dbałam o to, że przyłapią mnie na tym, iż podsłuchuję – nawet chciałam, by mnie zauważyli.

– Proszę, Kor – szepnął wuj do taty. – Starszy bracie.

– Możemy wszystko wyjaśnić – powiedział Cal.

Tata stanął jak wryty. Spojrzał na mojego kuzyna.

– Niczego nie będziesz wyjaśniał. – Odwrócił się do wuja Roberta. – Przykro mi, ale on nie może tu zostać.

Tata minął Cala, przechodząc tak blisko niego, że ten chwiejnym krokiem cofnął się i oparł o ścianę. Mój ojciec przekręcił gałkę do drzwi biura mojego wuja, ale zanim wszedł, z jakiegoś powodu przystanął. Podniósł wzrok i po raz pierwszy mnie zauważył.

Otwarłam usta, by wypowiedzieć słowo „tata", lecz nie dobiegł z nich żaden dźwięk.

Twarz mojego ojca uspokoiła się. Odetchnął z ulgą. Wszedł z wujem do biura, zamknęli za sobą drzwi i zaciągnęli na nich żaluzje.

Ich głosy unosiły się i opadały. Coś wylądowało na podłodze, wydając ciężki, głuchy odgłos. Cal stał i patrzył na drzwi – jego stopy zdawały się przykute do podłogi, a znad kołnierzyka było widać napięte mięśnie szyi. Miał zaciśnięte pięści.

Dopiero po chwili uświadomiłam sobie, że moja szyja i ramiona również są napięte, a paznokcie zgiętych palców wbijają się we wnętrza dłoni. Pomyślałam o wpłacie leżącej na moim biurku, czekającej na wysłanie do konserwatorium. Poczułam się szczęśliwa, że mam dokąd uciec.

ROZDZIAŁ 10

❖

Kiedy moja matka po raz pierwszy zaproponowała, by wysłać mnie do szkoły z internatem
w Monterey w Kalifornii, ojciec szybko odrzu-
cił ten pomysł, co tylko zwiększyło moje zainteresowanie. Wyobraziłam sobie chłopców z opuszczonymi
na biodra szortami, płowymi włosami i sześciopakami
na brzuchach. W rzeczywistości moi koledzy ze szkoły okazali się nad wiek dojrzali, pilni i ogarnięci ob-
sesją dostania się na najlepsze uniwersytety – między
innymi z tego powodu tata ostatecznie zmienił zdanie.

Po niecałych dwóch tygodniach w szkole tata wysłał
do mnie pierwszą paczkę z domu – całą skrzynię bute-
leczek-próbek jasnego sosu sojowego Lin's, którą schowałam pod łóżkiem. Kiedy nie mogłam już znieść podawanych w stołówce klopsów, chilli czy zapiekanek,
zabierałam do pokoju miskę pilawu z ryżu, a kiedy

sytuacja stawała się naprawdę opłakana – makaronu, i korzystałam z tajnych zapasów.

Matka wysyłała mi przepiękne, niepraktyczne rzeczy, takie jak kunsztownie drukowane kartki urodzinowe czy rękawiczki z angory, których właściwie nie potrzebowałam podczas łagodnych zim w Monterey. Pewnego razu około Święta Dziękczynienia wysłała mi skrzynkę z dwunastoma pięknie dojrzałymi gruszkami komisówkami.

W niedziele, po odczekaniu na swoją kolej do jednego z dwóch automatów telefonicznych, rozmawiałam z rodzicami przez dziesięć–piętnaście minut, nigdy dłużej. W końcu inni uczniowie też chcieli zadzwonić. Opowiadałam rodzicom o pogodzie, zajęciach, ostatnim zjeździe młodych muzyków z całego kraju albo recitalu fortepianowym. Przekazywali informacje od moich dziadków i wieści od kuzynów. Niekiedy kończyli słowami „kocham cię", niekiedy o nich zapominali.

Przed końcem pierwszego semestru pozbyłam się tęsknoty za domem jak wąż starej skóry. Podczas przerwy świątecznej, którą spędzałam w Singapurze, liczyłam dni, które pozostały mi do powrotu do szkoły, a rodzice byli dumni z tego, że tak dobrze przystosowałam się do nowego środowiska.

Tylko raz udało mi się zauważyć ambiwalencję u mojej matki. Pod koniec pierwszej przerwy świątecznej obudziłam się o piątej nad ranem, by zdążyć na samolot. Przez całą podróż na lotnisko spałam na tylnym siedzeniu, aż obudził mnie nagły skręt samochodu. Z wciąż zamkniętymi oczami usłyszałam ciche łkanie tak dla mnie zaskakujące, że z początku nie wiedziałam, co to. Otworzywszy jedno oko, zauważyłam opartą o szybę głowę mojej matki. Trzymając jedną ręką kierownicę, ojciec wyciągnął w jej kierunku drugą.

– Wszystko w porządku? – spytał łagodnym tonem.

– Oczywiście – chlipnęła.

Zamknęłam oczy i udawałam, że śpię. Wtedy jedyny raz widziałam, jak płacze.

Nawet teraz, chociaż tyle przeszła, mama wciąż imponowała mi swoją siłą i stoicyzmem. Nie piła od niemal tygodnia. Nie protestowała i pozwoliła mi się pozbyć wszystkich znajdujących się w domu butelek. Codziennie ćwiczyła grę na fortepianie, choć wciąż bojkotowała mój metronom – w końcu nawet postawiła drewnianą piramidę z powrotem na moim stoliku nocnym.

Lekarz mamy powiedział nam, że zwłaszcza na początku dla większości ludzi łatwiej jest całkowicie odstawić alkohol.

– „Nie" potrafi być znacznie mniej skomplikowane niż „być może" – rzekł doktor Yeoh, spoglądając po nas znacząco.

Próbowałam odgadnąć, co czai się za jego słowami.

Myślałam o różnych „nie" i „być może" i o paradoksie nadmiaru wyboru, kiedy weszłam przez drzwi frontowe domu rodziców kilka godzin po zaskakującym pojawieniu się Cala w firmie.

Mama ćwiczyła utwór Debussy'ego. Uniosła palce znad klawiatury.

– Dzwoniła ciocia Tina – powiedziała, wskazując wzrokiem na mojego ojca siedzącego w jadalni.

Wyjechaliśmy z pracy osobnymi samochodami. Teraz ojciec siedział przy stole i mruczał coś do siebie, wyłamując sobie palce.

Mama powiedziała mi, że ciocia – żona wuja Roberta – zaprosiła wszystkich na rodzinną kolację tego wieczora. Spojrzała ostatni raz na tatę, odłożyła nuty i poszła się ubrać.

Jak gdyby rodzina zbierała się, żeby świętować jakąś radosną okazję, moja ciocia zarezerwowała prywatny pokój w Imperial Treasure, najlepszej restauracji szanghajskiej w mieście, od długiego czasu zaopatrującej się w sos sojowy w Lin's – dlatego udało jej się to w tak krótkim czasie. Restauracja znajdowała się na Orchard Road, na ostatnim piętrze wielkiego ekskluzywnego centrum handlowego otoczonego lśniącymi wielopiętrowymi wieżowcami.

Wraz z matką i ojcem jechaliśmy do góry jednymi ruchomymi schodami po drugich, od znajdującego się na trzecim poziomie piwnicy parkingu, przez kilka jasno oświetlonych, przesadnie klimatyzowanych, słodko pachnących pięter, gdzie proponowano nam belgijskie czekoladki i wykwintne wersje tradycyjnych lokalnych przysmaków na znajdującej się na parterze przestrzeni restauracyjnej, a także produkty dla dzieci na przedostatnim piętrze. Całą trójką staliśmy w jednej linii, każde na kolejnych sąsiadujących ze sobą ruchomych stopniach. Patrząc przed siebie, ignorowaliśmy reklamy, na których widniały jasnoskóre, blondwłose, długonogie piękności. Dookoła nas tłoczyła się chmara ludzi, którzy właśnie skończyli pracę – poruszali się żwawym krokiem, rozpychali, mówili głośno do telefonów komórkowych i wołali znajomych. My milczeliśmy, ich rozgorączkowana energia zanikała w nas jak w czarnej dziurze.

Podobnie powściągliwie zachowywaliśmy się wcześniej podczas jazdy samochodem. Tata otworzył usta tylko po to, by ostrzec nas, że ta kolacja to wielki błąd, że włączanie w tę sprawę większej liczby osób – zwłaszcza Linów – tylko skomplikuje sprawy. W odpowiedzi moja matka, wyglądająca olśniewająco w szmaragdowozielonej jedwabnej bluzce, w której nie widziałam jej od lat, wyciągnęła dłoń i dotknęła opuszkami palców nadgarstka ojca, szepcząc, by się uspokoił. Być może to przez kolor jej bluzki, wspaniałość tkaniny, ale jej skóra nigdy nie wydawała się tak zdrowa, tak jasna. Pomimo wszystkich złych rzeczy, które przydarzyły się wcześniej tego dnia i które mogły się jeszcze wydarzyć, wydawało się, że przynajmniej dla mojej nuklearnej rodziny jest nadzieja.

Zeszliśmy z ostatnich schodów ruchomych i kiedy wchodziliśmy do restauracji, spytałam:

– Dlaczego właściwie to robimy? Znają twoje zdanie w sprawie Cala, a my wiemy, co oni sądzą.

Ojciec złapał mnie za rękę – jego mocny uścisk jak zawsze dodał mi pewności siebie.

– Ponieważ chińskie rodziny wierzą, że wszystkie problemy da się rozwiązać przy jedzeniu.

Restauracja Imperial Treasure znajdowała się w niskim pomieszczeniu wypełnionym różnej wielkości okrągłymi stolikami przykrytymi białymi obrusami, przy których stały drewniane krzesła z wyrzeźbionymi na oparciach poskręcanymi smokami. Ten pozbawiony wyrazu wystrój cechował większość tradycyjnych chińskich restauracji w mieście – atmosfera i poziom obsługi zdawały się celowo pozostawiać wiele do życzenia, by podkreślić, jak wielką wagę przywiązywano do jedzenia.

Kierowniczka restauracji, niska, otyła kobieta w kanciastym czarnym garniturze, podbiegła do nas.

– Pan i pani Lin – zawołała po chińsku. – Lin xiao jie – powiedziała, zauważając mnie.

Uśmiechnęłam się w odpowiedzi.

– Xian shen mei lai? – spytała kierowniczka.

Nie przestając się uśmiechać, potrząsnęłam głową. Nie, mój mąż się do nas nie przyłączy.

Kierowniczka zaprowadziła nas do prywatnej sali, oddzielonej od głównej sali jadalnej przesuwanymi drzwiami zrobionymi z paneli ze sztucznego mahoniu. Idąc, wymieniała wszystkie potrawy, które zamówiła ciocia Tina – chrupiący węgorz w słodkim sosie, kaczka wędzona na dwa sposoby, ręcznie robiony makaron z ikrą kraba – „Całe szczęście mieliśmy wystarczająco wiele krabów w ciąży pod ręką", skomentowała – i inne dania, których nie potrafiłam rozpoznać po ich poetycznych, choć niejasnych chińskich nazwach – ryba w kształcie wiewiórki po mandaryńsku, ryż Osiem Skarbów, wieprzowina Cztery Radości.

Na twarzy taty drgnął mięsień. Ekstrawagancja cioci Tiny wydawała się jeszcze bardziej go denerwować. Mama próbowała rozładować napięcie, zmieniając temat. Spytała kierowniczkę, czy przybyliśmy jako pierwsi.

Kierowniczka roześmiała się tak szeroko, że można było zobaczyć plomby w jej tylnych zębach. Powiedziała, że dojechaliśmy jako ostatni. Odsunęła drzwi teatralnym gestem i okazało się, że reszta rodziny rzeczywiście siedzi już przy wielkim stole.

Ciocia Tina wyglądała na szczuplejszą i bardziej nerwową niż tydzień wcześniej, podczas ostatniego rodzinnego spotkania, kiedy wuj Robert wciąż jeszcze udawał, że popiera decyzję taty. Najwyraźniej nasza trójka przegapiła jakieś ważne wydarzenie, ponieważ ciocia załamywała ręce i potrząsała głową. Wuj Robert ocierał czoło chusteczką, a Cal prosił go, żeby choć raz w życiu go posłuchał. Lily wyglądała, jakby miała się rozpłakać, a Rose próbowała ją uspokoić.

Siedzący po drugiej stronie stołu mężowie moich kuzynek trzymali się razem, korzystając z tego, że nie muszą się angażować. Mąż Rose spoglądał na telefon, który trzymał na udach, i uderzał w ekran obydwoma palcami, bez wątpienia grając w jakąś grę. Żona Cala, najmilsza, najbardziej uprzejma kobieta, jaką znałam, trwała przy boku swojego męża. Siedziała rozparta na krześle i przenosiła wzrok z jednego członka rodziny na drugiego.

Kiedy przeszliśmy przez drzwi, rozmowa się urwała. Wraz z ojcem i matką zajęliśmy trzy wolne miejsca. Rozwinęliśmy ułożone w wachlarze sztywne serwetki.

Najwyraźniej nie zauważając panującego w pokoju napięcia, kierowniczka dwa razy klasnęła w dłonie.

– Teraz wszyscy są przy stole – powiedziała radośnie. – Poślę do kuchni po jedzenie.

Kiedy odpowiedziało jej milczenie, szybko kiwnęła głową i wyszła.

Starannie zamknęła za sobą drzwi, odcinając nas od hałasu z głównej sali jadalnej. W naszej salce cisza była tak gęsta, że można by było w niej pływać. Mąż

Lily jakby w zwolnionym tempie skrzywił się, a potem kichnął w złożone dłonie i wymamrotał:

– P'praszam.

Z jakiegoś powodu wszyscy odetchnęli z ulgą.

Żona Cala zaczęła obracać znajdującą się na stoliku tacą i wrzucać gotowane orzeszki ziemne – polane jasnym sosem sojowym Lin's – na wszystkie talerze znajdujące się w pobliżu. Ciocia Tina zwróciła się do mojej matki i zapytała, jak się czuje. Dokładnie wsłuchiwałam się w słowa ciotki, szukając w nich nieprzychylnej oceny, a kiedy uznałam, że jest szczera, przeniosłam uwagę na Rose, która opowiadała historię o ostatniej wizycie u ginekologa – naprawdę widziała na ekranie USG, jak jej nienarodzona córka wystawia język.

– To najbardziej niesamowita rzecz na świecie – powiedziała Rose. – Czy to nie było cudowne, kochanie?

Klepnęła męża, który wciąż gapił się w telefon.

– Co mówisz, kochanie? – spytał, a potem się opamiętał. – Tak, było wspaniale.

– Wyślę ci zdjęcie e-mailem – obiecała mi.

Próbowałam podchwycić entuzjazm mojej kuzynki, choć prawdę mówiąc, zamazane czarno-białe zdjęcia USG, które moi znajomi zamieszczali w internecie, zawsze mnie przytłaczały. Dopóki nie zniecierpliwił go mój brak zainteresowania, wraz z Paulem zawsze robiliśmy listę rzeczy, których jako rodzice nigdy nie zrobimy swoim dzieciom. Rzuciłam pomysł szkoły z internatem jako klucza do zdrowych relacji rodziców z dziećmi, na co odpowiedział:

– Zobaczymy.

W sali pojawili się dwaj kelnerzy z tacami kieliszków do czerwonego wina, co skłoniło Cala do wstania i doglądania procesu napowietrzania bordeaux, które wybrał ze swojej osobistej kolekcji – robił to tylko na specjalne okazje.

Poradził jednemu z kelnerów, by poustawiał kieliszki na stole, a drugiemu podał dwie piękne kryształowe karafki.

– Tak – powiedział do drugiego kelnera, który najwyraźniej był zdezorientowany. – Najpierw proszę je wlać do nich, a potem do kieliszków.

Kiedy Cal pochylił się, by powąchać wino, mimowolnie odwróciłam się do matki. Pośród całego zamieszania nie przestałam się zastanawiać, jak mama zareaguje na przebywanie przy stole z osobami obficie raczącymi się alkoholem.

Cal wrócił na miejsce, wyglądając na zadowolonego z siebie.

– Lafitte, rocznik '99 – oznajmił, wzruszając ramionami w geście udanej skromności.

Nawet ja wiedziałam, że powinno mi to imponować.

Mój kuzyn nie mógł się powstrzymać, by nie spojrzeć na mojego tatę i dodać:

– Wujku Xiong, wiem, że to twoje ulubione.

Tata sztywno mu podziękował. Albo nie był w nastroju, by Cal mu imponował, albo za bardzo martwił się o mamę.

W międzyczasie kelnerzy okrążali stół w dwóch przeciwnych kierunkach, nalewając wino z karafek, zbliżając się coraz bardziej do mojej matki. Mój oddech stawał się coraz płytszy i szybszy – nie mogłam go uspokoić. Czy powinnam powstrzymać się od picia w geście solidarności? Czy to nie sprawiłoby tylko, że wszyscy zwróciliby uwagę na mamę?

Kiedy wreszcie kelner pojawił się u mojego boku, poprosiłam o bardzo małą porcję.

Siedząca obok mnie mama pomachała dłonią nad kieliszkiem.

– Dziękuję, dla mnie nie – powiedziała miękkim głosem.

Ciocia Tina uniosła brwi, czym się zbytnio nie przejęłam. Musiałam walczyć ze sobą, by nie zarzucić matce rąk na szyję i nie powiedzieć jej, jak bardzo jestem z niej dumna.

Z odrobiną pogardy kelner zabrał kieliszek mojej matki ze stołu, jakby usuwał zwiędłą różę z doskonałego bukietu. Uniosłam kieliszek i próbowałam pić tak swobodnie, jak tylko mogłam. Tata wziął niewielki łyk. Pozostali członkowie rodziny kręcili kieliszkami, pociągali nosami, łykali i smakowali.

Wreszcie wuj Robert odchrząknął.

– Kor – zwrócił się do taty. – Chłopiec chciałby ci coś powiedzieć.

Ciocia Tina odsunęła od siebie kieliszek i złączyła dłonie, jakby chciała się pomodlić. Mąż Rose wsunął telefon do kieszeni na piersi i wymienił spojrzenia z mężem Lily. Moja matka ponownie napełniła filiżankę herbatą.

Tata czekał.

Cal przesunął kciukiem po obrączce, jakby był to pewnego rodzaju talizman, i pociągnął długi łyk wina. Kiedy zaczął mówić, na jego twarzy malował się spokój, a wzrok był poważny i szczery.

– Wujku Xiong... Nie, wszyscy.– Przebiegł wzrokiem po siedzących przy stole. – Moja rodzino.

Jego matka otarła chusteczką kąciki oczu. Jego siostry wydały z siebie ciche odgłosy świadczące o sympatii. Nawet mama powstrzymała się od wygłoszenia złośliwej uwagi.

Cal zaczął od początku.

– W poprzednim roku byłem bardzo podekscytowany nową serią sosów. Wreszcie zrobiłem coś od początku do końca, całkowicie sam.

Musiałam przyznać, że to dobra strategia – twierdzenie, że jeśli zrobił coś źle, to dlatego że za bardzo mu zależało.

– Jednak dałem się ponieść emocjom. Pozwoliłem, by duma wzięła we mnie górę. Nie poświęciłem dość czasu na przeanalizowanie koniecznych szczegółów. To było niesłuszne.

Moja ciocia głośno przełknęła ślinę, by powstrzymać łkanie.

Cal przygryzł wargę.

– Wujku Xiong – odezwał się w końcu. – Wiem, jak dużo Ahkong, ty i mój tata poświęciliście dla tej firmy. Los Lin's leży mi na sercu tak samo jak wam. Pracowałem tu przez całe życie. – Głos mu się załamał. Po raz pierwszy wydawało się, że nie jest pewny siebie. – Mogę poradzić sobie lepiej. Poradzę sobie lepiej. Proszę...

Jego głos cichł z każdym zdaniem.

Wszystkie głowy zwróciły się w kierunku taty, który wpatrywał się w swoje nakrycie, jakby spodziewał się, że odpowiedź pojawi się na białym ceramicznym talerzu. Kiedy uniósł głowę, powiedział:

– Cal, przyjmuję twoje przeprosiny.

Ciocia Tina westchnęła. Lily i Rose wymieniły pełne nadziei uśmiechy.

– Nie mogę jednak zmienić zdania – dodał tata. – Nie możesz wrócić. Przykro mi.

Wszyscy zaczęli mówić naraz, zagłuszając resztę słów mojego ojca.

– Nie możesz mówić poważnie, Kor – powiedział wuj Robert. – Popełnił błąd. Każdemu się zdarza.

– To jeszcze dziecko – wyjąkała ciocia Tina.

I:

– Jest członkiem rodziny. Nie można wyrzucać z firmy członka rodziny.

I:

– Za kogo ty się właściwie masz?

I:

– Robercie, jesteś cholernym prezesem. Zrób coś!

– Niektóre błędy mają większe konsekwencje niż inne – zauważyła trafnie mama.

Wydawało mi się, że widzę, jak dłonie moich rodziców spotykają się pod obrusem.

Do sali weszła kierowniczka, której towarzyszył kelner trzymający porcelanową wazę wielkości umywalki. Wszyscy zamilkli.

– Podwójnie gotowana zupa rybna. Z pozdrowieniami od szefa kuchni – oznajmiła kierowniczka. Zawahała się, gdy zobaczyła pełne cierpienia wyrazy twarzy gości. – Zupa gotowała się na wolnym ogniu przez ponad dwadzieścia cztery godziny – dodała z nadzieją w głosie.

Było to jedno z moich ulubionych dań – żałowałam, że straciłam apetyt.

Cisza wciąż trwała, gdy kelner nalewał nam gęsty bulion z pulchnymi kawałkami białego dorsza i koronkowymi zawijasami zielonej cebulki. Podczas pracy na jego nosie zaczęły się pojawiać krople potu – biedak najwyraźniej nie mógł się doczekać, aż będzie mógł wyjść z naszej sali.

Sumiennie zanurzyliśmy łyżki w bulionie. Ciocia Tina szepnęła coś do ucha wuja Roberta, ale on zrobił niezadowoloną minę i zignorował jej słowa. Również tata wziął łyżkę i zaczął jeść. Przez chwilę słyszeliśmy tylko zadziwiająco hipnotyzujące dźwięki siorbania – wszyscy czekali, aż ktoś wreszcie coś powie.

Tata wciąż jadł automatycznie. Pomiędzy kęsami powiedział:

– Tak, wszyscy popełniają błędy.

Przerwa.

– I tak, każda decyzja ma w sobie element ryzyka.

Kolejna przerwa. Zwrócił się do Cala.

– Chcę, żeby było to bardzo jasne: nie zostałeś wylany, ponieważ zrobiłeś błąd. Zostałeś wylany, ponieważ nas okłamałeś.

Łyżka Cala z pluskiem wylądowała w jego misce.

– Próbowałem podjąć inicjatywę, samemu rozwiązać problem – bronił się Cal.

Tata uniósł dłoń.

Powiedział do wuja Roberta:

– Nie można dobrze prowadzić firmy, jeśli pracują w niej ludzie, którym nie można ufać.

– To mój syn... – zaczął wuj Robert, po czym zmienił taktykę. – Nie mogę sam zarządzać firmą. Jesteśmy w środku największej ekspansji w historii Lin's. Proszę, Kor. Daj chłopakowi szansę. Pozwól mu udowodnić, że można mu zaufać.

Siedząca obok mnie mama poruszyła się na krześle. Była uważna i czujna – zupełnie inna niż podczas poprzednich rodzinnych kolacji. Zazwyczaj w tej fazie posiłku piła już drugi albo trzeci kieliszek, wypluwając z siebie strumień sarkastycznych komentarzy, które jednocześnie mnie bawiły i przerażały.

– W porządku? – szepnęła do mnie.

– W porządku – odszepnęłam.

W tej chwili nikt już nie jadł, a resztki dwukrotnie gotowanej przez dwadzieścia cztery godziny zupy stygły w naszych miskach.

Ciocia wytarła nos w chusteczkę.

– Mylisz się co do niego, Xiong – chlipnęła. – Tak bardzo się mylisz.

– Mamo, przestań – powiedziała Lily, sięgając na drugą stronę stołu, by chwycić matkę za rękę.

Wydawało się, że widok tak wielu nieszczęśliwych twarzy ciąży tacie.

– Słuchajcie – powiedział. – Cal wykonał dużo dobrej roboty. Nikt nie podaje w wątpliwość jego zaangażowania.

– Zatem dlaczego? – spytała ciocia Tina, ściągając na siebie spojrzenie męża.

– Mów dalej – zachęcił ją wuj Robert.

Tata przycisnął serwetkę do ust.

– Oto co proponuję – powiedział. – Może pozwolimy Calowi zająć się naszymi nieruchomościami?

Zastanawiałam się, jak długo rozważał takie rozwiązanie.

Cala zapewnił:

– Przyda ci się doświadczenie z czymś innym niż tylko sos sojowy.

Pięść mojego kuzyna uderzyła w stół tak mocno, że odruchowo się cofnęłam. Jego kieliszek się przewrócił, rozlewając chatteau lafitte rocznik '99 na cały śnieżnobiały obrus i kremową bluzkę jego żony.

– Wie Schade – mruknęła moja matka, brzmiąc jak za dawnych czasów. – Jaka szkoda.

Cal stanął na równe nogi.

– Spędziłem całe dorosłe życie w Lin's. Jako jedyny poświęciłem tej firmie aż tyle czasu – powiedział, dziko gestykulując w kierunku mnie i swoich sióstr. – Teraz chcesz zrobić ze mnie zwykłego kamienicznika?

Jego żona zanurzyła serwetkę w szklance z wodą i przesunęła nią po długiej, ciemnej plamie na wysokości jej mostka.

– Ojejku – szepnęła. – Ojejku.

– Chyba oszalałeś – powiedział Cal do mojego ojca. – Wolę już pracować dla Yellow River.

– To inne rozwiązanie – odparł cicho tata.

Cal zacisnął szczękę. Pociągnął za ramię swojej żony.

– Chodź. Wychodzimy.

– Lepiej ustąp, chłopcze – odezwał się wuj Robert.

– Nie możesz wyjść – rzekła ciocia Tina. – Musimy rozwiązać tę sytuację.

Niemal zapomniałam, że tu, w Singapurze, niezależnie od wieku i od osiągnięć zawsze jesteś dla swoich rodziców „chłopcem" albo „dziewczynką".

Cal rzeczywiście się zawahał, być może nie chcąc sprzeciwiać się rodzicom przy całej rodzinie. Chwilę później jednak potrząsnął głową w niemal przepraszający sposób i wyszedł z sali. Jego żona podążała tuż za nim i niemal wpadła na dwóch kelnerów, którzy stali przy drzwiach z kolejnym daniem.

Kelnerzy położyli żeliwny półmisek i stertę talerzy na tacy i wybiegli z pokoju, nie podzieliwszy dania na pojedyncze porcje. Chrupiący węgorz i pory wciąż skwierczały i karmelizowały się w gorącym oleju z orzeszków ziemnych, a salę wypełnił odurzający zapach cukru i tłuszczu. Nikt nie sięgnął po talerz.

Wuj rzucił serwetkę na bok.

– Słuchaj, Kor. Cal to mój syn i oczywiście, że chcę, żeby pracował w Lin's, ale musisz też myśleć praktycznie. Nie młodniejemy.

Wtedy mój ojciec zagrał ostatnią kartą.

– Co nasz ojciec zrobiłby w tej sytuacji?

Usta wuja Roberta otworzyły się. To jasne, że był zaskoczony.

– Co zrobiłby tata, gdyby jeden z nas zrobił to co Cal?

Wuj Robert odzyskał głos.

– Właśnie o to chodzi – wykrzyknął z tryumfem albo desperacją; trudno powiedzieć. – Nie widzisz? Właśnie o to chodzi. Nas było dwóch, a Cal jest tylko jeden.

Ojciec powoli zaczął obracać się w moim kierunku.

Zanim zdążyłam zrozumieć, co się dzieje, przemówiła mama.

– Nie – powiedziała, unosząc palec wskazujący. – Nie waż się. Ta firma to nie jej problem.

– Ona? – krzyknęła moja ciocia. – Ona dopiero zaczęła. Co ona może wiedzieć?

Wuj uderzył się dłonią w bok głowy.

– O to więc chodzi?

– Czy ona nie musi się uczyć? – spytała Lily.

– Czy ona w ogóle chce zostać? – spytała Rose.

Tata spojrzał mi głęboko w oczy. Widziałam już wcześniej ten wyraz na jego twarzy. Otaczające nas głosy ucichły, jakby ktoś złapał za gałkę głośności i przekręcił ją do zera.

W ciągu cotygodniowych lekcji, których udzielał mi w dzieciństwie, tata uczył mnie o chemicznym procesie hydrolizy, który wykorzystuje się przy produkcji najtańszych sosów. Kiedy obok przechodziła mama z naręczem książek, pokój wypełniał się jej śmiechem.

– Naprawdę sądzisz, że sześciolatka zrozumie, o czym mówisz?

Tata położył mi dłoń na głowie i powiedział:

– Niedługo zrozumie.

I właśnie wtedy po raz pierwszy ujrzałam ten wyraz twarzy – zdecydowany wzrok i spokojny uśmiech.

Wuj Robert wyciągnął dłoń, by chwycić ojca za ramię. Powiedział:

– Gretchen może zostać tak długo, jak zechce. Cholera, może nawet zostać na zawsze. Ale to nie jest sytuacja „albo–albo". Cal zasłużył na kolejną szansę.

Chciałam, żeby przestali rozmawiać o mnie, jakby nie było mnie w pokoju, lecz wyraz twarzy taty sprawił, że się nie odezwałam. Siedział tam, nic nie mówiąc, i patrzył na mnie wyczekująco.

◈

ROZDZIAŁ 11

Na początku września, w czasie kiedy mieszkańcy San Francisco świętują ostatnie dni niemal letniej pogody, obnażając blade kończyny w krótkich spodniach i spódniczkach, Singapurczycy chińskiego pochodzenia przygotowują się na zupełnie inny rodzaj świętowania – Zhong Yuan Jie, czyli Festiwal Głodnych Duchów.

Mówi się, że w siódmym miesiącu kalendarza słonecznego bramy piekieł otwierają się, uwalniając dusze zmarłych, które przez następne trzydzieści dni przemierzają ziemię. By nakarmić te głodne duchy, Chińczycy przygotowują całe prosięta, duszone kaczki, mandarynki i różne delikatesy. Palą ofiarne kadzidełka, grube pliki sztucznych banknotów i zrobione z masy papierowej podobizny telewizorów, samochodów i biżuterii, wypełniając powietrze słodkim, mdłym dymem. Konstruują wielkie sceny na wolnym powietrzu na tradycyjne chińskie pokazy teatru lalek i opery, a także pokazy współczesnej piosenki i tańca – te drugie prawdopodobnie mają się podobać duszom niedawno zmarłych. Na każdym występie getai pierwszy rząd jest zarezerwowany dla gości honorowych i musi pozostać pusty.

Jako dziecko obserwowałam te przygotowania z siedzenia pasażera mercedesa mojej mamy, kiedy przejeżdżałyśmy obok osiedli bloków socjalnych. Co pewien czas mama zatrzymywała się na targu Lorong Mambong, zlokalizowanym na jednym z większych osiedli, dzięki czemu mogłam podziwiać obchody z bliska. W tamtych dniach w supermarketach kupowało się tylko pakowane produkty – w świeże jedzenie zaopatrywano się na targu. Podczas gdy mama targowała się ze sprzedawcami warzyw i ryb, którzy podnosili ceny, ponieważ widzieli, że nie jest z okolicy, ja wałęsałam się pomiędzy misternymi modelami z masy papierowej – torebkami od Louisa Vouittona, zegarkami Rolexa – stanowiącymi dary dla szykownego, znającego się na luksusie ducha. Matka w końcu brała mnie za rękę i opuszczałyśmy targ. Nie ukrywała, co myśli o głupich przesądach.

Nasza rodzina była zdecydowanie świecka. Poza ciocią Tiną, która miała w kącie salonu niewielki ołtarzyk, nikt nie zwracał uwagi na festiwal, choć zauważyłam, że moja ciotka niechętnie pozwalała Lily i Rose pływać w basenie w tym okresie. Rose powiedziała mi, że w głębinach czyhają złośliwe duchy gotowe utopić małe dzieci. Mama, usłyszawszy to, przewróciła oczami.

Choć zawsze obserwowałam Zhong Yuan Jie z czysto antropologicznej perspektywy, w tym roku trudno było nie zauważyć wagi tego okresu. Tata i wuj Robert wciąż dyskutowali o tym, co zrobić z Calem – każdy z nich uważał, że lepiej rozumie, czego chciałby ich zmarły ojciec. Ze zdjęć na ścianach naszych biur łagodnie uśmiechał się do nas Ahkong, potrząsając dłonią ministra handlu i przemysłu, smakując ziarna soi prosto ze słoika, unosząc pierwszą butelkę sosu sojowego Lin's – w tym samym opakowaniu, którego wciąż używaliśmy. Jego oczy błyszczały, a usta układały się w znajomy krzywy uśmiech. Kiedy żył, rzadko odzywał się surowo do, nas, wnuków, ale widziałam, jak zawzięcie kłóci się z tatą i wujem Robertem – kończyło się dopiero, kiedy Ahkong uderzał pięścią w stół i stwierdzał:

– Gao lor. Dość.

Jego decyzja była ostateczna.

Teraz jednak, gdy zabrakło tego, kto mógłby uderzyć pięścią w stół, żaden z synów nie chciał ustąpić.

Dni mijały bez widoków na kompromis, a tata znów opóźnił przejście na emeryturę. On i wuj Robert radzili sobie z frustracją, pracując dłużej i ciężej. Zaczęli przychodzić do biura coraz wcześniej, niekiedy przed zakończeniem pracy stróża nocnego. Wuj poświęcił się sprawie Mama Poon – umowa została już oficjalnie podpisana. Odbywał telekonferencje w czasie pracy w Kalifornii, wprawiając w zdumienie Amerykanów, którzy pytali go z podziwem, czy kiedykolwiek sypia. Ojciec studiował dane, które zebrałyśmy z Frankie, kiedy zajmowałyśmy się projektem rozszerzenia działalności na Stany Zjednoczone. Zaczął poszukiwać odpowiednich kanałów dystrybucyjnych dla naszych najlepszych sosów. Po raz pierwszy od czasu kiedy wróciłam do domu, mama uparła się i sama jeździła na dializy, dzięki czemu tata mógł skupić się na pracy, a kiedy zaproponowałam, że mogę ją tam podwozić, rzuciła przeciągłe spojrzenie w kierunku taty i powiedziała:

– On potrzebuje cię bardziej niż ja.

Wśród pracowników biurowych zaczęły krążyć plotki, że być może jeden z braci spróbuje odkupić udziały drugiego; jeśli to się nie powiedzie, firma miała się podzielić na dwie części. Od czasu do czasu moi współpracownicy zbierali się i namawiali, któremu z braci w razie czego okazać wierność. Frankie powiedziała mi, że wymyślali nazwy dla firmy, która się oddzieli: Sos Sojowy Lin's Numer Jeden, Sos Sojowy Bratniej Rywalizacji.

Frankie i ja wciąż byłyśmy zajęte, podobnie jak Cal. Wszyscy wiedzieliśmy, że nasza praca może się okazać daremna, w zależności od tego, który z naszych ojców zwycięży. W jakiś sposób wraz z Calem doszliśmy do milczącego porozumienia, że nikt nie będzie wspominał o rodzinnej kolacji. Staraliśmy się za wszelką cenę nigdy nie zostawać sam na sam w jednym pokoju, a kiedy byliśmy zmuszeni do rozmowy, zachowywaliśmy się uprzejmie, choć nie byliśmy zbyt rozmowni.

Pewnego ranka mój wuj przyniósł do biura Cala gruby segregator i powiedział mu, żeby dowiedział się, jak szybko Lin's może wysłać pierwszą porcję sosu dojrzewającego w kadziach z włókna szklanego do Kalifornii. Wuj zostawił otwarte drzwi, by pokazać, że nie ma nic do ukrycia.

Niecałą godzinę później do moich drzwi zapukał tata. Przygotowałam się na to, że znów będzie próbował przekonać mnie, bym została w Lin's na dłużej. Zamiast tego podał mi listę amerykańskich firm importujących tradycyjną żywność, które mogłyby być zainteresowane naszymi najlepszymi sosami. Chciał, żebyśmy z Frankie skontaktowały się z tymi, które będą najlepsze dla Lin's.

W tamtej chwili rozpoczęła się otwarta wojna.

Jeśli Frankie wolałaby być po drugiej stronie barykady, nie okazywała tego. Nigdy nie była świadkiem tak wielkiej rodzinnej kłótni – każdy nowy ruch sprawiał, że czuła się coraz bardziej zdezorientowana. Próbowałam ją zapewnić, że tata i wuj Robert dojdą do porozumienia, jak zwykle, choć i ja zaczęłam się martwić, że ten spór nigdy się nie skończy.

Byłyśmy szczęśliwe, że wreszcie otrzymałyśmy jakieś wytyczne. Podzieliłyśmy się zadaniami i zaczęłyśmy pracę. Robiłam szkic wstępnego e-maila, który moglibyśmy wysłać przyszłym partnerom, kiedy z dolnej szuflady biurka dobiegło bzyczenie. Znalazłam telefon w torebce i rozpoznałam dzwoniącego – James.

Od naszej pierwszej i jedynej randki minęło dwanaście dni. Dwanaście dni, podczas których otrzymałam cztery SMS-y, wszystkie w odpowiedzi na zdesperowane, stylizowane na zabawne wiadomości, które wcześniej wysłałam.

– Cześć, co porabiasz dziś wieczorem? – powiedział tylko tyle, kiedy odebrałam.

Opuściłam telefon i spojrzałam na ekran, jakby mógł dać mi dostęp do zadziwiającego umysłu Jamesa Santoso. Przyłożyłam telefon z powrotem do ucha.

– Chyba żartujesz.

Frankie pojawiła się w drzwiach.

– W jakiej sprawie żartuję? – dociekał James.

Gestem wskazałam jej, żeby dała mi chwilę, ale nie chciała sobie pójść, więc próbowałam mówić dalej w taki sposób, by nie dało się rozpoznać, z kim rozmawiam.

W końcu zdecydowałam się powiedzieć:

– Wyjaśnij mi, dlaczego nie możesz nic zaplanować na kilka dni naprzód.

Roześmiał się ciepłym, chropawym głosem.

– Miałem urwanie głowy w pracy. Moi dostawcy są niekompetentni. Restauracja jest dwa miesiące do tyłu z terminami. Ledwo miałem czas coś zjeść.

Gdyby nie Frankie, zapytałabym, skąd wobec tego znalazł czas na ćwiczenie siatkówki. Ale ona stała wciąż ze skrzyżowanymi ramionami, tupiąc nogą w podłogę.

– Czego potrzebujesz? – spytałam Frankie, zakrywając mikrofon.

Zapytała, czy skończyłam przygotowywać arkusz kalkulacyjny, o który prosiła, a kiedy powiedziałam, że jeszcze go nie zaczęłam, twarz jej pociemniała.

– Hej – powiedziałam do telefonu zadowolona, że mam wymówkę, by odłożyć słuchawkę. – Muszę kończyć. Ja też mam pracę.

Próbowałam nie patrzeć w oczy Frankie.

– Zjedz ze mną dziś kolację – poprosił James.

– Daj mi jeden dobry powód, żebym to zrobiła.

– Nie jadłem porządnego posiłku przez cały tydzień – powiedział. – I chcę się z tobą zobaczyć.

– No dobrze – zgodziłam się, wzdychając ciężko.

Kiedy odłożyłam telefon, Frankie spytała:

– Kto to był?

Podejrzewałam, że już wie.

– James – odparłam nonszalancko. – Podobno był zawalony pracą.

– Oj, Gretch – powiedziała.

Policzki mnie paliły.

– Co?

Przygryzła wargę i pochyliła głowę.

– Powinnaś robić, co chcesz.

Coś we mnie zapłonęło.

– Robię i nadal będę.

Sięgnęła do klamki, zamknęła drzwi i podeszła prosto do mojego biurka.

– Nie musisz rzucać wszystkiego w chwili, gdy dzwoni.

– Niczego nie rzucam – odparłam. – Nie mam szczególnie przepełnionego kalendarza.

– Dobrze. Tylko przygotuj dla mnie ten arkusz przed wyjściem z pracy.

– Na wszelki wypadek umówmy się na jutro rano. Nie mogę dziś zostać dłużej.

Widziałam, jak Frankie walczy ze sobą, by ukryć irytację.

– Być może trudno ci sobie to wyobrazić – powiedziała – ale naprawdę próbuję dobrze wykonywać swoją pracę.

Stała tam, tak pewna swojej racji, że nie mogłam się powstrzymać.

– Frankie – powiedziałam. – Rozejrzyj się. Myślisz, że ktokolwiek tutaj rzeczywiście przejmuje się tym, co robisz?

Otworzyła usta, a potem je zacisnęła i potrząsnęła głową.

– Wyślij mi go z samego rana – poprosiła i odwróciła się na pięcie.

Wróciłam do komputera zdeterminowana, by nie pozwolić jej zniszczyć mojego dobrego nastroju. Dokładnie o piątej pojechałam do domu przygotować się na randkę.

W końcu moje próby okazały się daremne. Kiedy wyjeżdżałam z podjazdu moich rodziców, zadzwonił James. Powiedział, że jest wyczerpany kolejnym niekończącym się dniem, i spytał, czy nie miałabym nic przeciwko temu, żeby od razu wpaść do jego mieszkania. A, i czy nie mogłabym po drodze kupić kolacji?

Mogłam mu odmówić. Mogłam zahamować i wrócić do domu. Ale nie zrobiłam tego. Zrobiłam wszystko, o co mnie prosił, a kiedy zapytał, czy zostanę na noc, zgodziłam się. Wolałam się zobaczyć z Jamesem na jakichkolwiek warunkach, niż w ogóle się z nim nie widzieć. Co więcej, musiałam wydostać się z domu moich rodziców, znaleźć się z dala od pytającego, zawiedzionego wzroku mojego ojca.

Tata już wpłacił zaliczkę do konserwatorium – wiedział, że podjęłam decyzję. Jednak i tak za każdym razem kiedy patrzyłam mu w oczy, widziałam, na ile sposobów go zawiodłam. Poprzednio, kiedy go opuściłam, Cal zajął moje miejsce. Teraz nie został mu już nikt.

Poczucie winy wzrastało we mnie i coraz bardziej dawało się we znaki – wkrótce zaczęłam opuszczać posiłki w domu. Odwoływałam lekcje gry na fortepianie z mamą wdzięczna losowi za to, że radzi sobie już lepiej i nie trzeba jej bez przerwy doglądać. Biegałam do mieszkania Jamesa za każdym razem, kiedy dzwonił. Nie wiedziałam, co takiego zrobiłam, by zwiększyć swój urok, ale nagle zaczął chcieć się ze mną widzieć co chwilę. Czasem przynosiłam ze sobą jedzenie na wynos, a czasem jedliśmy szybką kolację w jednej z małych, poślednich restauracji w okolicy jego domu. Nasze rozmowy były miłe, choć puste – podobnie jak seks.

Kiedy przekradałam się przez dom rodziców, by złapać świeże ubranie, kiedy jeździłam znajomą już trasą od rodziców do Jamesa, kiedy ojciec wciąż patrzył na mnie, nie mówiąc ani słowa, wciąż dawało mi się we znaki nieustępliwe tropikalne słońce. To samo słońce, które żywiło nasze ziarna soi i sprawiało, że rozpadały się, tworząc nasz cenny złoty sos, mnie tylko odbierało siły. Czułam się skazana na to, że spędzę następne cztery miesiące na brodzeniu, dreptaniu w miejscu – że nie dokonam niczego.

Po dwóch tygodniach poszukiwania amerykańskich dystrybutorów zainteresowanych naszymi ekskluzywnymi sosami Frankie poinformowała mnie, że Cal potrzebuje jej pomocy przy swoim projekcie. Położyła na moim biurku wielką stertę dokumentów.

– Nie masz nic przeciwko temu, prawda? – spytała. – W końcu i tak nikogo nie obchodzi, co tu robię.

Kiedy wyszła, wrzuciłam całą stertę dokumentów do kosza, a potem natychmiast zanurkowałam pod biurko i wyciągnęłam je z powrotem, mając nadzieję, że nikt nie zauważył, że to zrobiłam.

Pośród tych papierów zauważyłam luksusowo wydany prospekt promujący Czwarte Międzynarodowe Targi Żywności Naturalnej, które miały się odbyć w następnym miesiącu w San Francisco. Przeczytałam całość, a potem wróciłam na początek i przeczytałam jeszcze raz.

Targi organizowano w gigantycznym kompleksie niedaleko ogrodów Yerba Buena, zajmującego powierzchnię dwóch hektarów sanktuarium leżącego w sercu finansowej dzielnicy San Francisco. Zdjęłam buty pod biurkiem i wyobrażałam sobie, jak twarda, zimna, świeżo skoszona trawa dotyka moich stóp.

Wciąż czytałam prospekt, kiedy przyszła Shuting dostarczyć mi przybory biurowe.

– Przysyłają nam te prospekty co roku – poinformowała. – Nigdy nie bierzemy w tym udziału.

– Dzięki – powiedziałam bezbarwnym głosem.

Z powrotem wciągnęłam buty.

Do końca dnia napisałam wniosek, w którym wyjaśniałam, dlaczego Czwarte Międzynarodowe Targi Żywności Naturalnej to doskonałe miejsce, by zaprezentować ekskluzywny sos sojowy Lin's amerykańskim konsumentom, i dlaczego byłabym doskonałą osobą, by to zrobić. Tak, zanim będziemy mogli eksportować nasze sosy na większą skalę, będzie trzeba wykonać dużo więcej pracy. Tak, musimy lepiej zrozumieć rynek amerykański. Ale musimy też od czegoś zacząć – a czy znajdziemy lepszy sposób na budowanie kontaktów i poznawanie nowych opcji, zwłaszcza w związku z tym, że niedawno podpisaliśmy kontrakt z Mama Poon?

Pomysł bardzo spodobał się tacie – wiedziałam, że spodoba mu się jakakolwiek inicjatywa, dzięki której wezmę na siebie większą odpowiedzialność w Lin's. Wuj jednak nie wykazał entuzjazmu. Tłumaczył, że taka podróż to strata pieniędzy i że potrzeba czegoś więcej niż udział w targach żywności, by przekonać amerykańskich konsumentów do naszych ekskluzywnych sosów.

W końcu jednak wuj Robert zgodził się wysłać mnie na targi – jak zgadywałam, głównie dlatego że uświadomił sobie, iż pod moją nieobecność będzie miał większą szansę na zmianę zdania taty w sprawie Cala.

Tylko Frankie pozostała sceptyczna.

Później tego samego dnia wciągnęła mnie do swojego biura.

– Przemyślałaś to? Na pewno jesteś gotowa go zobaczyć?

– Kogo? – spytałam, by zyskać na czasie.

Wysoki stos kartonów z dokumentami stojący w rogu czaił się jak nieproszony gość.

Przewróciła oczami.

– Chodzi ci o Paula? – spytałam.

Głośno westchnęła, nie ukrywając irytacji.

– Gretch, co ty robisz?

Odparłam, że nie wiem, o co jej chodzi.

– James powiedział Pierre'owi, że spędzasz u niego prawie każdą noc.

– Tobie i twojej ekipie chyba naprawdę brakuje tematów do rozmów – powiedziałam, nie dając po sobie poznać, że pochlebia mi to, iż James rozmawia o mnie z przyjaciółmi. Zastanawiałam się, co jeszcze powiedział Pierre'owi.

Zignorowała moje słowa.

– Mówię poważnie.

– Frankie – powiedziałam. – Jadę na targi. Muszę zacząć szukać mieszkania w San Francisco. To wszystko. Nic wielkiego.

– To wszystko?

Zaskoczyła mnie gwałtowność jej pytania. Zanim zdążyłam odpowiedzieć, dodała:

– Jeśli nic poważnego nie łączy cię z Jamesem – nie miałam szansy zapytać, jak wpadła na ten pomysł – to dlaczego ignorujesz wszystkich znajomych, żeby z nim być?

Jej otoczone długimi rzęsami brązowe oczy patrzyły na mnie wzrokiem mojej starej współlokatorki, dziewczyny, która nigdy nie miała chłopaka, dziewczyny, której nikt nie chciał zaprosić na randkę.

– Dobrze – westchnęłam – najwyraźniej nie chodzi tu o mnie.

Zmrużyła oczy.

– Co masz na myśli?

– Przykro mi, że nic się u ciebie nie zmieniło. Przykro mi, że przyjechałaś tak daleko i nadal jesteś samotna. Wciąż ktoś zaprasza cię na randki. Czego się boisz? – zapytałam.

Frankie objęła się ramionami, jakby nagle zrobiło jej się zimno. Dopiero po chwili pełnym napięcia głosem powiedziała:

– Zupełnie nie o to chodzi.

– Naprawdę? – spytałam, tryumfując. – Więc o co? No, powiedz mi.

Jej spojrzenie sprawiło, że opuściła mnie brawura.

– Dobrze – powiedziała. – Uważam, że przeprowadzka do San Francisco to błąd. On znów złamie twoje serce.

Gorąco rozlało się po mojej piersi jak plama. Powiedziałam:

– Chyba zapomniałaś, że mam studia do skończenia.

Jej twarz złagodniała.

– Słuchaj – wybąkała. – Ja tylko...

– Nie, to ty posłuchaj – przerwałam jej. – Wracam do San Francisco, ponieważ teraz tam jest mój dom. Nie masz takiej rodziny jak moja. Nie rozumiesz.

– Przyznajesz więc, że uciekasz – odparła podniesionym głosem.

Uderzyłam dłonią w stół. Pudełko spinaczy spadło na podłogę.

– A czy ty nie robisz tego samego? Czy nie dlatego tu się znalazłaś, po drugiej stronie kuli ziemskiej? Uciec od wszystkich, którzy wiedzą, że byłaś gruba?

Nagłym ruchem schyliła się i zaczęła zbierać spinacze, jeden po drugim.

– Frankie – powiedziałam, ale nie wstawała.

Choć Frankie była ze znajdującego się o trzy godziny drogi od Stanford Fresno, widziałam jej dom tylko raz, kiedy odwiedziłyśmy jej matkę po drodze do Los Angeles, gdzie miałyśmy spędzić przerwę wiosenną. Mama Frankie była wysoka i otyła. Pod luźną bawełnianą sukienką była miękka i obwisła, jak niegdyś jej córka. Podała nam tosty z serem z krojonego białego chleba i zupę pomidorową z puszki. Po niecałej godzinie Frankie powiedziała, że musimy jechać, żeby uniknąć korków, a jej mama obdarowała nas na drogę torbą słodkich pianek i szerokim uśmiechem. W samochodzie Frankie powiedziała cicho:

– Dzięki. Przykro mi, że musiałyśmy to zrobić.

– Proszę bardzo – odparłam wesoło niepewna, co jeszcze mogłabym dodać.

Wiedziałam, że musiałam się wydawać Frankie rozpieszczoną, infaltylną dziewczyną, która nie doceniała swojej rodziny ani przyjaciół.

Frankie wyprostowała się i położyła garść spinaczy na biurku. Opuściła dłoń na udo w geście przygnębienia.

– Chyba obie uciekamy – stwierdziła.

Chciałam powiedzieć, że byłam większą hipokrytką niż ona – to przynajmniej mogłam jej przyznać. Ale zamknęła oczy, oparła głowę o oparcie krzesła i spytała:

– Naprawdę potrafisz sobie wyobrazić, że spędzasz resztę życia w San Francisco?

Właśnie miałam odpowiedzieć, lecz ona ciągnęła dalej:

– Bo czasem myślę, że ja mogłabym zostać tutaj na zawsze.

Zaskoczył mnie poważny ton tego wyznania. Całe dorosłe życie spodziewałam się, że osiądę w Ameryce, a jednak wyznanie Frankie sprawiło, że sama w to zwątpiłam. Nie mogłam sobie przypomnieć chwili, kiedy rzeczywiście podjęłam decyzję – a może po prostu zawsze to wiedziałam? Po raz pierwszy to rozróżnienie miało dla mnie znaczenie.

– Naprawdę? – spytałam. – Tu? W klaustrofobicznym Singapurze?

– Czy to nie szalone? Nie mogę pogodzić się z tym, jak niedorzecznie to brzmi – powiedziała.

Była połowa września i za oknem, wzdłuż tych korytarzy, prawdopodobnie również i w tym pokoju, wałęsały się głodne duchy, zamieniające nasz ziemski świat w swój wielki plac zabaw.

Niedługo festiwal się skończy. Duchy wrócą do podziemi, gdzie pozostaną, zaniedbane przez swoich potomków, aż do następnego roku. Nie wierzyłam w duchy, nie wierzyłam w życie po śmierci, a jednak wyobrażałam sobie, że szczupły, ubrany w koszulę z krótkim rękawem i krawat Ahkong unosi się między nami. Jego synowie nie rozmawiali ze sobą, jego wnuk nie chciał się przyznać do błędów, jego wnuczka raz jeszcze gotowała się do ucieczki. W międzyczasie chowała się, ukrywała i spoglądała w przeciwnym kierunku, mając nadzieję, że odwracając wzrok od problemów, zdoła uwolnić się od odpowiedzialności.

ROZDZIAŁ 12

❖

Pewnego wieczora, niedługo po tym jak rozpoczęłam starania o uczestnictwo w targach żywności, James powiedział, że jest zbyt zmęczony, żeby się ze mną zobaczyć, więc zostałam w domu. Poszłam do łazienki rodziców w poszukiwaniu plastra, sięgnęłam po kubek do mycia zębów mojej matki, żeby napić się wody, i poczułam zapach ginu.

Próbowała mi wmówić, że przesadzam. Wypiła tylko kilka łyków. Potrzebowała tego, żeby zasnąć. Źle interpretowałam to, co odkryłam.

Każda z jej wymówek sprawiała, że nogi się pode mną uginały. Czułam, że moja głowa jest zbyt ciężka – prawie straciłam równowagę. Odwróciłam się do taty, ale on był równie zaskoczony jak ja.

Mama wyprostowała ramiona.

– Jeden mały błąd nie może przekreślić całego postępu, który zrobiłam. Radzę sobie coraz lepiej, oboje to mówiliście.

Minęłam ją i zaczęłam otwierać drzwi szafek z lekami.

– Co ty sobie wyobrażasz? – zapytała oburzona.

Wbiegłam do łazienki, otwierając kolejne szafki i szuflady, a potem poszłam do sypialni zrobić to samo.

– Przestań! – krzyczała. – Przestań natychmiast!

Zrezygnowany ojciec trzymał się o krok za nią.

Wszędzie były butelki, niektóre puste, niektóre nie – ukryte między kremami do twarzy i maściami, schowane w pudełkach po butach, owinięte w jedwabne szaliki.

– Wszystko przez was – uznała mama. – Sami mnie do tego zmusiliście.

Wciągnęłam ojca do pokoju.

– Proszę – powiedziałam. – Musimy to zrobić.

Tata zamknął oczy i potrząsnął głową tak mocno, że niemal zadrżał, po czym szepnął:

– Dobrze.

Jego kapitulacja była tak nagła i bezwarunkowa, że jeśli miałam wcześniej jakiekolwiek wątpliwości, to teraz wiedziałam już na pewno, że cała nasza trójka jest zgubiona.

Później nie mogłam przestać myśleć o serii wydarzeń, które sprawiły, że trafiłam do łazienki mamy – maszynka do golenia, która wyślizgnęła mi się z namydlonych palców, puste pudełko po plastrach w mojej szufladzie. Czy to rzeczywiście pragnienie, czy znajome mrowienie w nosie spowodowało, że sięgnęłam po kubek?

Centrum odwykowe Światło Życia znajdowało się w północnej części wyspy. Przez całą drogę mama zachowywała się bez zarzutu. Była spokojna.

Argumentowała, że zasługuje na kolejną szansę.

– Widzieliście statystyki. Takie rzeczy rzadko działają za pierwszym razem.

Im bardziej sensownie mówiła, tym bardziej rosło we mnie napięcie.

Kiedy znaleźliśmy się w centrum, zobaczyliśmy grupkę malowniczych domów na wolnym powietrzu w stylu Bali, wysadzanych krzewami hibiskusa, na których kwitły ogromne kwiaty wielkości talerzy. Mama, chcąc pokazać, jak bardzo jest rozsądna, pozwoliła się przebadać lekarzowi, a ja i tata spotkaliśmy się z dyrektorem centrum, długowłosym, mocno opalonym Australijczykiem, który wyglądał raczej na instruktora surfingu albo organizatora spływów po rwących rzekach. Powiedział nam, że fundacja Światło Życia praktykuje dwunastostopniowy program z „holistycznym, świeckim pazurem".

– Jesteśmy tu, by pomóc naszym klientom osiągnąć swoje cele, cokolwiek to może znaczyć – powiedział.

Na twarzy mojego ojca pojawiło się lekkie przerażenie.

Dyrektor ciągnął dalej:

– Celem klienta może być całkowita abstynencja. Może być nim picie z umiarem. Nie mamy twardych i ścisłych zasad.

Powiedział inne rzeczy, których nie zrozumiałam – jak zahipnotyzowana śledziłam ruch jego ust i zębów. W przeciwieństwie do taty, czułam się dziwnie spokojna. Najważniejsze było to, że mama z dala od domu i swoich skrytek będzie w rękach ludzi bardziej kompetentnych ode mnie.

– Co zrobić, żeby ją do państwa zapisać? – spytałam.

Po spotkaniu poszliśmy zobaczyć się z mamą. Stała, podparłszy się pod boki, z podniesioną głową, w małej sypialni, która miała być jej mieszkaniem przez następnych dwadzieścia jeden dni. Ubrano ją w za duży szlafrok w stylu spa z logo Światła Życia wyszytym na prawej piersi. Na drobnym ciele mamy napis dziwacznie leżał na wysokości przepony, a rąbek szlafroka znajdował się na wysokości kostek.

– To wszystko jest absurdalne. Zabierzcie mnie do domu.

Wiedziała, że nie zostawimy jej tu wbrew jej woli.

Czekałam, aż mój ojciec powie coś mądrego i uspokajającego, ale udało mu się tylko wykrztusić:

– Przepraszam, Ling.

Opuścił ręce i zwiesił głowę. Wśród jego rzedniejących srebrnych włosów zauważyłam kawałek różowej skóry.

– Proszę, mamo, spróbuj – powiedziałam. – Wszyscy potrzebujemy pomocy.

Szturchnęłam ojca, próbując go skłonić, by mnie wsparł.

– Nie wiem, co zrobić. Ling, powiedz mi, co chcesz, żebym zrobił – powiedział.

Stała jak słup soli w swoim zbyt obszernym szlafroku. Kiedy zrobiła wydech, jej ciało skurczyło się, jakby nie chciało mieć z nami nic wspólnego. Później wyszła na maleńki balkon, na którym mieściło się jedynie drewniane składane krzesło.

– Kochamy cię – szepnęłam. – Odwiedzimy cię jutro.

Zrobiłam krok w przód, żeby przytulić matkę, ale zasunęła drzwi balkonu i nie obejrzała się się w tył.

Nie wiem, jak długo staliśmy tam z ojcem, czekając, aż mama zwróci na nas uwagę. Kiedy w końcu spojrzałam na niego, wyglądał na tak zbolałego, że czułam, iż muszę go natychmiast stąd zabrać.

– Potrzebuje spędzić trochę czasu w samotności. Jutro będzie lepszy dzień – powiedziałam.

Chwyciłam go za dłoń, żeby go wyprowadzić z pokoju, a on ścisnął mocno moje palce.

W tym pierwszym tygodniu z tatą odwiedzaliśmy mamę każdego dnia po pracy. Próbowaliśmy skłonić ją do rozmowy z nami, opowiadając o tym, co się działo w Lin's, ale ignorowała nas, a niekiedy nawet wychodziła z pokoju.

Później szliśmy z tatą przez wąską ścieżkę z kamiennych płyt na parking, po czym ja wsiadałam do swojego samochodu, on do swojego i każde jechało w swoją stronę.

Tata tylko raz zapytał, dokąd jadę.

– Na kolację – odpowiedziałam, a mój puls przyspieszył.

Nigdy nie rozmawiałam z nim o Jamesie.

– Kiedy wrócisz do domu?

Słońce wisiało nisko nad horyzontem, drzewa szumiały poruszane chłodnym wiatrem, ale twarz mnie paliła. Zaczęłam się pocić.

– Jeszcze nie postanowiłam.

Tata utrzymał swoje szybkie tempo, a ja nigdy nie czułam się tak szczęśliwa, widząc swój samochód.

– To mój – powiedziałam głupio.

Nacisnęłam przycisk na kluczu, żeby otworzyć drzwi, i samochód wydał z siebie radosny pisk.

Tata zatrzymał się, blokując mi przejście do fotela kierowcy.

– Nigdy nie jest się za starym na podejmowanie głupich decyzji – powiedział. – Słuchaj, to ja postanowiłem zabrać tutaj mamę.

Wydawało się, że znów udało mi się uniknąć o włos rozmowy o Jamesie.

– Spokojnie, tato. Powiedzieli nam przecież, że najgorsze będą pierwsze dni.

Zrobił kilka kroków w tył, zwalniając mi wystarczająco dużo miejsca, żebym się przecisnęła.

– Chcę, żebyś wiedziała, że cię nie obwiniam. To moja wina, że cię posłuchałem.

Nie próbowałam się bronić. Nawet się nie ruszałam.

– Chcesz, żebym wróciła do domu?

Już odchodził.

– To znaczy w tej chwili? – zawołałam za nim.

Obejrzał się. Nie mogłam odczytać wyrazu jego twarzy.

– Rób, co chcesz – powiedział. – To, co ja myślę, i tak nie ma znaczenia.

Później odwiedzaliśmy mamę na zmianę.

Co drugi dzień wyjeżdżałam z firmy punktualnie o piątej, żeby pojawić się w centrum w godzinach odwiedzin. Często zastawałam matkę czytającą w swoim pokoju przy otwartych drzwiach balkonowych. Brałam to za dobry znak, nawet jeśli nie chciała spojrzeć na mnie znad książki. Siadałam naprzeciwko niej na składanym krześle i otwierałam czasopismo – przez większość czasu próbowałam skłonić ją, by nawiązała ze mną kontakt wzrokowy, nie mogąc się nadziwić, ile energii poświęca temu, by tak całkowicie się ode mnie oddzielić.

Jej terapeuta zapewnił mnie, że to normalne zachowanie. Oczywiście z początku matka mogła czuć się zła, zdradzona. Terapeuta kazał mi wyobrazić sobie, że w moim kierunku zmierza fala. To było pragnienie picia. W momencie kiedy fala jest najwyższa, masz pewność, że zwali cię z nóg, pochłonie cię, sprawi, że utoniesz. Ale jeśli zbierzesz się w sobie i stawisz jej czoła, pokonasz ją. Wydostaniesz się z niej po drugiej stronie.

– Spróbuj zrozumieć, przez co przechodzi twoja matka – mówił.

Rozumiałam tyle, że w miarę jak mama próbowała wyeliminować alkohol ze swojego życia, ja piłam więcej niż kiedykolwiek. Stałam się niemal elementem wystroju w Chaplin's, gdzie wychylałam jedną wódkę z tonikiem po drugiej, czekając, aż James oddzwoni, i wymyślając wymówki, by unikać przyjaciół.

– Kiepsko wyglądasz – powiedziała Kat, kiedy wreszcie zgodziłam się zjeść z nią kolację we włoskiej restauracji niedaleko jej biura. – To znaczy wiem, że znalazłaś się w trudnej sytuacji i trudno ci o siebie zadbać.

Uniosłam dłoń do przetłuszczonych, nieumytych włosów. Nie widziałam potrzeby, by się stroić, jeśli nie miałam zobaczyć się z Jamesem. Przycisnęłam opuszki palców do powiek i przez moment cieszyłam się ciemnością.

– Dzięki. Zastanawiasz się, dlaczego nie chcę spotykać się z ludźmi?

– Doskonale wiem, dlaczego jesteś zbyt zajęta, by się z kimkolwiek spotykać – powiedziała ostrym jak brzytwa głosem.

Wbiła widelec w górę makaronu linguine i zakręciła nim.

– Kat – powiedziałam. – Naprawdę nie potrzebuję teraz porad miłosnych.

Skończyła żuć.

– Mówiłam o twojej matce.

Obie wiedziałyśmy, że kłamała.

– Ale skoro już o tym wspomniałaś – powiedziałam – właśnie zapisaliśmy moją matkę do kliniki odwykowej i przestała się do nas odzywać.

Nie byłam do końca pewna, dlaczego wybrałam właśnie tę chwilę, żeby podzielić się z nią tą wiadomością, ani dlaczego mój głos był pełen jadu.

Kat zakryła usta dłonią.

– Gretch, przykro mi. Jak się z tatą trzymacie?

Zapewniłam ją, że dobrze sobie radzę i że o ile wiem, tata też sobie dobrze radzi. Wszyscy sobie dobrze radzą.

Odłożyła widelec.

– Dlaczego nie możemy normalnie porozmawiać?

Odepchnęłam talerz, straciwszy zupełnie apetyt.

– Jak mogę ci cokolwiek mówić, skoro wciąż mnie oceniasz?

– Nie mogę już okazać troski?

Zirytowałam się:

– Dlaczego po prostu tego nie powiesz? Sądzisz, że jestem złą córką. Myślisz, że wybieram mężczyzn, którzy traktują mnie jak szmatę.

– Martwię się o ciebie – powiedziała spokojnie. – Nie jesteś złą córką.

– Wyobrażasz sobie, jak to jest stracić męża?

– Próbuję to zrozumieć. Pomóż mi zrozumieć – poprosiła.

Jak mogłam jej wytłumaczyć, że chociaż Paul mnie zdradził i zostawił, pozwoliłabym mu wrócić? Jak mogłabym jej wyjaśnić, dlaczego trzymam się Jamesa? Jak mogłabym powiedzieć to wszystko Kat i spodziewać się, że poczuje cokolwiek poza litością?

Szybko zjadłyśmy i zapłaciłyśmy rachunek.

– Zadzwoń, kiedy będziesz gotowa na rozmowę – rzekła Kat.

Nic nie odpowiedziałam.

Po powrocie do domu rodziców rozcięłam karton z książkami do przeczytania przed rozpoczynającym się w styczniu semestrem, w którym miałam pisać pracę dyplomową. Wysłałam moim przyjaciółkom z konserwatorium – Marie, Andrei i Jenny – ten sam pogodny e-mail, odzywając się do nich po raz pierwszy od opuszczenia San Francisco. Zważywszy na delikatny stan mamy, odłożyłam planowanie podróży na targi. Wciąż jednak przeszukiwałam internetowe ogłoszenia, próbując znaleźć małe mieszkanie lub kawalerkę z dobrym oświetleniem, drewnianymi podłogami i kuchenką gazową. I choć podskakiwałam za każdym razem, kiedy dzwonił James, spędzałam coraz więcej czasu, myśląc o Paulu. Wyobrażałam sobie, jak wpadamy na siebie przed kawiarnią w naszej starej okolicy albo przed naszą ulubioną taquerią w Mission, albo po prostu na jednej z ulic naszego miasta.

– Nie wiedziałem, że wróciłaś – powiedziałby, podchodząc do mnie z otwartymi ramionami.

Odparłabym chłodno:

– Nie miałeś skąd.

Nocami leżałam w łóżku, nie mogąc spać, i myślałam o wszystkim, co musiałam zrobić przed wyjazdem z Singapuru, oraz tym, co czekało mnie w San Francisco. Podczas naprawdę bezsennych nocy sięgałam do szafki nocnej, ustawiałam metronom na czterdzieści uderzeń na minutę – najwolniej, jak się dało – i liczyłam jego spokojne kliknięcia. Kiedy igła ruszała, wystarczyło tylko trzymać tempo.

W połowie drugiego tygodnia pobytu mamy w centrum odwykowym poprosiłam Frankie, by pojechała ze mną ją odwiedzić. Nie mogłam znieść tego, że będę musiała spędzić kolejny wieczór na wpatrywaniu się w kamienną twarz mamy albo w powoli rosnący za odległymi drzewami kompleks domów. Piłam kolejne kubki rozwodnionej herbaty Lipton z wielkiego termosu znajdującego się w poczekalni. Byłam zdesperowana. Frankie spotkała się z mamą kilkakrotnie w ciągu naszej znajomości i zawsze nieźle się dogadywały.

– Gretch – powiedziała Frankie – nie miałam pojęcia.

Poczułam przypływ czułości dla Kat, która zatrzymała wieści dla siebie.

– Pojedziesz więc ze mną?

Być może Frankie uznała moje zaproszenie za gest dobrej woli, a może po prostu było jej mnie żal. Tak czy inaczej, zgodziła się mi towarzyszyć.

Po pracy pojechałyśmy autostradą Bukit Timah, mijając parki i rezerwaty znajdujące się w wewnętrznej części wyspy. Na wschód od fabryki, przy zachodnim krańcu centralnej dzielnicy biznesowej, zieleń była niemal oślepiająco bujna. Kiedy wysiadłyśmy z samochodu, powietrze było zadziwiająco spokojne, nieskażone warczeniem silników, dzwonieniem telefonów i cichym elektrycznym buczeniem, które stanowiło nieodłączną część krajobrazu miasta.

Gdy wpisywałam nasze nazwiska na liście gości, recepcjonistka, młoda Malajka we fioletowej chuście w kwiaty na głowie, spojrzała na Frankie z zainteresowaniem:

– Jest pani z USA?

Frankie schyliła głowę i wymamrotała:

– Tak.

Wiedziała, że powinna być ostrożna.

– Z której części? – nie ustępowała recepcjonistka. – Z Nowego Jorku?

Mijałam tę kobietę przynajmniej tuzin razy. Choć nigdy nie była niemiła, nigdy też się do mnie nie odezwała.

– Z Kalifornii – powiedziała Frankie.

Recepcjonistka pokiwała głową ze zrozumieniem, jakby miała to być jej druga odpowiedź.

– Jak miło. Słyszałam, że jest tam ładnie.

Pracownicy w Lin's przyzwyczaili się już do Frankie i zapomniałam, że w innych miejscach codziennie zwraca na siebie uwagę. W całym Singapurze sklepikarze, ochroniarze i kierowcy taksówek przypatrywali jej się z zainteresowaniem. Niemal pół wieku po uwolnieniu się spod brytyjskiej władzy kolonialnej utrzymująca się fascynacja naszego narodu Zachodem wciąż nadal dawała się zauważyć – z ogromnych billboardów spoglądały na nas białe modelki, prezenterzy telewizyjni próbowali naśladować brytyjski akcent, a z lotnisk odlatywały samoloty wypełnione studentami udającymi się na zagraniczne uniwersytety. Pewnego razu na przystanku autobusowym grupa nastoletnich dziewcząt spytała, czy Frankie to nie pewna australijska aktorka. Kiedy Frankie zaczerwieniła się i potrząsnęła głową, oddaliły się i zaczęły chichotać. Nic podobnego nie przytrafiło mi się w San Francisco, gdzie cieszyłam się raczej z tego, że dobrze wpasowałam się w otoczenie.

Teraz prowadziłam Frankie korytarzem do pokoju matki.

– Nie bądź zaskoczona, jeśli się wścieknie.

Frankie zapewniła mnie, że jest na to gotowa.

Mama stała na balkonie tyłem do nas i czytała. Kiedy się odwróciła, książka wypadła jej z rąk.

– Mamo, przyprowadziłam przyjaciółkę.

Mama podbiegła w naszym kierunku.

– Frankie Shepherd – powiedziała. – Wyglądasz olśniewająco.

Nie mogłam uwierzyć, że mówiła, nawet jeśli nie bezpośrednio do mnie. Później, po raz pierwszy od ranka kiedy zostawiłyśmy ją w tym pokoju, mama spojrzała wprost na mnie i powiedziała:

– Dlaczego mnie nie uprzedziłaś, że przyprowadzisz Frankie? Uszykowałabym się.

Uniosła dłoń w kierunku umalowanej twarzy, subtelnie przyróżowionych policzków i pociągniętych kredką brwiach. Pokój był nienagannie czysty, a jedynie odkryty róg białego bawełnianego koca na pojedynczym łóżku zdradzał, że był zamieszkany.

Chciałam objąć mamę, a potem Frankie, która już pochyliła się, by się z nią przywitać.

– Jak dobrze panią widzieć, pani Lin.

– Po co ta formalność, lah – powiedziała mama. Mówiła w singlish tylko do osób, które wiedziały, że żartuje. – Mów mi Ling. Albo, skoro jesteś teraz Singapurką, ciociu Ling.

– Ciociu Ling – powtórzyła Frankie.

Mama usiadła na brzegu łóżka i wskazała na krzesło.

– Siadaj – powiedziała do Frankie. – Dobrze cię widzieć po tych wszystkich latach, nawet w tych niefortunnych okolicznościach.

Frankie wyjrzała przez przesuwane drzwi balkonu.

– Cóż to za piękny widok!

– Prawdziwy Ritz-Carlton. Mój mąż i córka nie wysłaliby mnie w drugorzędne miejsce.

Zdrętwiałam, nie potrafiąc wyczuć, czy mówi złośliwie, ale potem mama dodała:

– Podobno jak na tego typu miejsca nie jest tu tak źle. W każdym razie tak mi mówią.

Zaczęły mnie szczypać oczy. Nie mogłam powstrzymać wzruszenia.

Matka zwróciła się do Frankie:

– Jak ci się tym razem podoba Singapur? Przepraszam, że nie udało nam się z tobą spotkać, kiedy ostatnio przyjechałaś. I jak ci się pracuje w Lin's? Pojawiłaś się w bardzo interesującym momencie.

Kiedy Frankie zaczęła jej opowiadać o pracy, poszłam przynieść nam herbatę.

Stojąc w korytarzu, zajrzałam do przestronnego pomieszczenia z wysokim sufitem, gdzie pół tuzina kobiet i jeden starszy mężczyzna z brzuszkiem usiłowali ułożyć swoje zesztywniałe, tłuste ciała w jedną z podstawowych pozycji jogi. Instruktorka była młoda i miała krótkie włosy ostrzyżone na jeża. Emanowała takim zdrowiem i witalnością, że jej obecność wśród pacjentów raziła jak dobrze wymierzony policzek. W japońskim ogrodzie przy stawie z rybami chorobliwie chuda dziewczyna o posiniaczonych ramionach rzucała kawałki chleba wielkiemu pomarańczowemu karpiowi, a siwiejąca para w średnim wieku – jej rodzice? – przyglądała się jej. Niektórzy z tych pacjentów zostawali w ośrodku na rok. Moja matka była już po połowie swojego trzytygodniowego pobytu. Nie potrzebowałam rozmowy z jej terapeutą, by wiedzieć, że nawroty były częste. Wcześniej powiedział mi, że sam dwukrotnie wracał do nałogu, zanim udało mu się wreszcie pozostać trzeźwym. Z dumą oznajmił mi, że w następnym miesiącu wypadną jego dziesiąte „trzeźwe urodziny".

Przez korytarz przechodzili ludzie wyglądający na zawiedzionych, o złamanych sercach – te uczucia łączyły te przestronne pokoje, a jednak wszyscy ci ludzie wciąż się rozciągali, wysilali i robili wszystko, co w ich mocy, by wyzdrowieć. Aksamitny głos ulubionej prowadzącej talk-show w Ameryce dotarł do moich uszu:

– Poprawi ci się, ponieważ jesteś tutaj.

Gdyby wszystko było takie proste...

Wróciłam do pokoju z trzema kubeczkami herbaty na plastikowej tacce.

Matka wymieniała gwiazdy filmowe, próbując dowiedzieć się, z kim chciałaby się spotykać Frankie.

– Brad Pitt – mówiła. – Colin Firth. Mark Ruffalo. I ten młody, jak on się nazywa? Adrian Grenier. Widzę cię z kimś takim jak on.

Frankie zachichotała i potrząsnęła głową.

Podałam im herbatę – podziękowały mi z nieobecnym wyrazem twarzy.

– Z żadnym z nich? – spytała mama z niedowierzaniem.

Kiedy wyraziłam podziw dla jej znajomości słynnych hollywoodzkich aktorów, mama przypomniała mi, że spędziła niemal trzy dekady w otoczeniu studentów pierwszych lat. W rzeczy samej, zdobywała wyróżnienia za wybitną pracę dydaktyczną przez tak wiele lat z rzędu, że jej koledzy żartowali, iż administracja uczelni powinna wpisać jej pieniądze z nagrody na stałe do pensji i zrezygnować z corocznego ogłaszania wyników. Teraz myślałam o jej studentach, rekrutujących się spośród tych, których wyniki egzaminów były zbyt niskie, by dostali się na prawo, i zbyt biednych, by wyjechać za granicę. Jakże musieli tęsknić za moją matką.

Mama przeniosła uwagę z powrotem na Frankie.

– Nie ma nikogo wyjątkowego? Trudno mi w to uwierzyć.

– W tym właśnie problem – powiedziała Frankie, unosząc ręce. – Prawie wcale nie chodziłam na randki. Nie wiem, od czego zacząć.

Mama zasznurowała usta, a Frankie kontynuowała.

– Z każdym rokiem jest coraz gorzej. Niedługo będę trzydziestojednolatką, potem trzydziestodwulatką, a potem czterdziestolatką, która nigdy nie miała chłopaka! Nienawidzę pierwszych randek. Kiedy mówię prawdę o moich wcześniejszych związkach, a raczej ich braku, faceci zawsze patrzą na mnie jak na wariatkę.

Mówiła mi to wszystko już wcześniej, a ja nigdy nie wiedziałam, co odpowiedzieć, po raz kolejny zapewniając ją: „Musisz tylko poznać właściwego faceta. On zrozumie".

Mama wzięła Frankie za rękę.

– Po pierwsze – powiedziała – wszyscy nienawidzą pierwszych randek.

Mówiła z takim przekonaniem, że na moment zapomniałam, jak wiele dekad minęło od jej ostatniej pierwszej randki. Ciągnęła dalej:

– Jeśli twoim jedynym problemem jest brak doświadczenia, to, na Boga, po prostu skłam.

Przez chwilę milczałyśmy zaskoczone, a potem obie z Frankie roześmiałyśmy się serdecznie.

Mama wyglądała na zadowoloną.

– Albo jeszcze lepiej – dodała. – Powiedz tym wścibskim facetom, że to nie ich sprawa. Pozwól im myśleć, że twoja przeszłość jest bardziej burzliwa, niż była w rzeczywistości.

Frankie spoważniała.

– Masz rację. To świetna strategia.

Mama ścisnęła dłoń Frankie, a we mnie zaczęło się gotować. Tyle chciałam przedyskutować z moją matką, miałam tyle pytań. Czy gdyby nasze relacje były inne, gdybym zawsze mówiła mamie prawdę i była tak otwarta, jak ona zawsze próbowała być wobec mnie, potrafiłaby mi przekazać jakieś wielkie mądrości?

Pod koniec odwiedzin mama wzięła Frankie w ramiona i powiedziała, że może ją odwiedzać, kiedy chce. Później wyciągnęła ramiona do mnie, a ja przytuliłam ją z całej siły – tak mocno, że roześmiała się i powiedziała:

– Przecież zobaczymy się pojutrze.

W poczekalni chwyciłam Frankie za ręce.

– Dziękuję. Nie widziałam cię tak szczęśliwej od długiego czasu.

– Dziękuję, że mnie ze sobą zabrałaś – powiedziała. – Dzięki cioci Ling może wreszcie uda mi się kogoś spotkać.

Rozwiązała kucyk i rozpuściła włosy, a ja zapytałam, dokąd idzie tego wieczora.

– Idę na drinka z kilkoma dziewczynami, które poznałam na basenie przy moim bloku. Chcesz się przyłączyć?

– Dziś nie mogę – odpowiedziałam, zupełnie jak gdybym zazwyczaj zgadzała się na jej propozycje.

– To może następnym razem – odparła.

Recepcjonistka w purpurowej chuście w kwiaty pomachała nam, kiedy przechodziłyśmy przez próg.

Kiedy objęłyśmy się na do widzenia na parkingu, Frankie powiedziała:

– Dobrej zabawy z Jamesem.

Coś w jej tonie domagało się odpowiedzi, ale nie udzieliłam jej. Choć byłam bardzo wdzięczna Frankie za jej wsparcie tego wieczora, nie musiałam jej uzasadniać swoich decyzji.

Byłam już w samochodzie, kiedy spostrzegłam, że zostawiłam komórkę w pokoju mamy. Pobiegłam z powrotem do centrum i, ku mojemu zaskoczeniu, zastałam matkę w łóżku przykrytą aż po brodę.

– Co tu robisz?

Próbowała się podnieść.

– Dobrze się czujesz? Mam zawołać pielęgniarkę? Czy powinnam zostać?

Zabrałam telefon z szafki nocnej i wrzuciłam do torebki.

– Bzdura. Oczywiście, że nie. – Przetrzepała poduszkę i podłożyła ją sobie pod krzyż.

Spojrzałam na drzwi, a zaraz potem poczułam się winna. Zrobiłam krok w jej stronę.

– Przykro mi, że musiało się to stać w taki sposób – powiedziałam.

Odsunęła kołdrę.

– Nie ułatwiałam ci tego.

– Jesteś pewna, że wszystko w porządku?

Nie mogłam ująć w słowa tego, czego naprawdę chciałam się dowiedzieć.

Zignorowała moje pytanie, zadając własne:

– Co to za wycieczkę planujesz?

Całkowicie zdrętwiałam.

– Frankie ci powiedziała?

Mama kiwnęła głową, a ja zastanawiałam się, czy Frankie podzieliła się z nią również przemyśleniami na temat Paula.

– Nie przejmuj się – powiedziałam. – Nigdzie się nie wybieram. Nie, dopóki tu jesteś.

Mama przywołała mnie ruchem doskonale wymanikiurowanego paznokcia.

– Posłuchaj mnie. Znajdź sobie mieszkanie w San Francisco. Wróć tam i żyj własnym życiem.

Zrobiłam krok w tył i uderzyłam biodrem w składane krzesło.

Oczy matki zabłysły.

– Zmarnowałaś tu wystarczająco dużo czasu.

– Mamo – zaoponowałam – najpierw musisz wyzdrowieć.

– Mówię ci, wracaj.

Siedząc w tym śnieżnobiałym łóżku, wyglądała na spokojną, racjonalnie myślącą i całkowicie panującą nad sytuacją.

Gdzieś na zewnątrz jeden z pracowników zadzwonił dzwonkiem, sygnalizując zakończenie pory odwiedzin.

– Porozmawiamy o tym innym razem – powiedziałam. Zmarszczyła brwi i spojrzała na mnie przeszywająco. Ale kiedy pochyliłam się, by ją pocałować, nadstawiła policzek i również mnie pocałowała, odciskając mi na policzku delikatny ślad szminki, który zauważyłam dopiero później.

Drzwi mieszkania Jamesa były otwarte.

– Wejdź! – zawołał z kuchni.

Oczywiście wiedziałam, że lubi gotować – wychował się w rodzinnych restauracjach. Mimo to kiedy wspomniał wcześniej, że ma ochotę zrobić kolację, serce podskoczyło mi w piersi. Dlaczego teraz? Po co te wszystkie starania teraz, kiedy zaczęłam się przyzwyczajać do jego niefrasobliwego podejścia do naszych randek?

Znalazłam Jamesa stojącego przed lśniącą, przemysłowej wielkości kuchenką, trzymającego wielką miedzianą patelnię, do której wrzucił garść posiekanego czosnku – kawałeczki były lekkie i drobne jak weselne konfetti. Czosnek wylądował w oleju ze skwierczeniem, a w powietrzu uniósł się wonny dym. James odwachlował go od wykrywacza dymu rękawicą kuchenną.

Poczekałam, aż przestanie machać rękami, a potem zmniejszyłam dystans między nami. Był typem faceta, który zawsze pachniał czystością, nawet kiedy pocił się nad patelnią pełną czosnku. Polizałam śliską skórę jego szyi, a on spojrzał na mnie zaskoczony, a potem pozwolił cmoknąć się w usta.

Zaplanował sałatkę z kopru włoskiego i pomarańczy, makaron orecchiette z jarmużem i włoską kiełbasą oraz lody czekoladowe na deser. Opisał ostatnie danie z pewnym zakłopotaniem – lody kupił w sklepie. Uznałam to za tak urocze, że wyciągnęłam rękę i uszczypnęłam go w tyłek, w wyniku czego zostałam natychmiast wygnana z kuchni.

Poczułam na bosych stopach gładki, zimny parkiet. Nalałam sobie kieliszek pinot noir z delikatnie schłodzonej butelki, a potem uiadłam w obszernym kremowym skórzanym fotelu. Z tego punktu widokowego obserwowałam, jak James umiejętnie sieka, podrzuca i odwraca składniki.

W ciągu całego mojego dzieciństwa to ojciec odpowiadał za przygotowanie niedzielnego obiadu – był to jedyny dzień, kiedy nasza służąca miała wolne. Sadzał mnie na blacie, wystarczająco daleko od gorących naczyń, by nie kapnął na mnie sos, ale też wystarczająco blisko, żeby mógł sięgnąć i dać mi posmakować jedzenia z szerokiej drewnianej miski. Kiedy przygotował moją ulubioną zupę bak kut teh – aromatyczne, pikantne danie z soczystymi żeberkami wieprzowymi i wielkimi grzybami shitake – zawsze pozwalał mi spróbować wywaru. Nauczył mnie, żebym głośno siorbała przy jego piciu, by nie oparzyć języka. Nauczył mnie rozpoznawać ciepło cynamonu, cierpki smak skórki pomarańczowej i delikatny lukrecjowy smak gwiazdek anyżu. Co najważniejsze, tata nauczył mnie doceniać to, jak kropla sosu sojowego Lin's rozjaśnia każdy z tych smaków, jednocześnie spajając je w pojedynczą, harmonijną całość.

Wcześniej tego samego roku, przed katastrofą wywołaną przez mojego kuzyna, podczas pierwszej próby przejścia na emeryturę, ojciec mówił o tym, że chętnie zapisał się na lekcje kuchni francuskiej. Zawsze nosił się z pomysłem wprowadzenia sosu sojowego do kuchni zachodniej. W końcu prawdziwy sos sojowy jest znacznie bardziej złożony i ma bogatszy smak niż zwykła sól kuchenna. Jednakże ostatnimi czasy, kiedy służąca miała wolne, tata jadał w restauracjach albo kupował gotowe dania w sklepie spożywczym. Pracował teraz więcej niż kiedykolwiek – kto wie, kiedy znów będzie miał okazję gotować?

James uwijał się w kuchni – mięśnie jego pleców i ramion wyraźnie rysowały się pod cienkim T-shirtem. Pozwoliłam sobie pomarzyć, że tak wygląda moje życie – wracam po dniu spędzonym w biurze do domu, w którym czekają przystojny mężczyzna, kieliszek szampana i domowa kolacja, a moja rodzina mieszka niedaleko.

Ale teraz, kiedy miałam błogosławieństwo mamy, wiedziałam, że pojadę na targi, i musiałam o tym poinformować Jamesa. Nie miałam pojęcia, co powiem, jeśli spyta, czy planuję zobaczyć się z Paulem.

– Jak w pracy? – zawołał przez ramię.

Wzięłam głęboki oddech.

– Mówiłam ci już, że w przyszłym tygodniu jadę do San Francisco?

– Tak? Po co?

Opowiedziałam mu o targach.

– Fajnie – powiedział.

Wyszedł z kuchni z dwoma wielkimi miskami.

– Mam nadzieję, że jesteś głodna.

Postawił miski na stole i sięgnął po wino.

– Jest coś warte?

Odwrócił butelkę tak, by móc przeczytać etykietę.

Powiedziałam mu, że jest niezłe, i czekałam na nieuniknione pytanie.

Nalał sobie kieliszek, wbił łyżkę w miskę z sałatką, nałożył sobie duży stosik na talerz i podsunął mi miskę.

– Od wieków tego nie robiłem.

Włożyłam sobie do ust niewielki kęs.

– Przepyszne.

– Tak, niezłe.

Nałożył sobie makaron i zaczął go jeść.

– Przydałaby się jeszcze odrobina soli, nie sądzisz? – spytał, nie zauważając, że wciąż jeszcze skupiałam się na sałatce.

Kiedy wrócił z solniczką, powiedziałam:

– Słuchaj, nie zrobiłam jeszcze planów, ani nic, ale prawdopodobnie zobaczę się z moim byłym.

Spojrzał na mnie bez zrozumienia.

– W San Francisco.

Kiwnął głową.

– To ma sens.

Czekałam, aż powie coś więcej, a kiedy się to nie stało, rzekłam:

– Cieszę się, że ci to nie przeszkadza.

W kącikach jego delikatnie uśmiechniętych ust zauważyłam nutę samozadowolenia.

– Dlaczego by miało?

Przeżułam orecchiette i połknęłam, nawet nie smakując.

– Och, nie wiem – odpowiedziałam. – Większość par... większość ludzi, którzy widują się tak jak my, prawdopodobnie chciałaby porozmawiać o tym, że jedno z nich chce zobaczyć swojego byłego czy swoją byłą.

James patrzył na mnie z rozbawieniem.

– Dobrze. O czym więc chcesz porozmawiać?

– Zapomnij o tym.

Pociągnął łyk wina i otarł usta.

– Nie, naprawdę, porozmawiajmy o tym.

– Lepiej nie. – Roześmiałam się bez przekonania. – Głupio, że sądziłam, iż uznasz to za warte dyskusji.

Jego uśmiech zniknął.

– Nie bawmy się tak. Jeśli chcesz coś powiedzieć, mów. Oboje jesteśmy dorośli.

Puściłam widelec, który zadzwonił o talerz.

– Dorośli? – powtórzyłam. – To nie ja chcę z tobą sypiać każdej nocy, a nie potrafię znieść myśli o związaniu się. To nie ja zachowuję się jak nastoletni chłopiec.

Uniósł obie dłonie.

– Zaraz, Gretchen. To ty wyjeżdżasz w styczniu.

Odwróciłam wzrok, próbując uciszyć głosy w mojej głowie, mówiące, że przecież nie poprosił mnie, bym została. Nie chodzi o to, że zrobiłabym to. Dlaczego to on miał przewagę, skoro to ja miałam wyjechać? Dlaczego to ja próbowałam zrobić z tego związku coś, czym nie jest?

Poziom adrenaliny powoli mi spadał. Zastanawiałam się, co powiedzieć, żeby uratować wieczór. Makaron zaczął się sklejać na talerzu, nabierając szarego odcienia. Nabiłam kęs na widelec i powiedziałam:

– Mmmm.

– Gretchen... – zaczął.

– Tak? – spytałam z nadzieją.

– Nie wiem, czego ode mnie chcesz.

– Przepraszam, że cokolwiek mówiłam. Po prostu cieszmy się tą wspaniałą kolacją, którą przygotowałeś.

Potrząsnął głową.

– Może najlepiej będzie, jak sobie pójdziesz.

– W tej chwili?

– W tej chwili.

Czekałam, aż zmieni zdanie, ale kiedy wciąż milczał, odsunęłam fotel, szurając jego nogami o parkiet. Poszłam do salonu po torebkę.

– Więc to tak? Wyrzucasz mnie?

Napełnił kieliszek po brzegi winem, a ja wyobraziłam sobie, że rozlewam resztę pinot noir na jego nieskazitelne meble z kremowej skóry.

Odsunął butelkę tak, żebym nie mogła po nią sięgnąć.

– Najwyraźniej.

– Cóż – powiedziałam. – Dziękuję za przemiły wieczór.

Nie wstawał od stołu.

– Żegnaj, Gretchen – odparł.

❖

ROZDZIAŁ 13

Paul: tylko cię uprzedzam, że będę w SF w przyszłym tygodniu. Świetnie byłoby cię zobaczyć. Tak czy inaczej, mam nadzieję, że wszystko u Ciebie w porządku! Gretch.

Ile czasu spędziłam, rozmyślając nad tymi kilkoma zdaniami, na zastępowaniu ostatniego wykrzyknika kropką, a potem przywracaniu poprzedniej wersji. Starałam się sprawić, by liścik brzmiał swobodnie i radośnie, choć czułam się zupełnie inaczej.

Mijały godziny, a potem dni bez odpowiedzi. Zbliżał się dzień mojego lotu i próbowałam się skupić na przygotowaniach – drukowaniu plakatów, ulotek i wizytówek na targi, umawianiu się na oglądanie mieszkań do wynajęcia, robieniu planów z Marie, Andreą i Jenny.

Im bardziej próbowałam przekonać siebie, że nie czekam na odpowiedź, tym częściej spoglądałam na telefon komórkowy, odświeżałam stronę z pocztą elektroniczną i czytałam ostatnie rozmowy z Paulem, szukając przyczyn jego milczenia. Raz czy dwa łapałam się na tym, że budzę się w nocy i nie mogę zasnąć, nie sprawdziwszy wcześniej jeszcze raz poczty. Nie tylko nic nie przychodziło od Paula, ale nie dostawałam też żadnych innych wiadomości – od Kat, Jamesa ani nawet Frankie.

Wieczorem przed lotem wciąż pracowałam, kiedy odkryłam, że choć Shuting przysięgała, że zrobiła mi rezerwację w hotelu, została ona w jakiś tajemniczy sposób zagubiona. Planowałam odwiedzić mamę w centrum, ale teraz musiałam znaleźć jakiś nocleg w miejscu w pobliżu hali targów.

Frankie wpadła do mojego biura się pożegnać, a kiedy wyjaśniłam, dlaczego jestem taka podenerwowana, powiedziała:

– Chcesz, żebym pojechała do centrum? Zawsze chętnie posiedzę z ciocią Ling.

Dałam jej metronom, który chciałam zawieźć mamie od czasu, kiedy odkryłyśmy nienastrojone pianino w sali do jogi w centrum.

– Musi ćwiczyć, kiedy mnie nie będzie – wyjaśniłam Frankie. – Powiedz jej, że nieważne, jak szybko lub jak wolno gra, najważniejsze, by trzymała się tempa.

Frankie przekrzywiła głowę, uśmiechając się.

– Nie przejmuj się, wszystko będzie tu w porządku.

Zauważyłam, że o niczym podobnym nie zapewniła mnie co do San Francisco.

Kiedy tego samego wieczora pakowałam walizkę w swoim pokoju, usłyszałam pukanie do drzwi. Ojciec stał w progu i z poważnym wyrazem twarzy przypatrywał się, jak składam i rozkładam cienki kardigan w prążki.

– Gotowa na jutro? – spytał.

Powiedziałam, że tak.

– Chcę z tobą porozmawiać.

Czekałam.

– Dobrze robisz, zabierając nasz sos do Ameryki.

– Dzięki, tato – powiedziałam, czując, że w moim brzuchu już wzbiera poczucie winy.

– I myślę, że to wartościowy sposób na spędzenie ostatnich miesięcy pracy w Lin's.

– Zrobię, co będę mogła – zapewniłam.

– To dobrze – rzekł tata, omiatając wzrokiem pokój. – Dobrze.

Miałam nadzieję, że dotarliśmy do końca rozmowy, lecz on odchrząknął i spojrzał na mnie dziwnie.

– Rana to zabawna rzecz – zaczął.

Nie zrozumiałam.

– Co takiego?

– Rana, jak obrażenie, ból, lah – powiedział z niecierpliwością w głosie.

– Ach.

Wydawało się, że ten krótki wybuch sprawił, iż się uspokoił. Powiedział, żebym sobie wyobraziła nóż zatopiony w skórze. Z początku ból jest przeszywający, na tyle silny, by zraniona osoba zupełnie się poddała. Z czasem jednak rana goi się dookoła noża – cierpienie staje się mniej lub bardziej znośne. Więcej bólu spowodowałoby całkowite usunięcie noża i przez to przyspieszenie gojenia się rany.

– Wiesz, o czym mówię, Xiao Xi? – spytał.

Coś w jego tonie spowodowało, że łzy napłynęły mi do oczu.

Powiedziałam mu, że wiem, znów mając nadzieję na zakończenie rozmowy. Pomimo jego prób dotarcia do mnie byłam zbyt odurzona perspektywą podróży, by skupić się na tym, co próbuje mi przekazać.

Zanim wyszedł, powiedział:

– Wiem, że sobie poradzisz.

Znów patrzył na mnie tym samym, spokojnym wzrokiem. Podobnie jak matka, był taki pewny siebie, tak przekonany, że wie, co szykuje mi los.

Jedno popychało mnie, bym wróciła do Ameryki, drugie skłaniało mnie do tego, by wyciągnąć nóż i pozwolić ranie się zabliźnić – zostać w Singapurze. Ale miałam już dość wybierania stron, zaspokajania wymagań jednego kosztem drugiego. Przysięgłam sobie wtedy, że znajdę sposób, by zadowolić samą siebie.

„Dobrze – słyszałam w swojej głowie mamę. – Zawsze chciałam tylko, żebyś miała wybór".

Tata odpowiedziałby:

– Decyzja zawsze jest twoja. Ale musisz wziąć pod uwagę wszystkie możliwość.

– Możliwości – poprawiłaby go matka.

Wygnałam ich głosy z głowy, by zyskać choć chwilę spokoju.

ROZDZIAŁ 14

❖

Boeing 747 linii Singapore Airlines wylądował w San Francisco w nietypowo zimne i szare październikowe popołudnie. Popołudnie spowite w tak drobny deszcz, że jego krople nie tyle spadały, ile przesiąkały przez szwy mojego płaszcza.

Pomimo zmęczenia spowodowanego różnicą czasu zawiązałam szalik na szyi, naciągnęłam na głowę wodoodporny kaptur i poszłam obejrzeć kawalerkę z ogłoszenia, niewielkie studio na Russian Hill, niedaleko mieszkania, które niegdyś dzieliłam z Paulem. W kawalerce była pęknięta wanna i grube brązowe wykładziny, które wydawały się pamiętać lata siedemdziesiąte. Wyobraziłam sobie przerażony wzrok matki – tak przerażony, że wyglądał niemal jak z kreskówek. A później przypomniałam sobie, że prawdopodobnie nigdy więcej nie przyjedzie do San Francisco. Za cztery dni, kiedy wypuszczą ją z centrum odwykowego Światło Życia, pozostanie uwięziona w kraju, który można przejechać w poprzek w mniej niż godzinę.

Następne dwa mieszkania nie były lepsze, a zmęczenie nie poprawiło mi nastroju.

Zostało mi kilka godzin do spotkania niedaleko konserwatorium z koleżankami ze studiów na drinka. Większość tego czasu spędziłam na wmawianiu sobie, jak dobrze było wrócić, mimo że próbowałam sobie przypomnieć, czy mgła zawsze była taka biała i gęsta, czy autobusy zawsze tak bardzo się spóźniały i czy bezdomni i chorzy zawsze zajmowali wszystkie chodniki oraz ławki w parkach. Różowe i zielone wiktoriańskie kamienice, które niegdyś uważałam za tak czarujące, spoglądały na mnie teraz jak zbyt mocno umalowane prostytutki. Każde osiedle wydawało się zapiaszczone, każde mieszkanie zbyt drogie i ciasne.

Przy belgijskim piwie za osiem dolarów moje koleżanki ze studiów spytały, jak spędzam wolny semestr.

– Poza pracą i obowiązkami rodzinnymi, zwykłymi rzeczami oglądałam dużo telewizji, zwłaszcza powtórek programu Melody. Jest niesamowicie popularna w Singapurze.

Nie zamierzałam mówić o centrum odwykowym, rywalizacji między kuzynami i prawie rozstaniami z prawie chłopakiem. Do tematów, których jeszcze nie poruszyły moje przyjaciółki, ale z pewnością je poruszą, należał Paul.

– Cieszę się, że tyle udało ci się osiągnąć – powiedziała Marie.

– Mówiłam wam kiedyś, że raz wpadłam na Melody w studiu jogi w porcie? – spytała Andrea.

– Tak – odparłyśmy. – Mówiłaś nam.

– Można by pomyśleć, że ma prywatnego instruktora jogi, który przychodzi do niej prosto do domu.

Andrea również to nam już mówiła.

– Moja kuzynka Suzanne właśnie zaczęła pracować dla Melody – rzekła Jenny.

Spytałam, czym się zajmuje.

– Jest jakąś asystentką.

Osuszyłyśmy piwa i zastanawiałyśmy się, jak wygląda życie asystentki Melody.

Później Marie spytała:

– Jaki właściwie jest Singapur?

– Czysty – odpowiedziałam, odrywając łokcie od lepkiego stołu.

– Bo nie pozwalają tam żuć gumy – powiedziała Jenny.

– I biczują za śmiecenie – dodała Andrea.

Kelnerka dolała nam piwa, a ja uniosłam kufel na cześć przyjaciółek – dziewczyn, które wyjechały z małych miasteczek, by prowadzić życie, które sprawiało, że ich rodzice trzęśli głowami z podziwu.

– Za brudne, śmierdzące, cudowne San Francisco – wzniosłam toast.

– Zdrowie – rzekły chórem. – Witamy w domu.

Po powrocie do hotelu sprawdziłam pocztę – wciąż żadnej odpowiedzi. To milczenie nie było podobne do Paula. Pomyślałam o tym, żeby znów wysłać e-mail, ale postanowiłam dać mu jeszcze jeden dzień. W międzyczasie znalazłam numer telefonu do mojej ulubionej restauracji.

Café Mirabelle, zlokalizowana w Berkeley niedaleko kampusu, była inspirowaną francuską kuchnią, niesamowicie drogą restauracją. Właśnie tam oświadczył mi się Paul, zrobiwszy wyjątek od swojej reguły, by nie jeść w ekskluzywnych restauracjach. Mieliśmy po dwadzieścia cztery lata i ubraliśmy się jak na akademię, choć inni goście mieli na sobie jeansy lub chinosy. Spoglądając w oczy Paula znad steak au poivre i saumon en papillote, poczułam się niewiarygodnie dorosła. Kilka lat później wróciliśmy do Mirabelle, kiedy odwiedzili nas moi rodzice. Właśnie dostałam się na studia w konserwatorium, a prestiżowe czasopismo naukowe zaakceptowało do publikacji artykuł Paula. Ściskałam dłoń mojego męża, dziwiąc się naszemu niesamowitemu szczęściu.

Teraz wykręcałam numer restauracji i kiedy po drugiej stronie odezwał się miękki kobiecy głos, poprosiłam o stolik dla dwojga, wahając się tylko przez chwilę, kiedy moja rozmówczyni poprosiła o numer karty kredytowej, by zagwarantować rezerwację.

Za oknem mojego pokoju hotelowego z mgły wyłaniał się Bay Bridge. Wiatr się wzmógł, a woda zatoki burzyła się i pieniła.

Ta ponura pogoda utrzymywała się przez następne cztery dni, a ja wstawałam co rano, by włożyć jeden z moich dwóch garniturów, i szłam do pobliskiej hali targowej, gdzie czterysta sześćdziesiąt osiem firm zajmujących się ekologiczną żywnością próbowało przykuć uwagę amerykańskich konsumentów. Otaczali mnie sprzedawcy indyjskiej herbaty, chińskiego żeń-szenia, dojrzewających octów, oliwy z oliwek aromatyzowanej owocami i innych egzotycznych produktów. Kobieta przy sąsiednim stoisku okazała się największym dostawcą produktów z białych trufli w całej Europie Zachodniej.

Hala była przegrzana, jaskrawe światła mnie oślepiały, a usta bolały od ciągłego uśmiechania się. Ale kiedy właściciele dużej sieci azjatyckich supermarketów spróbowali naszego lekkiego sosu sojowego i uznali go za lepszy od tych, które mają obecnie w sprzedaży, uznałam, że mogę sprawić, by ta podróż się opłaciła. Witałam każdego, kto choćby zwolnił przy moim stoisku – udoskonaliłam swoje slogany reklamowe. Właściciel jednej z najważniejszych ekskluzywnych wegetariańskich restauracji w San Francisco obiecał, że wyśle nam zamówienie, kiedy tylko wróci do biura. Słynny producent czekolady planował stworzyć czekoladę aromatyzowaną naszym ciemnym sosem sojowym. Już pierwszego dnia rozdałam większość wizytówek i musiałam poprosić Shuting, żeby przysłała mi kurierem więcej sosu.

Co wieczór wysyłałam wujowi e-mail z informacją o wynikach – opisując zainteresowanie naszym ekskluzywnym sosem sojowym, utrzymywałam neutralny ton i nie chełpiłam się sukcesem. Rozumiałam, że kilka zamówień tu i tam nie wystarczy, by wpłynąć na długofalowe cele Lin's, niezależnie od tego, jak prestiżowe firmy je złożyły. Potrzeba było czegoś znacznie większego, by przekonać wuja Roberta, że nasze ekskluzywne produkty mogłyby się sprzedawać w Ameryce równie dobrze jak nasz sos z kadzi z włókna szklanego.

Wiedząc, że moje raporty dotrą do taty, celowo wspominałam o tym, jak bardzo się cieszę, że wróciłam do San Francisco, i jak bardzo dobrze się bawiłam podczas spotkań z przyjaciółmi. Tak naprawdę spędzałam noce w samotności w hotelu, przeglądając notatki i przygotowując się na wyzwania kolejnego dnia. Nie planowałam widzieć się znów ze znajomymi ze studiów, a one również nie dzwoniły, poza Jenny, która wysłała mi krótki i dość zagadkowy SMS: „Kuzynka może być na targach. Wygląda jak ja z dłuższymi włosami. Pozdrów ją!".

Raz zadzwoniłam do domu – w dniu, kiedy mama wychodziła z centrum odwykowego.

– Jak się czuje? – spytałam tatę.

– Jest tuż obok – powiedział, a ja słyszałam radość w jego głosie. – Sama ją zapytaj.

Powstrzymałam go jednak, zanim zdążył podać jej słuchawkę.

– Chciałam tylko sprawdzić, co u was. Tak naprawdę nie mam czasu gadać.

Nie wiedziałam, co sprawiło, że nie chciałam z nią rozmawiać.

Słyszałam, jak mówi mamie:

– Nie może teraz rozmawiać.

Wrócił do telefonu.

– Wszystko u ciebie w porządku?

– Cudownie – powiedziałam.

Czwartego, ostatniego dnia targów atmosfera w hali rozluźniła się. Jedna trzecia sprzedawców zdążyła się już spakować i pojechać do domów. Pozostali, rozluźniwszy krawaty i zdjąwszy buty na wysokim obcasie, siedzieli i raczyli się pozostałymi próbkami, a ja dołączyłam do nich i podgryzałam ser z niepasteryzowanego mleka owczego i ciemną czekoladę z dodatkiem lawendowej soli morskiej.

W środku popołudnia do hali weszły trzy elegancko ubrane młode kobiety. Zatrzymały się na chwilę przy dużym plakacie, który informował o lokalizacji stoisk, i zanotowały coś w notesach. Mimo że wyglądały zbyt młodo i modnie, by być kupcami, ich kompetentny wygląd i pewne ruchy sprawiły, że wszyscy wyczyściliśmy nasze stoiska i zaczęliśmy zwracać na nie uwagę.

Plotki rozniosły się szybko – te dziewczyny nie były kupcami, tylko asystentkami producenta. Asystentkami producenta programu Melody. Szukały na targach pomysłów na prezenty, które prowadząca mogłaby pokazać na antenie podczas dorocznego odcinka świątecznego.

– Wiesz, kto to, prawda? – szepnęła mi do ucha dostawczyni białych trufli, niemal mnie ogłuszając.

W tej samej chwili jedna z dziewczyn przechodziła wzdłuż mojej alejki, czytając opis przy każdym stanowisku. Miała na sobie okulary w rogowej oprawie, a jej proste brązowe włosy utrzymywała w ładzie cienka opaska. Co pewien czas zatrzymywała się, by zadać pytanie, łyknąć coś z kubeczka wielkości naparstka lub wbić wykałaczkę w zawartość słoika.

Dziewczyna minęłaby moje stanowisko, nawet nie patrząc w moją stronę, gdybym nie zawołała trzęsącym się głosem:

– Susan? Czy tak masz na imię?

Dziewczyna zatrzymała się zaskoczona.

– Suzanne – powiedziała powoli. – Suzanne Silver. Czy my się znamy?

Wyjaśniłam, że jestem przyjaciółką jej kuzynki, a potem dodałam:

– Proszę, musisz spróbować naszego sosu sojowego.

Rozpoczęłam przemówienie, którym witałam klientów przez cały tydzień. Nazywam się Gretchen Lin, jestem wnuczką założyciela firmy Lin's. Nasza firma jako ostatnia w Singapurze stosuje całkowicie naturalne metody produkcji i próbuje sprawić, by kucharze zastąpili sól ekskluzywnym sosem sojowym. Pokazałam jej zdjęcia fabryki i zaprezentowałam proces dojrzewania sosu, opisując przy okazji szczegółowo specjalne gliniane słoje Ahkonga.

Dziewczyna zapisała coś w notatniku i ostrożnie zamoczyła krakersa w miseczce, którą jej podałam. Podniosła butelkę ciemnego sosu sojowego, przyjrzała się etykiecie z papieru ryżowego i pogładziła kciukiem złotą naklejkę ozdobioną chińskim znakiem oznaczającym nazwisko naszej rodziny.

Wzięłam butelkę z jej dłoni i odwróciłam, by pokazać jej napis na papierze ryżowym. „Xian chi zai tan", czyli „Najpierw jedz, potem mów" – to powiedzenie mojej babci, które wygłaszała surowym głosem, kiedy podczas kolacji zdarzało się, że dyskusje o interesach mogły stać się ważniejsze od jedzenia.

Odłożywszy notatnik, dziewczyna zadała mi kolejne pytania na temat mojej rodziny: Jak mój dziadek wpadł na pomysł założenia firmy? Kiedy mój ojciec i wuj przejęli zarządzanie? Ile miałam lat, kiedy uświadomiłam sobie, że chcę być częścią rodzinnego biznesu?

– Sześć – skłamałam. – Od szóstego roku życia wiedziałam na pewno.

Zapisała to.

Opisałam marzenie taty, polegające na tym, by sos sojowy stał się podstawowym produktem w zachodniej kuchni.

– Ojciec robi nieziemską wołowinę po burgundzku z sosem sojowym zamiast soli – powiedziałam dziewczynie.

Delikatny smak naszego sosu podkreśla bogaty smak umami mięsa. Nasz sos równoważy bulion, wydobywając świeżą kwaskowatość pomidorów i zapobiegając temu, by czerwone wino zdominowało danie.

Powiedziałam jej, że tata nigdy nie opuszczał domu, nie mając ze sobą małej buteleczki sosu Lin's w kieszeni na piersi, którym polewał każde danie, jakie przed nim umieszczono, a potem wmuszał je w ciekawskich przechodniów.

Bałam się, że gadam zbyt długo, więc poczułam ulgę, kiedy zobaczyłam, że ta historyjka wywołała uśmiech na twarzy Suzanne Silver.

– Słuchaj – powiedziała. – Bardzo podoba mi się historia waszego sosu i anegdoty, które opowiadasz. Właśnie czegoś takiego szukamy.

Poszperała w skórzanej torbie i wyciągnęła wizytówkę – mimo że wiedziałam, dla kogo pracuje, ujrzenie tego imienia wydrukowanego na kartoniku sprawiło, że chciałam zacząć skakać z radości po całej hali.

Suzanne wyjaśniła, że odcinek świąteczny jest najpopularniejszy w roku.

– To wspaniała okazja, zwłaszcza dla mniej znanych w Stanach firm – rzekła, jakbym nie wiedziała, co tego rodzaju reklama może zrobić dla Lin's i naszych ekskluzywnych sosów.

Dałam jej swoją wizytówkę – ostatnią – i spakowałam butelki jasnego i ciemnego sosu, które Suzanne Silver miała zawieźć Melody.

Wskazała dłonią na rząd butelek na stole.

– Melody bardzo by się to wszystko spodobało – powiedziała. – Walka między sztuką i komercją, tradycją i innowacjami.

Oczy jej rozbłysły.

– O, to dobre.

Zapisała swoje pomysły w notatniku.

Próbowałam podzielić się z nią większą liczbą szczegółów dotyczących naszej fabryki i procesu produkcji – wszystkim, co tylko mogłaby chcieć wiedzieć – ale tylko uśmiechnęła się grzecznie i powiedziała, że w tej chwili ma już wystarczająco dużo informacji. Zanim się pożegnała, spytała:

– Skąd znasz Jenny?

Powiedziałam jej, że studiowałyśmy razem w konserwatorium.

Suzanne Silver wsunęła notatnik do przedniej kieszonki skórzanej torby.

– Jenny wciąż studiuje. Ty już skończyłaś?

– Tak naprawdę teraz je kończę – odpowiedziałam wymijająco, poprawiając krzywo stojącą buteleczkę.

Dziewczyna wydawała się zadowolona z mojej odpowiedzi. Obiecała, że zadzwoni, jeśli dowie się czegoś nowego, i wyszła z hali, głośno stukając wysokimi obcasami. Patrząc, jak znika za podwójnymi drzwiami, wyobrażałam sobie wyraz twarzy mojego wuja i kuzyna, gdyby udało mi się doprowadzić tę sprawę do końca. A potem wyobraziłam sobie reakcję matki:

– Aiyah, dlaczego w tym programie zawsze tak jęczą i pochlipują? – powiedziałaby, nie przyznając się do sympatii dla Melody. – Dobra robota, kaczuszko.

Dzień po zakończeniu targów miałam kontynuować poszukiwania mieszkania. Jednakże w związku z tym, że nie zanosiło się na to, że deszcz przestanie padać, siedziałam w pokoju hotelowym i czytałam wszystko, co mogłam znaleźć na temat Melody, oraz tworzyłam listę produktów, które polecała w ciągu ostatniej dekady. Znalazły się wśród nich ręcznie odlewane woskowe świece z Francji, ultralekkie kurtki puchowe i hawajski ekologiczny miód. Raz na godzinę sprawdzałam, czy Paul nie odpisał na mój e-mail. Dostałam tylko jedną wiadomość – od Jamesa – masową przesyłkę, którą otrzymali pewnie wszyscy z jego książki adresowej, informującą o otwarciu nowej restauracji Spicy Alley.

Dwa razy zadzwoniłam pod numer z wizytówki Suzanne Silver, żeby sprawdzić, czy nie potrzebuje więcej informacji na temat Lin's, nie odebrała jednak.

Przedostatniego dnia pobytu wyszłam z hotelu, żeby zobaczyć się z wyjątkowo nieustępliwym właścicielem mieszkania w Mission. Wyszłam ze stacji podziemnej kolejki wprost w wodniste światło słońca, którego promienie jakoś przebiły się przez chmury. Dookoła mnie latynoskie matki krzyczały po hiszpańsku do otyłych niemowlaków, starzy brodaci mężczyźni kłócili się nad szachownicami, a hipsterzy w obcisłych spodniach spieszyli się do pracy, którą zaczynali w południe.

Kiedy stałam na środku placu z uniesioną do nieba brodą, chmury rozstąpiły się i wyszło pełne słońce. Wiatr natychmiast ucichł, a powietrze stało się ciepłe jak ramiona ukochanego. Zdjęłam sweter przez głowę, włożyłam dłoń do torebki, wyciągnęłam z niej telefon i zadzwoniłam do Paula.

Wróciwszy do hotelu, wzięłam prysznic, ogoliłam nogi, wysuszyłam włosy, zakręciłam, wyskubałam i przypudrowałam, co trzeba, a potem włożyłam czarną sukienkę z dzianiny, którą w ostatniej chwili przed wyjazdem wcisnęłam między ciemne spodnie i marynarki – mój ojciec obserwował to z nieprzeniknionym wyrazem twarzy.

Kiedy wcześniej rozmawialiśmy przez telefon, Paul nie wyjaśnił, dlaczego nie odpowiedział na mój e-mail, lecz chętnie przystał na propozycję spotkania się. Poczułam się głupio, przyznając się, że już zrobiłam rezerwację, i oczywiście kiedy wspomniałam nazwę restauracji, wydawało mi się, że się zawahał.

– Co się stało? – spytałam najlżejszym tonem, na jaki mogłam się zdobyć. – Potrzebujesz pozwolenia, żeby wyjść z domu?

Wciąż milczał. W końcu powiedział:

– Tak naprawdę nie ma jej tu teraz.

Nie byłam pewna, o co mu chodziło, i nie zamierzałam pytać.

– Mieszka ostatnio u przyjaciółki. Musi być bliżej kampusu.

W piersi rozwiązał mi się węzeł. Nie potrzebowałam dalszych szczegółów.

Wyszłam z hotelu wcześniej – nie dało się przewidzieć, jaki ruch będzie na Bay Bridge – i dojechałam na parking dziesięć minut przed czasem. Siedząc w wynajętym samochodzie, spoglądałam na pary wychodzące z supermarketu Andronico's z wielorazowymi siatkami na zakupy i torbami na butelki wina. Para w bluzach z logo uniwersytetu wsiadła do stojącego obok mnie samochodu i zaczęła się całować przez całe trzy minuty. Z początku odwracałam wzrok, nie chcąc, by przyłapała mnie na tym, że się przyglądam, ale kiedy stało się jasne, że musiałabym zacząć walić w okno jej auta i wrzeszczeć, zanim zwróciłaby na mnie uwagę, zaczęłam obserwować, jak chłopak pochłania usta dziewczyny, jak przesuwa dłońmi po jej ciele, odczytując je jak alfabet Braille'a.

Po pewnym czasie chłopak uruchomił silnik, położył dłoń na oparciu fotela pasażera i zaczął cofać. Zanim znów chwycił kierownicę prawą ręką, delikatnie zmierzwił dziewczynie włosy – ten swobodny gest napełnił mnie większą tęsknotą niż cokolwiek, co widziałam wcześniej.

Było dwie minuty przed siódmą – czas wejść do środka.

Wyszłam z samochodu, wygładziłam zagniecenia na sukience, a kiedy sięgnęłam po torebkę, z mojego telefonu zaczęła dobiegać aria Królowej Nocy. Nieznany numer – wiedziałam, że muszę odebrać.

Dzwoniła Suzanne Silver – mówiła z lekką zadyszką, jakby właśnie wbiegła po schodach. Melody bardzo smakował sos, spodobało jej się też opakowanie i historia rodziny.

– Chce się z tobą spotkać osobiście jak najszybciej. Możesz pojutrze wpaść do biura?

Prawie się zgodziłam, a potem uświadomiłam sobie, że za dwa dni będę leciała z powrotem do Singapuru.

– Rozumiem – powiedziała Suzanne Silver.

Zastanawiałam się, czy trudno będzie mi przebukować lot.

– Sprawdzę jej kalendarz – powiedziała. – Mogłabyś chwilę poczekać?

W telewizji Melody była jednocześnie energiczna i pogodna, uspokajająca i surowa zarazem – jak fajna starsza siostra, którą zawsze chciało się mieć. W prawdziwym życiu musiała być inna – bezlitosna, skuteczna. Czy nie tak to wszystko działało? Z iloma innymi producentami postanowiła się spotkać? Jak blisko byłam tego, by sosy Lin's pojawiły się na antenie?

Nie wspominałam wujowi o rozmowie z asystentką Melody, na wypadek gdyby nic z tego nie wyszło. Nawet jeśli Melody ostatecznie wybrałaby nas, wciąż musielibyśmy wziąć pod uwagę to, jak firma poradzi sobie ze wzrostem sprzedaży, wystarczająco szybkim eksportem butelek i przekształceniem krótkoterminowego sukcesu w długoterminową strategię. Dreptałam tam i z powrotem po żwirze, na którym stał mój samochód, rozglądając się po parkingu w poszukiwaniu zielonego subaru Paula. Nie dziwiło mnie, że się spóźniał.

Suzanne Silver wróciła do telefonu.

– Melody za godzinę jedzie na lotnisko. Jeśli przyjedziesz zaraz, możesz wsiąść z nią do limuzyny. Porozmawiacie po drodze.

Podała mi adres posiadłości, którą mijałam już kilkakrotnie.

– Czekaj – powiedziałam. – Mam jechać w tej chwili?

– W tej chwili.

Właśnie wtedy zobaczyłam zakurzony czerwony rower Paula przypięty do stojaka.

– I? – spytała Suzanne Silver.

– Będę.

Wypowiedziałam to słowo, jednocześnie zastanawiając się, jak wyjaśnię to wszystko Paulowi, jak przekonam go, by spotkał się ze mną później.

– Świetnie – ucieszyła się. – Jeśli to ci w czymś pomoże, pamiętaj, że Melody podoba się ludzki aspekt waszej firmy. To właśnie pozwala widzom naprawdę przywiązać się do produktu. Chciała nawet, żebym cię spytała o przepis na wołowinę po burgundzku twojego ojca, żeby móc ją zaprezentować na wizji.

Obiecałam, że przyjadę tak szybko, jak tylko się da.

Zamiast wsiąść do samochodu, schowałam się za czerwonym SUV-em i zajrzałam przez szklane drzwi restauracji, a potem przez rząd panoramicznych okien. Zauważyłam go – siedział w budce przy oknie z głową schyloną nad kartą dań. Jednak przyjechał na czas. Kilkudniowy zarost na jego brodzie był większy niż wcześniej i przycięty tak, że podkreślał kształt jego szczęki. Lekko siebie postarzał, w sposób, który sprawiał, że wyglądał bardzo seksownie. Nie podniósł wzroku.

Przebierałam palcami po telefonie, walcząc z myślą, że powinnam oddzwonić do Suzanne Silver, kiedy koło

Paula pojawiła się kelnerka z odstającym blond kucykiem, trzymająca dzban z wodą. Gdy nalewała mu wodę do szklanki, powiedział coś, co spowodowało, że odstawiła dzbanek, położyła dłoń na jego ramieniu i roześmiała się serdecznie, całym ciałem.

Kark mi zesztywniał. Głowa zaczęła mi pulsować. Nie mogłam zdecydować, czy chcę wbiec do restauracji, czy znaleźć lepszą kryjówkę. Paul zdradził mnie z dziewczyną z college'u, a teraz mogłam liczyć co najwyżej na to, że zdradzi ją ze mną. Na parkingu powiał wiatr i uświadomiłam sobie, że jestem zlana potem. Potarłam ręce, na których pojawiła się gęsia skórka, podeszłam do samochodu i wsiadłam.

Kiedy Paul odebrał telefon, powiedziałam:

– Hej, jednak nie dam rady.

– O co ci chodzi? Siedzę tu od dziesięciu minut.

– Muszę coś zrobić – rzekłam. – Coś naprawdę ważnego.

– Co? – spytał wyraźnie zdezorientowany.

Nie powiedziałam mu wcześniej, że zaczęłam pracować dla Lin's, a to nie był moment, żeby cokolwiek wyjaśniać.

– Przepraszam – powiedziałam i kiedy zaczęłam, nie mogłam już przestać. – Przepraszam, tak bardzo mi przykro.

– Hej – odparł głosem, który mógłby się dookoła mnie owinąć i pociągnąć na ziemię. – Nic nie szkodzi. Zdarza się.

Przycisnęłam tył głowy do zagłówka.

– Dziękuję – westchnęłam i zmusiłam się do tego, by się pożegnać.

– Kiedy mogę cię zobaczyć?

Przekręciłam się na fotelu, próbując zajrzeć przez okno restauracji. Siedział w budce z poważną miną, podpierając brodę dłońmi.

– Jesteś tam? – spytał.

– Tak.

– Mój Boże, ale za tobą tęskniłem.

Zamknęłam oczy i czekałam, aż przestaną mnie szczypać.

– Naprawdę muszę kończyć.

Melody mieszkała w różowym pałacyku z widokiem na zatokę. Kiedy podjeżdżałam moim wynajętym samochodem, jej ekipa właśnie pakowała ostatnie walizki od Louisa Vuittona do bagażnika wielkiej czarnej limuzyny. Ogromne dębowe drzwi pałacyku otworzyły się i moim oczom ukazała się posągowa postać w białym garniturze. Nogawki jej spodni ocierały się o ziemię, sprawiając wrażenie, że Melody unosi się nad podjazdem – towarzyszyła jej asystentka, kolejna elegancko ubrana młoda kobieta. Kiedy podchodziły, zauważyłam, że Melody ma przy uchu telefon. Powiedziała mi, żebym dała jej chwilkę, a potem odwróciła się ode mnie.

Jej asystentka uśmiechnęła się przepraszająco i gestem zaprosiła mnie do limuzyny.

Przez niemal całą półgodzinną drogę na lotnisko Melody surowo mówiła do słuchawki. Mimo że wyraźnie słychać było, że udziela reprymendy swojemu rozmówcy, jej aksamitny głos łagodził jej słowa.

– Na twoim miejscu więcej bym mnie nie zawodziła – powiedziała, przeczesując burgundowymi paznokciami swoje falowane włosy w kolorze maślany blond.

Wreszcie, kiedy limuzyna zjeżdżała z autostrady w kierunku lotniska, Melody skończyła rozmawiać i wrzuciła telefon w oczekujące dłonie swojej asystentki. Pochyliła się ku mnie i dotknęła mojego ramienia.

– Przepraszam – powiedziała, a na jej rozjaśnionej uśmiechem twarzy pojawiły się dwa idealnie symetryczne dołeczki. – Porozmawiajmy. Powiedz mi o wszystkim.

Nie wiedziałam, ile opowiedziała jej Suzanne Silver. Liczyłam, że Melody zacznie zadawać pytania, ale tylko spojrzała w dół na swój wielki, wysadzany diamentami zegarek.

Opierając się na poprzednich wyborach prezentów Melody, dokładnie zaplanowałam, co powiedzieć, żeby przekonać ją, by wybrała Lin's. Teraz, zbliżając się do terminalu, otworzyłam usta i zaczęłam mówić tak szybko, jak mogłam. Opowiedziałam jej, jak mój dziadek zrezygnował z lukratywnej posady, by stworzyć własny sos sojowy, jak mój ojciec i wuj poświęcili życie na podtrzymywanie rodzinnej tradycji.

– Mhm – wymruczała bez emocji.

Wszystko to już słyszała.

Oczami wyobraźni widziałam ożywioną publiczność w studiu Melody – klaskała i piszczała, wzdychała i mdlała. Te kobiety wierzą, że Melody potrafi zmienić ludzkie życie, i ja też w to wierzyłam. Właśnie wtedy przestałam trzymać się scenariusza swojej wypowiedzi. Powiedziałam jej, że mam trzydzieści lat i przez całe życie uciekałam od rodzinnej firmy. W gruncie rzeczy, gdyby nie moje nieudane małżeństwo i niewydolność nerek mojej matki, nigdy nie wróciłabym do domu.

Melody nagle spojrzała mi głęboko w oczy. Jej oczy miały kolor wody w basenie podczas upalnego dnia.

– Mów dalej – zachęciła.

Powiedziałam jej, że zawsze widziałam w swoim tacie człowieka w pułapce – pułapce wizji własnego ojca, zmuszonego do toczenia szlachetnej, choć daremnej wojny przeciwko modernizacji fabryki. Teraz, popracowawszy w Lin's, uświadomiłam sobie, że się myliłam. Tradycje były ważne – w naszej firmie byliśmy z nich bardzo dumni – ale Ahkong i tata chcieli tylko produkować jak najlepszy sos sojowy.

– Ile osób może zarabiać, robiąc coś takiego? – spytałam, podnosząc głos. – Ile osób może stworzyć coś, z czego naprawdę są dumne?

Limuzyna zatrzymała się przed terminalem między-narodowym.

Melody uśmiechnęła się spokojnie i podała mi dłoń.

– Zawsze przyjemnie jest porozmawiać z kimś, kto traktuje swoją pracę z pasją. Suzanne się z tobą skontaktuje.

Po tych słowach weszła na lotnisko, a asystentka poszła tuż za nią. Pozostawiły kierowcy zajęcie się bagażem.

Podczas drogi powrotnej do miasta rozsiadłam się w limuzynie i próbowałam przeanalizować wymijającą reakcję Melody. Chciałam zadzwonić do kogoś – mamy, taty, może Frankie – i opowiedzieć całą szaloną historię, ale coś mnie powstrzymało. A co jeśli z tego spotkania nic nie będzie? Co jeśli Melody już mnie zdyskwalifikowała, a Suzanne nie zadzwoni? Byłam tak przejęta, że nie zastanawiałam się nad tym, co powiedziałam prowadzącej talk-show, na jakie pytania odpowiedziałam i czy podjęłam trafne decyzje. Nie mogłam sama się sobie przyznać do tak wielu rzeczy, a co dopiero mojej rodzinie.

Tej nocy nie mogłam spać. Leżałam z poduszką na twarzy, później usiadłam w ciemności, a potem chodziłam po pasku oświetlonego księżycem dywanu przy oknie. Miałam ochotę zadzwonić do Paula, a jednak za każdym razem gdy brałam do ręki telefon, moje palce zatrzymywały się nad jego klawiaturą.

Spoglądając w tył, chciałabym móc powiedzieć, że była to chwila, w której wszystko zrozumiałam, że to, co było dla mnie jeszcze niejasne w limuzynie, w tym ciemnym pokoju hotelowym wreszcie stało się oczywiste – że w końcu mogłam powiedzieć, że wiem, czego chcę. Tak naprawdę uświadomiłam sobie to dopiero rankiem. W nocy myślałam tylko o kelnerce, jej blond kucyku i szerokim uśmiechu.

Następnego dnia obudziłam się późno, niemal po południu, i zdałam sobie sprawę, że spałam lepiej niż kiedykolwiek w ciągu kilku ostatnich tygodni – wiedziałam, że czas wracać do domu.

W biurze spraw studenckich konserwatorium w San Francisco powiedziałam recepcjonistce, że potrzebuję zwrotu wpłaty dokonanej kilka tygodni wcześniej przez mojego ojca.

Weszła do mojego pliku w komputerze, przygryzła wargę, wpatrując się w ekran, i oznajmiła, że nie mogę opuścić kolejnego semestru, nie rezygnując całkowicie ze studiów.

– Czasem robią wyjątki – powiedziała, robiąc balon z gumy. – Wie pani, w szczególnych przypadkach. – Przyglądała mi się, próbując zgadnąć, czy się kwalifikuję.

– Chce pani numer telefonu dyrekcji?

Potrząsnęłam głową.

– Dobrze. Pieniądze zostaną zwrócone na konto w ciągu siedmiu–dziesięciu dni roboczych.

Podsunęła mi formularz rezygnacyjny i pokazała, gdzie go podpisać.

W kieszeni miałam pognieciony arkusz papieru firmowego z hotelu, na którym zapisałam, co powinnam zrobić tego dnia. Wcześniej odwołałam ostatnie spotkanie w sprawie mieszkania, a teraz, podpisawszy się z zawijasem, zrezygnowałam ze studiów. Pozostało mi jeszcze wykonać kilka telefonów i wsiąść do samolotu.

Wyszłam na chodnik dokładnie w chwili, gdy mijał mnie autobus. Zamiast go gonić, przeszłam na drugą stronę ulicy i poszłam do sali ćwiczeń. Czytnik nie odczytał mojej legitymacji, bo była już nieważna, ale ochroniarz uznał, że to problem z paskiem magnetycznym, i otworzył mi drzwi.

Znalazłszy się na dole, pchnęłam ramieniem ciężkie, wytłumione drzwi sali koncertowej i ogarnął mnie znajomy zapach starej aksamitnej kurtyny. Włączyłam światło i wdrapałam się na scenę.

Usiadłszy przy fortepianie, dostosowałam wysokość ławeczki i uniosłam niegdyś lśniącą pokrywę klawiatury. Dramatycznie uniósłszy dłonie nad klawiszami, szukałam w głowie utworu, który byłby odpowiedni, by uczcić zakończenie mojego życia w San Francisco. Po spróbowaniu efekciarskiego preludium Rachmaninowa, którego nigdy nie zapamiętałam, moje palce same zaczęły grać utwór Debussy'ego, który tak często słyszałam w wykonaniu mojej matki.

Zagrałam około jednej trzeciej, próbując sprawić, by melodia przepływała przeze mnie, kołysząc ciałem do rytmu, kiedy moje palce się zatrzymały. Znów zaczęłam, zawahałam się, zaczęłam raz jeszcze i zgubiłam rytm. Patrząc w ciemność, zastanawiałam się, co tu robię, dlaczego próbuję się tak teatralnie pożegnać. Później usłyszałam swój śmiech, który wypełniał pustą salę. Nigdy nie byłam dobrym wykonawcą. Nigdy nie chciałam uczyć muzyki. To miasto traktowało mnie dobrze i będę za nim tęskniła, ale nie miałam potrzeby próbować czuć czegoś, czego nie czułam.

Pomachałam ochroniarzowi na pożegnanie.

– Już pani wychodzi? – spytał.

– Do zobaczenia – powiedziałam odruchowo, choć wiedziałam, że już się nie zobaczymy.

Było już późne popołudnie i ukośnie padające promienie wczesnojesiennego słońca rzucały długie cienie na chodnik. W Singapurze był już świt następnego dnia. Dzieci z plecakami czekały na autobusy szkolne, starsze osoby ćwiczyły tai-chi w parkach, a słońce zaczynało się powoli i niepowstrzymanie wspinać po niebie.

W poczekalni na lotnisku zajęłam się ostatnią pozycją na liście. Zadzwoniłam do Paula.

– Nie wiem, jak inaczej to powiedzieć – rzekłam. – Rozmawiałam z prawniczką. Niedługo skontaktuje się z tobą w sprawie rozwodu.

– Czekaj. – Był wyraźnie zszokowany. – Musimy o tym porozmawiać.

Po raz pierwszy w życiu zrobiło mi się go żal.

– Zostań – powiedział.

I:

– A co z rzeczami, których ja bym chciał?

I:

– Tym razem będzie inaczej.

Odparłam:

– Paul, ja już tu nie mieszkam.

– Oczywiście, że mieszkasz. Przecież uwielbiasz to miasto.

Chciałam, żeby mnie naprawdę posłuchał.

– Nie jesteśmy już dziećmi. Nie możemy po prostu robić, co nam się podoba.

Jego śmiech wybuchł w moim uchu.

– Ty mi to mówisz? – spytał z niedowierzaniem. – Poważnie. Ty mi to mówisz?

Wezbrał we mnie gniew. Wtedy jednak uświadomiłam sobie, że cały czas miał rację. Brakowało mi skupienia i ambicji. Przez całe moje życie w San Francisco, próbowałam różnych zajęć i zdobywałam kolejne tytuły naukowe, nie potrafiąc skupić się na karierze w jednej dziedzinie, ponieważ jedyne, czego chciałam, to być z nim.

– Masz całkowitą rację – powiedziałam. – Sam mi to mówiłeś, a teraz wreszcie wzięłam sobie twoją radę do serca.

Pożegnałam się, wzięłam walizkę i poszłam do bramki.

Kiedy znalazłam się już w samolocie, wreszcie pozwoliłam sobie pomyśleć o czekającej mnie w domu przyszłości. Ojciec będzie uradowany moją decyzją, ale co z mamą? Otworzyła dla mnie świat – a teraz musiałaby patrzeć, jak go składam na pół i odkładam na bok. Musiałam sprawić, by zrozumiała, że uwalniając mnie od rodzinnej firmy, nauczyła mnie też, że mogę robić, co tylko zechcę. A teraz wybierałam sos sojowy.

Samolot wzbił się w niebo. Główny steward poradził wszystkim, żebyśmy się rozsiedli, zrelaksowali i cieszyli lotem, a ja zamknęłam oczy, próbując to zrobić.

ROZDZIAŁ 15

◈

W Singapurze było już po północy, kiedy moja wiśniowoczerwona walizka podjeżdżała na taśmociągu. Minęło szesnaście godzin od chwili, kiedy wsiadłam do samolotu w San Francisco. Moje ubrania były pogniecione, zaczerwienione oczy szczypały mnie, a włosy miałam tak tłuste, że można je było wyżąć jak mokry ręcznik. Ogromna, wysoka hala bagażowa lotniska Changi z wypolerowanymi ścianami i nieskalanie czystymi podłogami tylko podkreślała mój opłakany wygląd.

Wcześniej podczas kontroli paszportowej przeszłam bramką tylko dla obywateli Singapuru – musiałam jedynie przyłożyć paszport do skanera, podczas gdy obcokrajowcy czekali w długiej kolejce. Maszyna zaakceptowała mój paszport, a na ekranie pojawił się napis „Witamy w domu" w czterech językach używanych na wyspie – angielskim, chińskim, tamilskim i malajskim. Zastanawiałam się, czy jakakolwiek inna fraza mogłaby wzbudzić we mnie takie napięcie.

Pomimo zmęczenia szybko przeszłam przez bramkę dla osób niemających nic do oclenia i minęłam ludzi stojących grupkami w poczekalni. Wciąż trudno mi było uwierzyć, że nie wiedziałam, kiedy następnym razem znajdę się na tym lotnisku – miejscu, które niegdyś stanowiło moje drzwi do prawdziwego świata. Teraz te drzwi miały się zamknąć.

Byłam tak skupiona na szukaniu taksówki, że przeszłam zaraz obok mojej matki, która opierała się o filar z rękami w kieszeniach.

– Dokąd się tak spieszysz? – zawołała za mną.

Odwróciłam się na palcach, ciągnąc za sobą walizkę. Na ustach mamy nie było śladu zwyczajowej czerwonej szminki. Właściwie w ogóle nie miała makijażu. Była ubrana w luźną lnianą tunikę i spodnie do kompletu. Ubranie, które na innych wyglądałoby jak piżama, na niej wydawało się bezpretensjonalnie eleganckie.

– Co tu robisz? – spytałam. – Przyjechałaś sama? Czy tata wie?

Szybko rozwiała moje wątpliwości.

– Myślisz, że wymknęłam się przez okno, kiedy spał?

Pojechałyśmy ruchomymi schodami na parking – wyrwała mi bagaż podręczny, choć kilka razy jej mówiłam, że poradzę sobie sama. Kiedy dotarłyśmy do samochodu, zaczęła nalegać, żebym usiadła za kierownicą, ponieważ nie za dobrze widzi w nocy.

– No właśnie – powiedziałam. – Nie powinnaś prowadzić. Przecież mogłam bez problemu wziąć taksówkę.

– Czy to takie dziwne, że wyjeżdżam po córkę na lotnisko? Powiedz, jak minęła ci podróż.

Nie wiedziałam, od czego zacząć, więc ustawiłam lusterka, uruchomiłam silnik i włączyłam radio. Słuchając dźwięków *Tears in Heaven* Erika Claptona, wyjechałyśmy z parkingu na szeroki bulwar wysadzany fuksjami i pomarańczowymi bugenwillami – ten tak znajomy i typowy dla Singapuru widok sprawił, że zrobiło mi się ciepło na duszy, choć jechałam tą drogą już wielokrotnie.

– Nigdy nie lubiłam jego głosu. Strasznie jęczy.

Mama wyłączyła radio.

– Więc?

Miałam nadzieję, że będę miała czas, by przetrawić wydarzenia zeszłego tygodnia i przygotować się do rozmowy z nią, ale mama była gotowa rozmawiać w tej chwili. Kiedy zauważyłam neon całodobowej restauracji na wolnym powietrzu, zjechałam z drogi.

Znalazłszy się w na miejscu, usiadłyśmy przy stoliku w budce z widokiem na plażę, tak daleko, jak się dało, od tai-tais w średnim wieku, które właśnie zakończyły nocną sesję mahjonga i wspominały jej najlepsze chwile. Wraz z mamą pociągałyśmy długie łyki naszej

kopi-po – słabej kawy z dużą ilością skondensowane-
go mleka. Nad wodą wiał świeży, orzeźwiający wiatr.

Wzięłam głęboki wdech i zaczęłam mówić. O targach
i o tym, jak dobrze było reprezentować rodzinną firmę,
jak dumny będzie tata ze wszystkich kontaktów, które
nawiązałam, i pracy u podstaw, którą wykonałam na
rynku amerykańskim, i o tym, że chciałabym, by ona
też była ze mnie dumna. Wyjaśniłam, dlaczego nie sądziłam, że Lin's przetrwa, jeśli Cal nadal będzie stał na
czele firmy, i dlaczego musimy przemyśleć na nowo swoją strategię działania na rynku amerykańskim. Wspomniałam o spotkaniu z Melody – tak, z tą Melody! –
choć prawdopodobnie nic z niego nie wyniknie.

Mama wyglądała na oszołomioną, ale nie zwalnia-
łam, ponieważ miałam dużo do powiedzenia. Nadszedł czas, by wyjawić jej, że zaczęłam starać się o roz-
wód i zrezygnowałam ze studiów. Zaskakująco trudno
było mi zdobyć się na wyznanie jej tego. Nawet w tym
momencie nie potrafiłam wyłączyć tej części mnie,
która pragnęła zadowolić matkę.

– Podjęłam decyzję – powiedziałam. – Zostaję tu,
w Singapurze, na dobre. – Próbowała coś wtrącić, ale
nie przerywałam. – Przykro mi, że sprawiam ci zawód.
Przykro mi, że uważasz, że odrzucam wszystko, co mi
dałaś. Ale nie chcę tych samych rzeczy co ty.

– Dlaczego miałabym być zawiedziona? – spytała
cicho mama.

– Zawsze chciałaś tylko, żebym żyła z Paulem długo i szczęśliwie w Ameryce, żebyśmy mieli to, czego ty nigdy nie miałaś.

Powiedziałam już za dużo, jednak nie mogłam przestać.

– Musisz zaakceptować to, że nie jestem tobą.

Amatorki mahjonga udawały, że nie podsłuchują.

Dolna warga mojej matki zaczęła drżeć.

– Przykro mi, że tak się czujesz.

Spojrzałam na nią zdziwiona i rozdrażniona. To, że nie protestowała, nie było w jej stylu.

Sięgnęła po kubek, ale jej ręce tak bardzo się trzęsły, że odłożyła go z powrotem na stolik. Dodała:

– Zawsze życzyłam sobie tylko, żebyś mogła robić, co tylko chcesz.

Pod migoczącymi światłami jej twarz wyglądała na zmęczoną, zniszczoną.

– Chcę tego, mamo. Chcę pracować w Lin's. Chcę robić sos sojowy. Chcę być tutaj z tobą i resztą rodziny.

Na plaży fala rozbiła się o brzeg z ogłuszającym szumem. W sercu miasta, gdzie spędzaliśmy większość czasu, łatwo zapominaliśmy, że otacza nas woda. Wzbierała kolejna fala – wyobrażałam sobie, że wznosi się dalej, aż w końcu pochłania matkę i mnie. Czy przygotowywała się na to? Czy wstrzymywała oddech?

Mama ponownie sięgnęła po kubek – tym razem udało jej się upić drobny łyk. Powiedziała:

– Rozwodzisz się więc.

Zadrżałam, bo znów dopadła mnie złość i nie opuszczało przekonanie, że dokonałam słusznego wyboru.

– Może to być dla ciebie szok, ale twój zięć mnie rzucił. Błagałam go, by został, ale postanowił zamieszkać ze swoją dziewczyną. Swoją dwudziestojednoletnią dziewczyną.

Matka, siedząca po drugiej stronie stołu, wyglądała na smutną – smutną i znużoną – wcale nie wściekłą, jak się spodziewałam, i wcale nie zszokowaną.

– Zdradził mnie, mamo.

Powieki mamy opadły, a kiedy znów otworzyła oczy, te zaszkliły się łzami.

– Wiem, kaczuszko – powiedziała, przyciskając swoje dłonie do moich. – Wiem.

Płakałam tak bardzo, że nie pytałam nawet, skąd wie, kto jej powiedział. Chwilę później obejmowała mnie już swoimi chudymi ramionami i delikatnie kołysała na boki.

W tym momencie jedyną osobą, która mogła nas słyszeć, był starszy pan stojący za kontuarem, który taktownie zajął się porządkowaniem kubków i talerzy. Zastanawiałam się, czy widział, kim naprawdę jesteśmy – parą kobiet, które próbowały zajmować się każda sobą i jedna drugą, co często im się nie udawało.

Kiedy się uspokoiłam, zaczęłam się zastanawiać nad reakcją mamy. Gdzie gniew i oburzenie? Dlaczego nie powiedziała mi, że wie o romansie?

Mama pochyliła głowę.

– Może byłam w błędzie – wyszeptała powoli; rzadko słyszałam od niej takie wyznania. – Ale chciałam, żebyś się z nim zobaczyła.

Powiedziała, że z początku chciała, żebym wróciła do Ameryki odzyskać swoje życie, a później, kiedy Frankie powiedziała jej, co zrobił Paul, uznała, że powinnam zmierzyć się ze swoimi problemami. Ostatnie, czego dla mnie chciała, to żebym ukryła się na stałe w Singapurze.

– Myślisz, że to właśnie robię?

Przeczesywała mi włosy palcami, masując skórę mojej głowy.

– Nie.

– A myślisz, że ty tak postąpiłaś?

Spojrzała na wiatrak pod sufitem, który obracał się tak niemrawo, że można było dojrzeć warstwę kurzu na jego łopatkach. Zacisnęła swoje maleńkie dłonie w piąstki.

– Kiedy przyjechałam do domu, byłam zagniewana. Sądziłam, że mogłam być wybitną uczoną na czołowym amerykańskim uniwersytecie, a zamiast tego znalazłam się w pułapce. Moi studenci poszli na literaturę, ponieważ mieli zbyt słabe oceny, by studiować cokolwiek innego.

– Rozumiem, dlaczego mogło to być trudne.

Mama potrząsnęła głową.

– Być może na początku, ale w miarę upływu czasu te przeszkody stały się wymówkami. Mogłam bardziej się starać. Mogłam dokończyć książkę. – Przycisnęła koniuszki palców do kącików oczu i roześmiała się gorzko. – Gdybym została w Stanach, skończyłabym w małym college'u w niewielkim mieście, w równym stopniu przekonana, że mój talent się marnuje.

– I nie miałabyś taty.

Pociągnęła kolejny łyk z kubka.

– To prawda.

Na zewnątrz niebo rozjaśniało się, malując świat w odcieniach bladej szarości, a ptaki zaczęły się budzić. Ocean uspokoił się i teraz delikatnie obmywał piasek.

– Nie jesteś mną. Wiem o tym – powiedziała. – Poradzisz sobie świetnie w Lin's. Przepraszam, że kiedykolwiek stałam na twojej drodze.

– „Świetnie" to mocne słowo. Myślę, że poradzę sobie nieźle.

Pogłaskała mnie po głowie.

– Moja dziewczynko, moja jedynaczko. Dobrze mieć cię przy sobie.

Razem spojrzałyśmy w dal, mrużąc oczy. W Singapurze świtało, a w San Francisco było popołudnie. Potrzebuję trochę czasu, żeby przestać próbować istnieć w dwóch miejscach naraz, ale byłam na to gotowa.

Nie winiłam Frankie za to, że powiedziała mojej matce o zdradzie Paula.

Następnego dnia w pracy wciągnęłam ją do gabinetu i zamknęłam drzwi.

– Frankie, nie musisz niczego wyjaśniać. Wiem, co tobą kierowało.

Spodziewałam się zobaczyć na jej twarzy ulgę, ale widziałam tylko zdziwienie.

– Naprawdę? Jesteś pewna?

Zapewniłam ją, że wyświadczyła mi przysługę – stanowczo zbyt długo utrzymywałam romans Paula w sekrecie przed matką, a Frankie dała mi potrzebnego kopa. Powiedziałam jej, że długo rozmawiałam z mamą poprzedniej nocy.

– Widać, że prawie nie spałam? – spytałam, trąc oczy.

Obdarowała mnie zmęczonym uśmiechem, a ja poklepałam ją po ramieniu.

– Skończyłam z Paulem. Zostaję tu na dobre.

Zamiast cieszyć się moim szczęściem, Frankie zgarbiła się w fotelu i zatopiła twarz w dłoniach.

– Chwila – powiedziałam. – Myślałam, że go nienawidzisz.

– Przespałam się z Jamesem.

Zamknęła oczy z taką siłą, jakby oczekiwała eksplozji.

Zwiotczały mi wszystkie mięśnie twarzy. Czułam, że mój uśmiech niknie, jakby się rozpływał.

– Och – rzekłam. – O tym nie wiedziałam.

Tym razem to ona sięgnęła do mojego ramienia.

– Przepraszam, naprawdę mi przykro. To była jednorazowa sprawa.

Strąciłam jej dłoń, odchylając się do tyłu. Siedziałam w bezruchu i próbowałam opanować sprzeczne uczucia, marząc o tym, by Frankie wstała z fotela i opuściła moje biuro.

Wreszcie odezwałam się:

– Zerwaliśmy z sobą.

– Wiem. I jest mi przykro.

Odwróciłam się do komputera i powiedziałam jej, że mam górę e-maili do przeczytania. Raz jeszcze wymamrotała przeprosiny, a potem wstała i wyszła.

To nie była wymówka. Nie miałam czasu skupiać się na tym, co się stało między Frankie i Jamesem. Podczas mojej tygodniowej nieobecności mój ojciec i wuj nie zbliżyli się ani na krok do rozwiązania problemów firmy. Coś musiało się zmienić.

ROZDZIAŁ 16

❖

Pan Liu miał siedemnaście lat, kiedy Ahkong zatrudnił go jako pierwszego w swojej firmie chłopca na posyłki. Po kilku latach pan Liu awansował na kierownika biura, a potem za gorącą namową mojego dziadka poszedł na uniwersytet, zdobył wykształcenie chemiczne i wrócił do Lin's jako analityk – zajmował to stanowisko przez trzy dekady. Jeśli ktokolwiek mógłby powiedzieć, jak Ahkong rozwiązałby obecną rodzinną kłótnię, byłby to właśnie on.

Znalazłam pana Liu w jego biurze przy fabryce – przeglądał dokumenty.

Podniósł głowę zaskoczony.

– Usiądź – powiedział po chińsku. – Co mogę dla ciebie zrobić?

Usiadłam nagle onieśmielona. Jako dziecko spędzałam całe godziny w jego biurze z kolorowanką i paczką krakersów ryżowych, podczas gdy on z moim ojcem zajmowali się swoimi sprawami w fabryce. Jednak od czasu mojego powrotu nie wpadłam na to, by spytać pana Liu, co sądzi o błędzie Cala, sosie z kadzi z włókna szklanego ani o innych sprawach związanych z firmą.

Nie widziałam powodu, by owijać w bawełnę.

– Potrzebuję pana rady. Jak pan sądzi, co powinniśmy zrobić w sprawie Cala?

Szczupła, pobrużdżona zmarszczkami twarz pana Liu emanowała grzecznością, nawet gdy marszczył brwi.

– Nie mogę powiedzieć ci niczego, czego już nie wiesz. Mając rodzinną firmę, należy przede wszystkim pamiętać, że jest się rodziną.

Próbowałam rozłożyć jego słowa na czynniki pierwsze.

– Pamiętaj, że cokolwiek postanowi twoja rodzina – powiedział – chłopak pozostanie w twoim życiu. Nie zniknie. Zawsze będzie twoim kuzynem, bratankiem twojego ojca i synem twojego wuja.

Nagle coś zrozumiałam. Oczywiście, że to pan Liu poinformował mojego ojca, kiedy Cal pojawił się na spotkaniu z Mama Poon.

– Powinnam była przyjść do pana wcześniej – powiedziałam.

Kiedy się uśmiechnął, jego oczy niemal zniknęły pod powiekami.

– Przyszłaś w odpowiedniej chwili.

Godzinę później wyszłam z gabinetu pana Liu i poszłam szukać ojca.

– Rządź rodziną tak, jakbyś gotował małą rybę: bardzo delikatnie – powtórzyłam mu chińskie przysłowie, które zacytował mi pan Liu.

Tata odłożył długopis.

– Twój dziadek mówił dokładnie to samo.

– Powinieneś dać Calowi jeszcze jedną szansę. Lin's należy do niego tak samo jak do ciebie i wuja Roberta. – Po chwili dodałam: – I do mnie.

Od czasu kiedy ogłosiłam, że postanowiłam zostać w Singapurze, minęły siedemdziesiąt dwie godziny.

Tata potrząsnął głową.

– Już ci mówiłem, że mu nie ufam.

– Nie należy rezygnować z jedzenia tylko dlatego, że można się zadławić – odpowiedziałam, znów sięgając po chińskie przysłowie.

– Widzę, że rozmawiałaś z panem Liu. – Uśmiechnął się do mnie zaciśniętymi ustami.

Przyznałam, że ja również nie do końca ufam Calowi, ale uważam też, że następnym razem nie odważy się zachować tak nierozważnie, szczególnie że wszyscy będą mu się bacznie przyglądać. W końcu on również pragnął, żeby firma osiągała jak najlepsze wyniki.

Ojciec włożył jedną dłoń w drugą i wyłamał sobie palce.

– Musisz to robić? – spytałam.

Opuścił dłonie.

– Jakiego rodzaju przekaz wysłałbym w świat, gdybym pozwolił Calowi wrócić?

– Że wierzysz, iż bycie członkiem rodziny Lin sprawia, że jest się wyjątkowo dobrze przygotowanym do prowadzenia tej firmy.

– Chłopak już udowodnił, że bardziej przejmuje się pieniędzmi niż sosem sojowym – odpowiedział.

– Ty i wuj Robert nie zgadzacie się we wszystkich kwestiach, a jednak pracowaliście ze sobą przez wiele lat. Może również dla Cala i mnie jest nadzieja.

Tata wskazał na mnie palcem.

– Myślisz, że dasz radę? Myślisz, że będziesz w stanie z nim pracować?

Powiedziałam, że nie mam pewności, ale wiem, że nie mam również wyboru.

Patrząc mi głęboko w oczy, ojciec podniósł telefon do ucha.

– Di-ah – powiedział. – Młodszy bracie. Jest u mnie Xiao Xi. Przyjdź do mojego biura. I przyprowadź chłopca.

Później, tego samego popołudnia, nasza czwórka wyłoniła się z biura taty i poszła do sali konferencyjnej, gdzie zebrali się wszyscy pracownicy – mieli usłyszeć ważne oświadczenie. Przyspieszyłam kroku, by zrównać się z ojcem i wujem, ale Cal złapał mnie za łokieć.

– Gretch, chciałem ci podziękować.

Nie spodziewałabym się takich słów po Calu. Ale z drugiej strony spędziłam z nim tak mało czasu w Singapurze podczas tych ostatnich kilku lat, że prawie nie znałam go jako dorosłego. Ludzie z wiekiem zmieniają się, wyrastają z uporu i wybuchowości.

– Naprawdę cieszę się na współpracę z tobą – powiedziałam.

Jego usta wykrzywiły się w półuśmiechu.

– Właśnie uratowałaś czcigodny sos sojowy Lin's od bankructwa.

Ten żart był nie na miejscu, lecz uznałam, że nie warto się tym nie przejmować.

Podczas gdy szliśmy z Calem na szczyt sali konferencyjnej, gdzie stali nasi ojcowie, miałam wzrok wbity w czubki butów i ignorowałam ciężkie spojrzenia pracowników firmy.

Wuj Robert podziękował wszystkim za przybycie.

– Od dziś – powiedział – Cal i Gretchen wspólnie obejmą wiceprezesurę Lin's.

Wszyscy zaczęli spoglądać po sobie, unosić brwi i wymieniać porozumiewawcze spojrzenia. Stojąca w kącie Shuting spojrzała na Fionę zadowolona z siebie, jakby właśnie takiego przebiegu wypadków się spodziewała. Po drugiej stronie sali przedstawiciel sprzedaży szeptał coś do kolegi – kątem oka zerkali na mnie.

Wuj kontynuował: Cal nadal będzie zajmował się kontaktami z Mama Poon – sprawy szły tak gładko, że początek współpracy przesunięto na początek marca. Ja będę się opiekowała linią ekskluzywnych sosów, którą od tej chwili określać będziemy jako tradycyjną. Dzięki mojemu sukcesowi na targach w San Francisco niedługo zaczniemy eksportować luksusowe sosy do Stanów Zjednoczonych, na razie w niewielkich ilościach.

Stojący obok mnie kuzyn promieniał. Złożył palce w pistolet i udał, że strzela do kogoś na drugim końcu sali. To, że rozmiar naszej odpowiedzialności za firmę był nierówny, było jasne dla niego i wszystkich obecnych. Jego projekt to największa i potencjalnie najbardziej dochodowa okazja do rozrostu Lin's. Mój miał wartość przede wszystkim symboliczną.

W końcu wuj Robert zakończył oświadczenie.

– Lin's może z powodzeniem połączyć tradycję z nowoczesnością – wykrzyknął, łapiąc syna za dłoń i unosząc ją w górę, jakby byli parą medalistów olimpijskich. – Za świetlaną przyszłość!

Pokój wybuchł oklaskami.

Wuj Robert uścisnął mi dłoń w sposób, który wydał mi się niespodziewanie formalny.

– Witamy w drużynie.

– Gratulacje, partnerko – rzekł Cal, nadstawiając dłoń, żebym przybiła mu piątkę.

Zapomniałam o mojej niechęci do niego i klepnęłam go w dłoń.

– Gratulacje.

Ojciec przytulił mnie mocno i szepnął:

– Jak na razie idzie dobrze.

Matka dobrze radziła sobie w domu, a on pierwszy raz od kilku tygodni wyglądał na wypoczętego. Kiedy później mama spytała go, dlaczego zmienił zdanie na temat Cala, tata mrugnął do mnie okiem i rzekł:

– Wszyscy czasem poświęcamy się dla tych, których kochamy.

Po drugiej stronie sali konferencyjnej z dala od innych stała Frankie – opierała się plecami o ścianę, ukrywając twarz za kurtyną włosów. Choć od czasu swojego wyznania próbowała ze mną porozmawiać, udawało mi się jej unikać – nie było to proste, zważywszy, że mijałyśmy się w korytarzu kilka razy dziennie. Wydawało się, że łączyła nas jedna z tych kobiecych przyjaźni, które zostają zaprzepaszczone przez zainteresowanie tym samym mężczyzną – na dodatek nieszczególnie go wartym.

Wuj Robert podniósł dłoń, a pokój ucichł. Miał więcej wieści – już je słyszałam: Frankie otrzymała ofertę pracy z czołowej firmy konsultingowej. Pod koniec miesiąca opuszcza nas i wyjeżdża do Hongkongu.

Sala wypełniła się szeptami. Ci sami ludzie, którzy wciąż dystansowali się ode mnie, podawali Frankie dłonie i przytulali się do niej.

– Nie zapominaj nas odwiedzać, hor. Hongkong nie jest aż tak daleko – powiedział wuj Robert, żartobliwie grożąc Frankie palcem. – I dziękujemy za całą ciężką pracę, którą dla nas wykonałaś.

Znów wybuchły oklaski, a Frankie się zaczerwieniła. Kiedy klaskałam, przypomniałam sobie chwilę, gdy we dwie jechałyśmy moją czerwoną jettą na południe po autostradzie 101 do LA z na wpół opróżnioną torebką słodkich pianek między nami. Ona prowadziła, a ja rozłożyłam się na fotelu pasażera i trzymałam nogi na desce rozdzielczej. Kiedy usłyszałyśmy w radiu pierwsze dźwięki naszej ulubionej piosenki Radiohead, odchyliłyśmy głowy do tyłu i zaczęłyśmy wywrzaskiwać jej słowa.

Tego samego dnia sieć Mama Poon wprowadziła pierwszą transzę naszego sosu sojowego do swoich sklepów w Kalifornii, a Benji Rosenthal napisał do nas, by pogratulować Lin's entuzjastycznego przyjęcia produktów firmy przez konsumentów. Kazał swoim analitykom przeprowadzić ponowną prognozę sprzedaży – złożyli zamówienie na kolejne butelki, prosząc, by zostały wysłane jak najszybciej.

Cal ogłosił tę wiadomość na cotygodniowym spotkaniu zespołu kierowniczego. Nasza czwórka, wraz z kierownikami działów marketingu i finansów, zebrała się w biurze mojego wuja.

– Świetne wieści, chłopcze – powiedział wuj Robert.

Cal wyprostował się na krześle, jakby ktoś przymocował jego mostek sznurkiem do sufitu.

– Zaraz każę komuś przygotować informację dla prasy – powiedział kierownik marketingu.

– Dobra robota – pochwaliłam kuzyna, który uśmiechnął się do mnie i spytał: – Jakieś wieści z linii luksusowych sosów? Przepraszam, tradycyjnych.

Spojrzałam na notatki, udając, że nie zapamiętałam tego, co mam im oznajmić. Powiedziałam, że też mam ekscytujące wiadomości. Rano otrzymałam potwierdzenie od słynnej prezenterki amerykańskiego talk-show we własnej osobie.

Wszyscy pochylili się w moim kierunku. Uśmiech samozadowolenia zniknął z twarzy mojego kuzyna.

– W grudniu nasze tradycyjne sosy będą przedstawione w programie świątecznym Melody jako jeden z sześciu pomysłów na prezenty pod choinkę.

Próbując zachować spokój, opowiedziałam całą historię, od spotkania z Suzanne Silver aż do rozmowy z prowadzącą talk-show w jej limuzynie.

– Już zamówili po osiemset butelek jasnego i ciemnego sosu dla publiczności i pracowników programu.

Z początku nikt nic nie mówił.

Tata położył mi dłoń na ramieniu i ścisnął mocno.

Później wuj powtórzył imię Melody.

– Niewiarygodne – rzekł.

Szef działu finansów przeliczał coś na kalkulatorze.

– Będziemy musieli przeprowadzić badania, by dowiedzieć się, o ile potencjalnie może wzrosnąć sprzedaż. To może sprawić, że będziemy mieli wyniki takie jak nigdy.

– Musimy poinformować lokalne stacje telewizyjne – powiedziała kierowniczka marketingu, zapisując coś w notesie. – W końcu mówimy o Melody!

Jednak Cal przypomniał wszystkim, że nie należy się przesadnie ekscytować. Podkreślił, że szef działu finansów ma rację i należy przeprowadzić dalsze badania.

– Nie wiemy, jak długo potrwa to zainteresowanie i o ile więcej butelek sprzedamy.

Powstrzymałam się od poradzenia mu, żeby nauczył się przegrywać. Wiedział, że to jedyna w swoim rodzaju okazja. Nie nadejdzie lepsza chwila na eksport naszego sosu do Stanów.

Tata i wuj Robert nie potrzebowali dużo czasu, by dojść do wniosku, że należy przynajmniej jeszcze raz przyjrzeć się planowi rozszerzenia działalności na Stany Zjednoczone.

– Musimy poczekać z produkcją sosu z kadzi z włókna szklanego dla Mama Poon – zdecydował wuj Robert. – Przynajmniej do czasu kiedy będziemy lepiej wiedzieli, co tego rodzaju rozgłos da naszej linii tradycyjnej.

Pozostali pokiwali głową na znak zgody – wszyscy poza Calem, który siedział w zupełnym bezruchu.

– Czekajcie. Nie możemy sobie pozwolić na zwłokę.

Wuj Robert chciał mu odpowiedzieć, ale Cal mu przerwał.

– Dlaczego tak bardzo się spieszymy, by wrócić do robienia sosu starym sposobem? Na litrze sosu z kadzi z włókna szklanego zarobimy dwukrotnie więcej.

Tym razem przemówił tata:

– Z niczym się nie spieszymy. Właśnie o to chodzi. Musimy zobaczyć więcej analiz, zanim podejmiemy decyzję.

Cal uderzył dłonią w biurko.

– To właśnie nasz problem. Wszystko robimy cholernie wolno. Zanim podejmiemy decyzję, okazja przemija.

– Chłopcze – powiedział wuj Robert głosem, którego nigdy wcześniej nie słyszałam. Nie kontynuował.

– To gówno warte – powiedział Cal, pochylając się do przodu na krześle. – Tak samo jak to, że wspólnie pełnimy funkcję wiceprezesa.

Wbił we mnie wzrok.

Kierownicy marketingu i finansów poruszyli się niespokojnie na krzesłach i spojrzeli w dół.

– Czy tylko ja rozumiem, że Lin's w ten sposób nie przetrwa? – zapytał Cal.

Nagle wściekłam się na siebie, że pozwalam mu sobą pomiatać. Powiedziałam:

– Nie możesz wpadać we wściekłość za każdym razem, kiedy coś idzie nie po twojej myśli. Teraz jest nas dwoje, więc tak, podejmowanie decyzji zajmie trochę więcej czasu, ale na pewno pamiętasz, jak niebezpieczna potrafi być twoja brawura.

Oczy Cala się zwężyły. Wstał na równe nogi.

– Wiesz, ile dostaję ofert pracy? Nie muszę tu siedzieć i walczyć o to, by siłą popchnąć tę firmę ku przyszłości.

Spojrzał na mojego wuja, jakby chciał go zmusić – bądź przebłagać – by się za nim wstawił.

Wuj Robert miał łagodny i smutny wyraz twarzy. Odwrócił wzrok i zamknął oczy.

Cal wskazał palcem na mnie i w tej pozycji poszedł w kierunku drzwi.

– Ona sobie z tym nie poradzi. Lin's nie przetrwa.

Drzwi zamknęły się z hukiem. Z biurka spadła sterta papierów, a ja kucnęłam, by je podnieść zadowolona, że mam coś do roboty.

Cal opuścił firmę jeszcze przed lunchem. Wtargnął do biura Frankie i zabrał z niego tyle pudeł z dokumentami, ile zdołał unieść, a do tego twardy dysk wypełniony poufnymi plikami – informacjami, które nigdy nie opuściły rodziny.

– Pozwiemy go – zaproponowałam.

Tata stwierdził jednak, że sprawy nie są takie proste. Powiedział mi, że musimy myśleć, jak nagłośnienie sprawy w mediach odbiłoby się na rodzinie, zwłaszcza na cioci Tinie. Oboje odwróciliśmy się do mojego wujka, który się nie odzywał.

Wuj Robert roześmiał się tak smutno, że aż przeszły mnie dreszcze.

– Jak mogłem się tak pomylić? – zapytał.

– Zabrał dokumenty w przypływie złości. Nie wiemy, czy planuje cokolwiek z nimi zrobić – uspokajał nas mój ojciec. – Powinieneś porozmawiać z chłopakiem.

Wuj odwrócił się od nas plecami.

– I co nam z tego przyjdzie?

– Może ja powinnam z nim porozmawiać – zaproponowałam, choć nie miałam pojęcia, od czego miałabym zacząć, szczególnie że to właśnie z mojego powodu Cal wybiegł ze spotkania.

– Warto spróbować – uznał tata.

Wuj Robert machnął rękami.

– Proszę bardzo – odparł, znów śmiejąc się tak, że przeszły mnie ciarki. – Proszę bardzo.

❖

ROZDZIAŁ 17

W tygodniach po opuszczeniu San Francisco dostałam tylko jedną wiadomość od Paula – zadzwonił, kiedy otrzymał dokumenty od mojej prawniczki. Nie odebrałam telefonu, ale nagrał się i odsłuchałam wiadomość trzy razy z rzędu.

Z wahaniem w głosie Paul oznajmił mi, że wyśle do mnie dokumenty jeszcze tego samego dnia. Po długiej przerwie powiedział, że chce, żebym wiedziała, że przeprowadził się do kawalerki w Oakland, a potem natychmiast dodał:

– Nie mam pojęcia, dlaczego właśnie ci to powiedziałem.

Prawie się uśmiechnęłam.

Powinnam była być przygotowana na chwilę, kiedy szara koperta zaadresowana jego podłużnym charakterem pisma – zawsze pisał dużymi drukowanymi literami – dotarła do domu moich rodziców. A jednak i tak przejrzałam wszystkie papiery, szukając błędów – drobna część mnie miała nadzieję, że znajdę powód, by odesłać je z powrotem, by jeszcze odrobinę opóźnić cały proces. Jednak wszystkie czternaście stron zostało podpisanych i opatrzonych datą.

Nie mieliśmy z Paulem dzieci ani wspólnych nieruchomości. Mieszkaliśmy trzynaście tysięcy kilometrów od siebie. Byliśmy młodzi. Później ludzie mówili mi, ile miałam szczęścia. Jak łatwo to się odbyło. Opowiadali o dramatycznych rozwodach, kończących się zaburzeniami psychicznymi dzieci i pustymi kontami bankowymi. Wraz z Paulem powinniśmy być wdzięczni losowi, że oszczędził nam dalszego cierpienia. Dzięki tym dokumentom było tak, jakby ostatnie dwanaście lat w ogóle się nie wydarzyło albo przynajmniej przestało mieć znaczenie. Czyste rozstanie.

Moje palce natrafiły na zgrubienie pomiędzy dwiema ostatnimi stronami. Wyciągnęłam cienką białą kopertę, niezaklejoną, ale ze skrzydełkiem włożonym do środka. Ostatnie wyznanie Paula? Zawsze miał skłonność do dramatyzowania.

Chwilę manipulowałam przy skrzydełku, a potem rozdarłam kopertę. W środku nie znalazłam listu, lecz czek wypisany na nazwisko mojego ojca, opiewający na dwa tysiące siedemset dolarów, a także krótką wiadomość, przedstawiającą jego plan oddania reszty pieniędzy. Mimo wszystko poczułam ukłucie w sercu.

Z zadumy wyrwał mnie dźwięk fortepianu. Na dole matka sumiennie ćwiczyła. Tylko ona mogła grać ten utwór tak niepewnie i z taką determinacją.

Następnie moje myśli wróciły do chwili obecnej. Czy te drobne codzienne aktywności – ćwiczenie gry na fortepianie, praca nad książką – wystarczą, by była zajęta? By nadchodzące dni, miesiące, lata na coś się złożyły?

Poprzedniego dnia matka powiedziała mi, że jej znajomi szukają najemcy na mieszkanie, z którego wyprowadza się ich syn, by poszukać czegoś większego.

– Sto dziesięć metrów kwadratowych, dwa pokoje i dwie łazienki.

Czy chciałabym je obejrzeć?

W ciągu ostatnich tygodni tyle się działo, że nie miałam czasu pomyśleć o wyprowadzce z domu rodziców. A potem uświadomiłam sobie kolejny powód, dla którego nie brałam tego pod uwagę.

– Jeśli nie przeszkadza to tobie i tacie, chciałabym jeszcze tu chwilę pomieszkać.

Mama gwałtownie odwróciła się do mnie. Oczy jej się rozszerzyły.

– Oczywiście, kaczuszko – powiedziała. – Zostań, jak długo chcesz.

Z dołu wciąż dobiegały nieudolne dźwięki. Metronom w ogóle jej nie pomógł. Najprawdopodobniej wrzuciła go do przegródki w ławeczce i zapomniała o nim.

Prawie słyszałam, jak mówi: „Gdybym wiedziała, że będziesz mnie cały dzień nękała, nigdy nie pozwoliłabym ci mnie uczyć".

Odłożyłam dokumenty i poszłam na dół interweniować.

ROZDZIAŁ 18

❖

Wreszcie po raz kolejny pojawiłam się przed bramą domu Tanów.

Sądząc po liczbie samochodów ustawionych przy drodze, Kat zdołała zebrać całą grupę pomimo krótkiego terminu. Nie zaskoczyło mnie to.

Kilka dni wcześniej zadzwoniłam do niej, by przeprosić za moje wcześniejsze zachowanie i poinformować ją o wydarzeniach z poprzednich tygodni – chciałam, żeby dowiedziała się wszystkiego ode mnie.

Kat pogratulowała mi decyzji, by zostać, i powiedziała, że przeprosiny są niepotrzebne. Stwierdziła, że ta kolacja przydarzyła się tak dawno temu, a w naszej trwającej dwadzieścia cztery lata przyjaźni przechodziłyśmy znacznie gorsze chwile.

Nie byłam pewna, czy tak było, ale zgodziłam się z nią. Ucieszyłam się z odzyskania przyjaciółki.

– A teraz – rzekła Kat – nie chcę ci sprawiać przykrości, ale urządzam przyjęcie pożegnalne. Dla Frankie. – Zanim zdążyłam rozpocząć swoją tyradę, powiedziała: – Słuchaj, zrobiła gównianą rzecz. Nie próbuję temu zaprzeczać.

– W takim razie, skoro obie się zgadzamy, dlaczego urządzasz to przyjęcie? Jak możesz mi to robić?

– Naprawdę jej przykro, Gretch. Uwierz mi.

Oczywiście wiedziałam, jak bardzo Kat i Frankie się zbliżyły. W ostatnich miesiącach spędziły ze sobą dwa razy więcej czasu niż ja z którąkolwiek z nich. A jednak w tamtej chwili myśl o tym, że za moimi plecami rozmawiają, zwierzają się sobie i udzielają sobie rad, była nie do zniesienia. Podniosłam głos, zaczęłam mówić z emfazą o zdradzie i postawiłam jeszcze kilka melodramatycznych zarzutów.

Kat jak zwykle nie dała się zbić z tropu.

– Na Boga, nie musicie się przytulać i ryczeć, ale przynajmniej pożegnajcie się kulturalnie. Kto wie, kiedy ją znów zobaczysz?

Kiedy się z nią nie zgodziłam, dodała:

– To Singapur. Rozejrzyj się. Wszyscy tu się ze wszystkimi spotykali. Gdybym przestała rozmawiać ze wszystkimi dziewczynami, które podrywały moich byłych facetów, nie miałabym z kim gadać.

– Nie był moim facetem – powiedziałam szybko.

– Tym bardziej powinnaś przyjść.

Kiedy szłam podjazdem, z domu dobiegł mnie śmiech. Rozpoznałam donośny męski głos, który mógł należeć tylko do Jamesa. Spodziewałam się, że tu będzie. Nawet cieszyłam się na to, że będę mogła mu pokazać, iż potrafię zachowywać się przyzwoicie. Jednak w tamtej chwili instynkt wziął we mnie górę. Odwróciłam się i pobiegłam w kierunku bramy, a kiedy minęła mnie taksówka, pomachałam na nią.

Taryfa zatrzymała się sama dwa domy dalej. Wysiadł z niej Terrence, a potem pomógł wydostać się Cindy. Zawołali mnie i pomachali, a Cindy powiedziała, że się spóźnili, bo prawie nie zmieściła się we frontowych drzwiach – a ja jaką mam wymówkę? Jej policzki były zaczerwienione, a czoło lśniło od potu, ale uśmiechała się szeroko.

– Musiałam załatwić kilka spraw – powiedziałam, a Terrence wbił Cindy łokieć w żebra.

– Au – krzyknęła, a potem zorientowała się w sytuacji. – O mój Boże – westchnęła i wyjąkała przeprosiny, podczas gdy Terrence zatopił twarz w dłoniach.

Sekundę później oddała Terrence'owi kuksańca.

– Au! – zawył, co mnie rozśmieszyło.

On również zaczął chichotać, a potem dołączyła do nas Cindy.

W domu panowała zrelaksowana, spokojna atmosfera, nieprzypominająca zwyczajowych przyjęć u Kat.

Ludzie kulili się na okrągłej kanapie, trzymając ogromne szklanki czerwonego wina. Wylegiwali się na leżakach przy basenie. Frankie, gość honorowy, stała przy barze z łokciami opartymi na blacie, popijając piwo Tiger i rozmawiając z Kat i Mingiem. Jej jednorazowa przygoda stała na drugim końcu pokoju z Pierre'em i ostrzyżoną na krótko dziewczyną.

Kiedy weszłam przez drzwi, wszyscy spojrzeli w moją stronę. Wyprostowałam ramiona i przeszłam swobodnie przez pokój, a chwilę później goście wrócili do rozmów, chociaż wciąż czułam, że czekają na mój następny ruch.

Cindy zatrzymała dziewczyna, która przycisnęła dłonie do jej brzucha, jakby błogosławiła jej nienarodzone dziecko. Grupa chłopaków zawołała Terrence'a na patio, by pomógł im rozstrzygnąć zakład. Zostałam sama.

Nie było sensu odkładać tego, co nieuniknione. Podeszłam do Kat, Minga i Frankie i przerwałam ich rozmowę, przytulając Kat i jej męża. Później ostrożnie objęłam Frankie.

– Cieszę się, że przyszłaś – powiedziała.

– Nie mogłabym tego przegapić – odpowiedziałam, co wywołało uśmiech aprobaty na ustach Kat.

Kat sięgnęła po kieliszek, wypełniła go niemal po brzegi winem sauvignon blanc i ostrożnie przesunęła w moim kierunku. Pociągnęłam długi łyk cierpkiego, zbyt mocno schłodzonego wina.

– Może powinnyśmy wyjść na zewnątrz?

Poszłyśmy z Frankie nad basen, ale po tym jak zabiła trzeciego komara, wróciłyśmy do kuchni, gdzie poza nami była tylko gosposia smażąca samosy na wielkiej, głębokiej patelni. Ja i Frankie patrzyłyśmy, jak przekłada samosy z patelni na ręcznik papierowy, a potem na talerz.

Gosposia skończyła układanie samos i podsunęła talerz Frankie i mnie. Potrząsnęłam głową, ale, ku mojemu zaskoczeniu, Frankie wzięła jedną – przyzwyczaiłam się do tego, że prawie wszystkiego odmawia.

Z talerzem w dłoni gosposia poszła do salonu.

– Wiem – powiedziała Frankie, zauważywszy moje spojrzenie. – Nie powinnam tego robić.

Odparłam, że nawet o tym nie pomyślałam.

Próbowała ugryźć samosę, a potem się poddała i wepchnęła sobie całą do ust. Otworzyła je i zaczęła dyszeć, by ochłodzić parujący trójkąt. Kiedy skończyła żuć, powiedziała ponuro:

– Tak bardzo się boję, że wszystko znów będzie tak jak kiedyś.

Wiedziałam, że nie mówiła po prostu o swojej wadze, ale odruchowo zaczęłam ją uspokajać, że jedna samosa nic nie zmieni.

Zlizała tłuszcz z palców.

– Nie rozumiesz. Nigdy nie byłam tak szczęśliwa jak tu, w Singapurze.

Nagle zapachy dobiegające z kuchni stały się duszące. Żołądek podszedł mi do gardła.

– Frankie, nie musisz odjeżdżać.

– Tak, muszę – odparła.

– Możesz znaleźć inną pracę tutaj. Jestem pewna, że mój ojciec i wuj pomogą.

Zmięła chusteczkę w pięści z zadziwiającą siłą.

– Niedługo zacznę wspaniałą pracę. Nie zamierzam odrzucić tej propozycji. I kto wie? Może pokocham i Hongkong.

Gdybym podjęła temat i powiedziała jej wszystko, co wiem o Hongkongu, rozmowa mogłaby przenieść się na lżejsze, bardziej optymistyczne tory. Zadałam jej jednak pytanie, które męczyło mnie od pewnego czasu.

– Czy wyjeżdżasz przeze mnie?

Spojrzała na mnie przeciągle.

– Muszę brać odpowiedzialność za swoje czyny.

– Nie jestem już na ciebie zła – zapewniłam, i była to prawda.

Frankie skrzywiła się i zaczęłam się obawiać, że zacznie płakać, ale później powiedziała:

– Choć raz spodobałam się facetowi, który mi się podobał. Wiem, że brzmi to głupio i trywialnie, ale dla mnie było to wyjątkowe doświadczenie. Przykro mi, że pozwoliłam temu przyćmić swoją ocenę sytuacji. Przykro mi, że cię skrzywdziłam.

Chciałam wyciągnąć dłoń i dotknąć policzka przyjaciółki.

– Przyjmuję twoje przeprosiny.

Przez te ostatnie kilka miesięcy patrzyłam, jak Frankie z łatwością wchodzi w swoje nowe życie w Singapurze. Żywiła do mojej ojczyzny prostą miłość, ciesząc się wolnością i niezależnością tak jak ja niegdyś w Ameryce – w sposób, w który nie mogłam tego robić tutaj.

Teraz jednak zrozumiałam, że pozwoliłam, by zaślepiła mnie zazdrość. Nic nie było proste dla Frankie. Musiała zapracować na wszystko, co dostała – szacunek mojego ojca i wuja, zaufanie swoich współpracowników, sympatię nowych przyjaciół. Dzięki swojej odwadze i wytrwałości zbudowała fundamenty swojego życia w Singapurze tylko po to, by teraz przenieść się do Hongkongu i zacząć od początku, znów na własną rękę, ponieważ rodzina nigdy nie dbała o nią ani nie wspierała jej w taki sposób jak moja mnie. W ciągu spędzonego tu czasu Frankie uświadomiła mi, z czego zrezygnowałam, wracając do Singapuru. Teraz wreszcie dostrzegłam, co zyskałam.

– Żałuję, że nie zrobiłam więcej, by ci pomóc – powiedziałam.

Jej wyraz twarzy złagodniał.

– Znalazłaś mi pracę, przedstawiłaś rodzinie i przyjaciołom. Zrobiłaś więcej niż trzeba.

Te miłe słowa wprawiły mnie w zakłopotanie. Byłam bowiem małostkowa i zazdrosna, owinęłam się jak kokonem moimi problemami – nie potrafiłam dojrzeć nic poza własnym bólem.

– To ja powinnam ci dziękować – powiedziałam.

Frankie wyglądała na zdezorientowaną.

– Gdyby nie ty, nie sądzę, że dałabym szansę Lin's. Nie podjęłabym decyzji, by zostać.

Roześmiała się donośnie.

– To prawda, z początku byłaś raczej beznadziejna.

Żartobliwie uderzyłam ją pięścią w ramię.

– Przepraszam, pani Nie-Widzę-Różnicy-Między--Włóknem-Szklanym-A-Gliną.

Kiedy tak uśmiechałyśmy się do siebie z dwóch stron stołu kuchennego, wiedziałam, że nigdy nie będziemy już tak blisko jak w college'u. W końcu Frankie przeprowadzi się z Hongkongu w kolejne nowe miejsce i nasze ścieżki będą się przecinać coraz rzadziej. Już tęskniłam za dziewczynami, którymi niegdyś byłyśmy, tak jak pewnego dnia zatęsknię za miesiącami, które spędziłyśmy w Singapurze.

Wreszcie Frankie rzekła:

– Mój samolot odlatuje o szóstej rano. Powinnam chyba zacząć się żegnać.

– Najpierw ze mną. – Wstałam od stołu i mocno ją przytuliłam.

– Pa, Gretch – powiedziała i otworzyła drzwi.

Zostałam w kuchni, patrząc w pusty kieliszek. Na jego wodnistym dnie widziałam mamę Frankie, która stała na podjeździe swojego niskiego, jednopiętrowego domu we Fresno i machała, niknąc w oddali.

Kiedy wróciła gosposia, wciąż patrzyłam w to samo miejsce. Włożyła pusty talerz do zlewu i odkręciła kran.

– Pani wciąż tu? – spytała łagodnie, nie patrząc w moją stronę. – Ma pani wszystko, czego potrzebuje?

Podążałam wzrokiem za jej szybkimi, pewnymi ruchami. Powiedziałam, że mam.

Frankie chodziła po salonie i ze łzami w oczach ściskała swoich nowych przyjaciół. Goście podawali sobie talerz, z którego szybko znikały babeczki domowej roboty. Kiedy naczynie zbliżyło się do mnie, ktoś się odwrócił i babeczki niemal wysypały się na mnie – byłabym cała w lukrze.

– O cholera – powiedział James.

– Było blisko – odparłam.

Nagle ogarnął mnie niespodziewany spokój. Poczęstowałam się babeczką tylko po to, żeby mieć co robić, i podałam talerz dalej.

Jedliśmy w ciszy, a potem spytałam:

– Jak się miewałeś?

– Dobrze – odpowiedział. – A ty?

Zauważyłam, że Kat przygląda się nam z przeciwległego kąta pokoju.

– Miewałam się świetnie – powiedziałam, zlizując okruszki z kącików ust.

– Podobno postanowiłaś zostać w mieście?

– Plotki są prawdziwe.

– Jeśli to ma jakieś znaczenie – odparł. – Choć pewnie nie ma... Przepraszam.

Odwróciłam się do niego twarzą i wyobraziłam sobie, że wygładzam dłonią jego zmierzwione kosmyki.

– Jeśli to ma jakieś znaczenie, sądzę, że powinieneś zmienić fryzurę – powiedziałam. – I wybaczam ci.

Przeprosiłam i poszłam dołączyć do Kat.

– Wszystko w porządku? – spytała.

Objęłam ją – moją drogą, starą przyjaciółkę, która nigdy mi nie odpuszczała i która zawsze mi wybaczała.

Frankie zatrzymała się przy wejściu, żeby włożyć buty, i pomachała nam po raz ostatni. Odmachałam. Cudownie się czułam, będąc jedną z osób, które zostają z tyłu.

Kiedy znikała za drzwiami, nasze oczy na chwilę się spotkały.

Powiedziałam bezgłośnie:

– Zadzwoń, kiedy wylądujesz.

Skinęła głową.

Później ludzie zaczęli wychodzić – w końcu był środek tygodnia.

Kat przeciągle ziewnęła, a Ming się roześmiał.

– Starzejemy się – stwierdził.

– Nie ma nawet północy – zauważył ktoś, również ziewając.

– Skończcie tę ostatnią butelkę, zanim wyjdziecie – rozkazła Kat, dyrygująca wszystkimi pomimo zmęczenia, ale tym razem nikt nie posłuchał.

– Podwieźć kogoś? – spytał James.

Potrząsnęłam głową; inni również odmówili.

Kiedy wszyscy wyszli, pomogłam Kat i Mingowi zanieść kieliszki i talerze do kuchni, a potem się pożegnałam.

Stojąc samotnie na zewnątrz, zapięłam paski sandałów.

Następnego dnia znów miałam spróbować skontaktować się z kuzynem. Od czasu gdy wybiegł z biura, bojkotował wszystkie rodzinne spotkania. Nawet ciocia Tina nie miała od niego żadnych wieści, a mój wuj wciąż nie chciał wymawiać jego imienia. Wysyłałam mu e-maile, zostawiałam wiadomości, pojechałam pod jego dom i waliłam do drzwi – wszystko po to, by spróbować sprawić, że zrozumie, to, co oboje wiedzieliśmy: że aromatyczny płowy wywar, który stworzył nasz dziadek, zawsze będzie nas łączył. Lin's należał do niego tak jak do mnie – to już na zawsze będzie stanowiło największą słabość i największą siłę naszej firmy.

Wiedziałam, że może mi się nie udać skłonić Cala do powrotu, że kiedy wreszcie zdołam się z nim skontaktować, może być już za późno. Ale kiedy próbowałam zajrzeć pod powierzchnię, widziałam, że kuzyn nie różnił się tak bardzo ode mnie – oboje byliśmy zdecydowani przeżyć życie na własnych zasadach tylko po to, by lata później zrozumieć, że nie pamiętamy, kiedy i w jaki sposób podjęliśmy tę decyzję. W ostateczności mogę nie mieć innego wyboru i będę musiała pozwać go do sądu, by uratować nasz sos sojowy – gdybym była do tego zmuszona, zrobiłabym to. Ale postępowałabym ze współczuciem, nie lekceważąc trudności przystosowania się do świata, który zupełnie różni się od naszych oczekiwań.

W ciągu kolejnych dni będę musiała wziąć pod uwagę wiele czynników i podjąć wiele decyzji. Lecz tej nocy, kiedy wychodziłam z domu rodzinnego mojej starej przyjaciółki na ciepłe, nieruchome powietrze, nie myślałam o tym wszystkim.

Wyobraziłam sobie rodziców, jak nie śpią i w ciemności swojej sypialni nasłuchują, czekając, aż wrócę, tak jak to robili, kiedy byłam nastolatką. Zanim wejdę po schodach, mama będzie wyglądała przez drzwi.

– Wróciłaś – powie.

– Wróciłam.

– Prześpij się.

– Tak zrobię.

– Wróciła – słyszę, jak mówi do taty, zamykając drzwi, a on odpowiada chrząknięciem.

Tak naprawdę pewnie oboje już słodko chrapali.

Między latarniami osiedla Kat wiła się i znikała za zakrętem pusta droga. W sąsiednich domach światła były wyłączone, a zasłony zaciągnięte. W tamtej chwili stawiałam nogę za nogą, ciesząc się samotnością i tym, że nie muszę do nikogo wracać ani donikąd iść.

E-book dostępny na

woblink.com